岳西翠兰志

钱子华　主编

黄山书社

图书在版编目（CIP）数据

岳西翠兰志 / 钱子华主编— 合肥 : 黄山书社 , 2022.10
ISBN 978-7-5737-0347-7

Ⅰ . ①岳…　Ⅱ . ①钱…　Ⅲ . ①茶业—概况—岳西县　Ⅳ . ① F326.12

中国版本图书馆 CIP 数据核字（2022）第 187109 号

岳西翠兰志
YUEXI CUILAN ZHI

钱子华　主编

出 品 人　贾兴权
责任编辑　张月阳
责任印制　丁世斌
装帧设计　有品堂 _ 刘俊
出版发行　黄山书社（http://www.hspress.cn）
地址邮编　安徽省合肥市蜀山区翡翠路 1118 号出版传媒广场 7 层　230071
印　　刷　安徽新华印刷股份有限公司
版　　次　2022 年 11 月第 1 版
印　　次　2022 年 11 月第 1 次印刷
开　　本　787mm × 1092mm　1/16
字　　数　420 千字
印　　张　18
书　　号　ISBN 978-7-5737-0347-7
定　　价　88.00 元

服务热线　0551-63533706

销售热线　0551-63533761

官方直营书店（https://hsss.tmall.com）

《岳西翠兰志》编纂委员会

审定单位

岳西县文学艺术界联合会
岳西县农业农村局

协作单位

岳西县档案局
岳西县供销合作社联合社
岳西县融媒体中心
安徽皖岳投资集团有限公司
河图镇人民政府
古坊乡人民政府
姚河乡人民政府
岳西县文物保护中心
岳西县图书馆
岳西县文化馆
岳西县作家协会
安徽翠兰投资发展有限公司

凡　例

一、《岳西翠兰志》是一部史志性地方茶书，旨在记述岳西县茶叶生产、加工、营销历史及其文化。中国名茶岳西翠兰是岳西主要茶品，本书作重点介绍。

二、本志卷首有精选图片、概述。概述综述史实，统摄全书；正文分《茶产销》《茶文化》《大事记》《文献辑》四篇。《茶产销》设“产区环境”“茶区生产”“茶树品种”“茶树栽培”“茶叶加工”“茶叶机具”“茶政贸易”“行业管理”“科学教育”“茶业扶贫”十章，以时间、事件为经纬，多侧面叙述岳西茶叶的历史与现状；《茶文化》有“诗词、楹联、书画”“茶歌、茶戏”“茶掌故、茶俗、茶方言”“茶亭、茶路、碑刻”“古茶场、古茶园、茶地名”“茶艺、茶具”“茶人物”七章，分述本地茶叶相关遗存，展示岳西的茶文化；《大事记》两章，记新中国成立前后本境茶叶大事、要事；《文献辑》录与本境有关的古代重要茶文献以及现代技术资料、重大荣誉、历年产量产值等。

三、《岳西翠兰志》通贯古今，以近现代为记述重点。追溯历史，上限不定；记述现状，下限断于2021年12月。

四、本志只介绍岳西的茶叶历史、科技及文化，但因本境1936年才置县，建县前史料又无法作确切的地域性厘分，为全面反映历史面貌，除讲述业已确定的境内茶事外，还对信史中包含本境的茶事作忠实记述。

五、本志《茶人物》录莅境且对本县茶叶有过重大贡献的非岳西籍已故著名茶人；在县外长期事茶并有突出贡献的岳西籍茶人；长期在岳西事茶并有突出贡献的茶人。根据生不立传原则，对健在的茶人只作简介；依现行惯例，在职公职人员不录。

六、本志体裁以志为主，兼及记、考、图、表等形式，图表随文插入有关篇章。行文力求准确、简明、朴实、流畅，《大事记》兼用编年体和纪事本末体，其他各篇均用记叙文体。

七、历史纪年：新中国成立前，沿用朝代年号纪年，夹注公元纪年；新中国成立后，采用公元纪年。

八、使用地名：叙及区、乡镇（公社）、村（大队）、组（生产队）等行政名称时，一般按当时称谓书写。

九、使用计量：原则上以标准计量单位书写，考虑保留历史原貌，也有部分沿用当时资料中的单位。如面积亩、分，重量石、斤等。

十、为避免重复，相同的事物统而不分，确需交叉出现的条目，一般将内容置于联系密切的章节记载，在另一章条目下注明“参见”。

十一、本志史料、数据、图片，一般注明出处；所录文章、诗歌、画作、书法，只署作者名或搜集者名。主编撰写部分不另作说明。

石佛寺有机茶园（石佛寺公司 / 供图）

龙王凸茶园（香炉村 / 供图）

悦溪茶谷（黄尾村 / 供图）

公山茶园（公山村 / 供图）

虎形大滑岭茶园（岳西茶叶局 / 供图）

花墩茶园（来源：中国岳西网）

港河滑岭尖茶园（来源：中国岳西网）

东方红茶园（来源：中国岳西网）

竹山古茶树（刘会根 / 供图）

茶墩采茶（来源：来榜家园网）

司空山下（岳西茶叶局 / 供图）

冶溪机采茶园（岳西茶叶局 / 供图）

独山茶园（岳西茶叶局 / 供图）

茶村水畈（水畈村 / 供图）

茶与境（岳西茶叶局 / 供图）

岳西翠兰手工制作（安徽礼宾茶业有限公司 / 供图）

岳西翠兰手工生产车间（刘会根 / 供图）

翠兰茶（岳西茶叶局 / 供图）

国礼茶（安徽翠兰投资发展有限公司 / 供图）

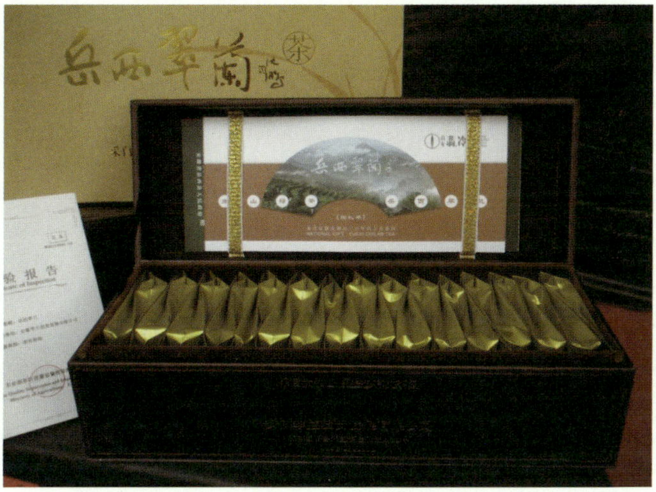

全国“两会”用茶（安徽翠兰投资发展有限公司／供图）

翠兰包装（安徽翠兰投资发展有限公司／供图）

翠兰包装（安徽翠兰投资发展有限公司／供图）

一盏香（陈庆昌／供图）

翠兰茶艺（来源：岳西网）

舞蹈《翠兰茶香》（来源：岳西网）

翠兰舞曲（来源：岳西翠兰茶叶网）

翠兰七仙女（来源：岳西翠兰茶叶网）

翠兰歌舞（来源：岳西翠兰茶叶网）

茶艺（公山村 / 供图）

采茶舞（姚河乡 / 供图）

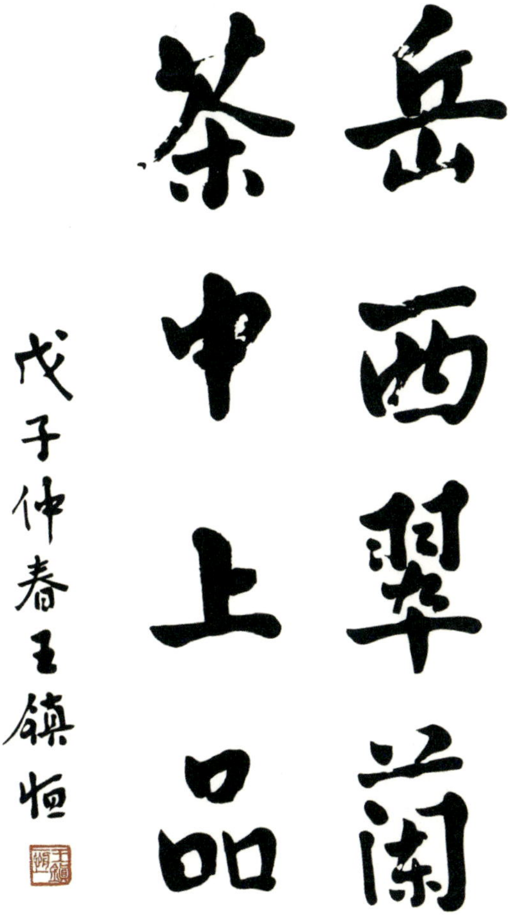

王镇恒题岳西翠兰

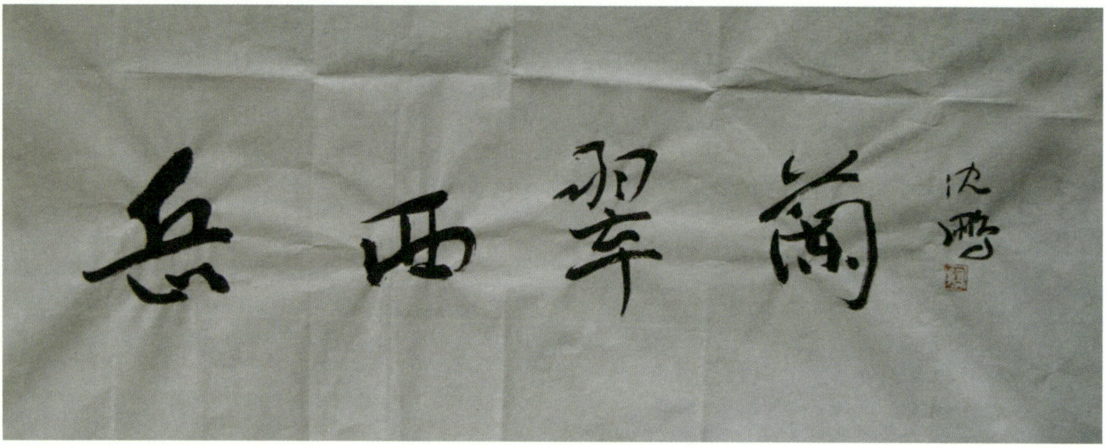

沈鹏题岳西翠兰

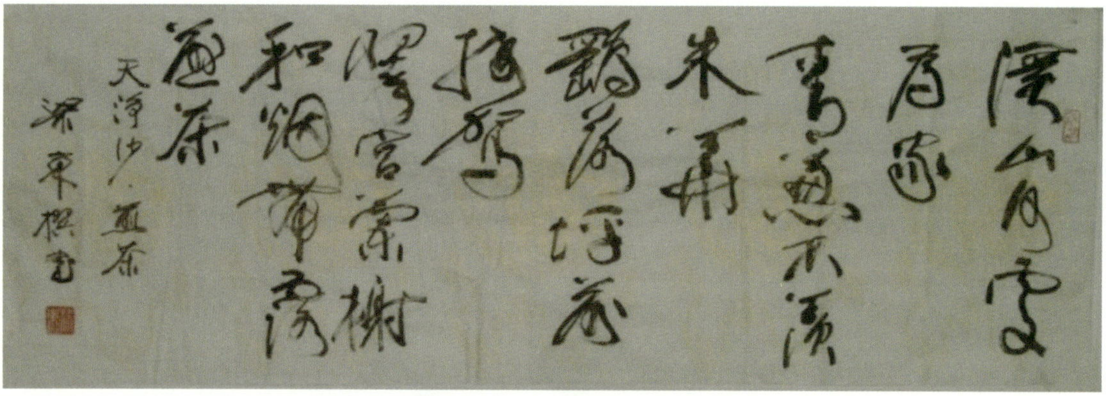

梁东题岳西翠兰词

国画《翠兰加工》（刘文才 / 绘）

2007年安徽农业大学夏涛教授
推介岳西翠兰

2008年安徽农业大学王镇恒（右）
教授为岳西翠兰赠字

全国“两会”特供茶岳西翠兰发车仪式（岳
西县农业农村局/供图）

1985年全国名茶岳西翠兰受奖（左一）

第三届中国国际茶博会上县委书记江春生（左二）参加“茶咖对话”（来源：岳西网）

国家举重队：我为岳西翠兰代言（来源：岳西网）

1989年省委书记卢荣景（后排中）在岳西调研（王晔光/供图）

2002年省委书记王太华（前）在花墩村调研（王晔光/供图）

2009年中茶所杨亚军（右二）所长在岳西调研（岳西茶叶局/供图）

2012年农业部刘艳（右二）司长在岳西调研（岳西茶叶局/供图）

2007 年安徽农业大学宛晓春（中）教授、夏涛（左一）教授在古坊指导（岳西茶叶局 / 供图）

2012 年农业部封槐松（左二）在岳西调研（岳西茶叶局 / 供图）

2012 年中茶所杨亚军（前一）所长在岳西调研（岳西茶叶局 / 供图）

2020 年国家一级评茶员沈红（左二）品评岳西翠兰

2011 年浙江大学梁月荣（中）教授在岳西考察（岳西茶叶局 / 供图）

1984 年操声焰（左一）和程东明（中）在包家茶厂（冯立彬 / 供图）

程东明（右一）和丁宪虎（中）在包家茶园（冯立彬 / 供图）

程东明（左一）指导茶加工（岳西茶叶局 / 供图）

县茶业协会召开 2008 年年会（岳西茶叶局 / 供图）

名优茶大赛岳西团队获奖（岳西茶叶局 / 供图）

名优茶大赛岳西翠兰代表队（岳西茶叶局 / 供图）

1985 年岳西翠兰获农牧渔业部优质农产品奖（岳西茶叶局 / 供图）

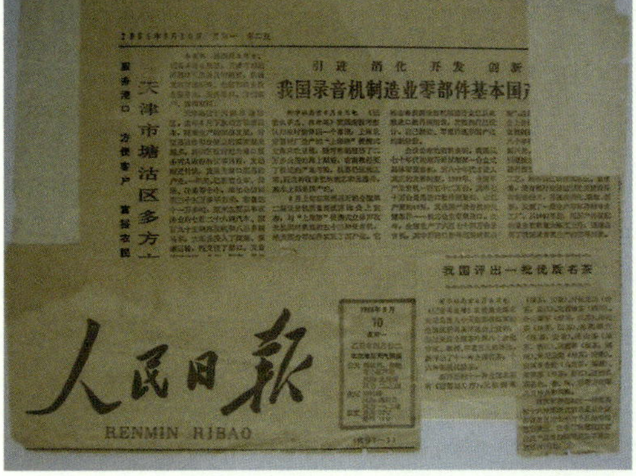

1985 年岳西翠兰跻身中国名茶之列（王长生 / 供图）

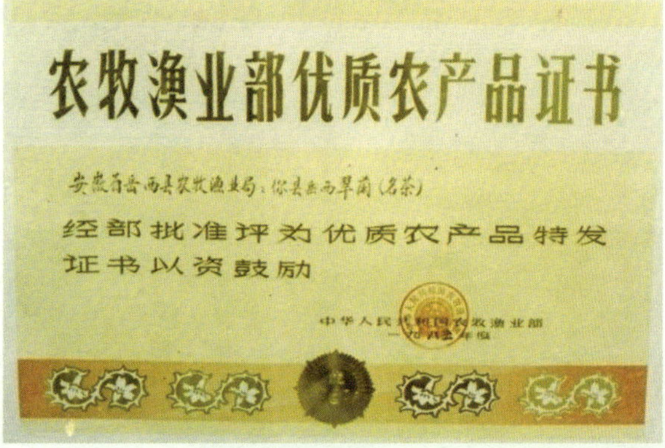

1985 年岳西翠兰获农牧渔业部优质农产品称号（岳西茶叶局 / 供图）

岳西翠兰被列为国家地理标志保护产品（岳西茶叶局 / 供图）

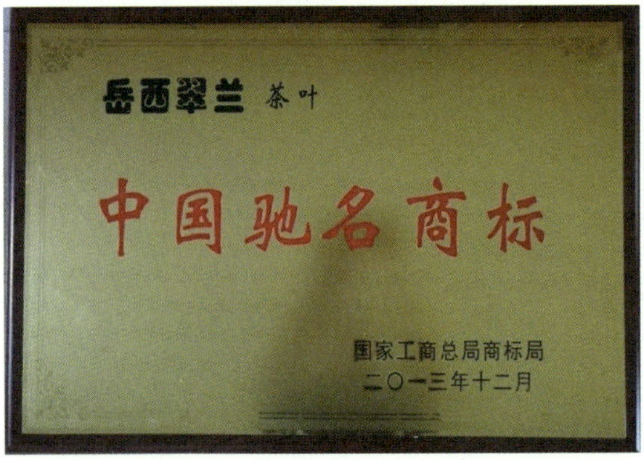

岳西翠兰被认定为中国驰名商标（岳西茶叶局 / 供图）

绿茶制作技艺（岳西翠兰）入选安徽省级非物质文化遗产（岳西茶叶局 / 供图）

岳西翠兰获第七届国际名茶评比金奖
（岳西茶叶局 / 供图）

1990 年岳西翠兰被评为安徽省优质
食品（岳西茶叶局 / 供图）

岳西翠兰入选 2011 年消费者最喜爱的 100 个中国农
产品区域公共品牌（岳西茶叶局 / 供图）

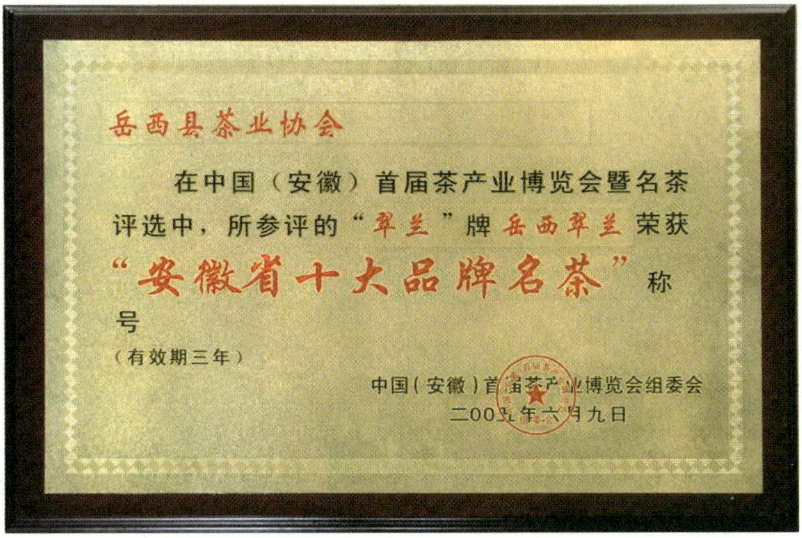

岳西翠兰荣获“安徽省十大品牌名茶”称号（岳西茶叶局/供）

岳西县被授予“中国名茶之乡”称号（岳西茶叶局/供图）

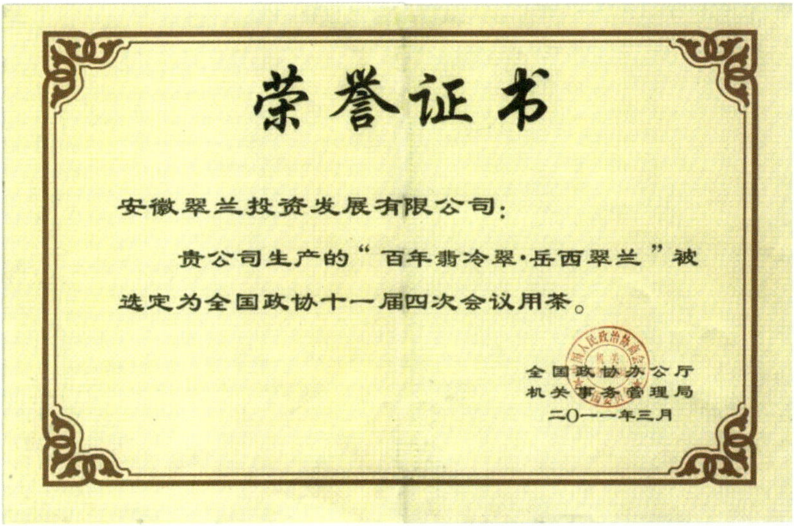

岳西翠兰被定为全国政协十一届四次会议用茶
（岳西茶叶局 / 供图）

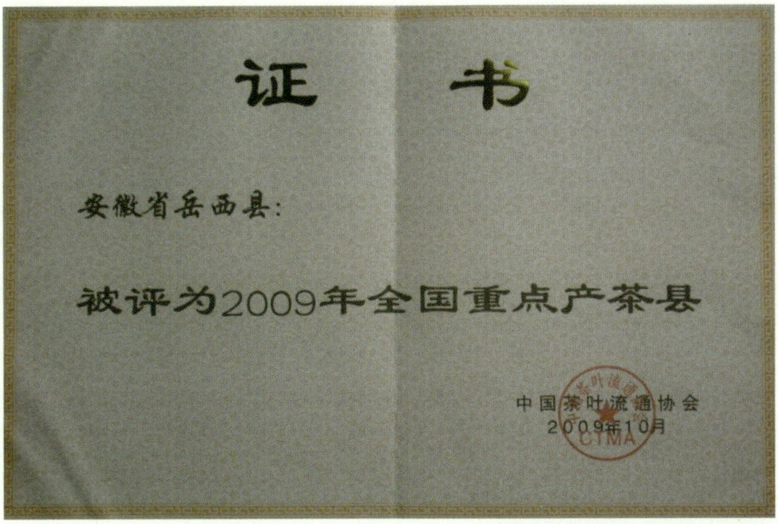

岳西县被评为 2009 年全国重点产茶
县（岳西茶叶局 / 供图）

岳西县被评为 2017 年度全国茶乡旅游特色区（岳西茶叶局 / 供图）

“亲山茶路·云上之旅”入选百条红色茶乡旅游精品路线（岳西茶叶局 / 供图）

岳西翠兰茶标准化示范区验收合格
（岳西茶叶局／供图）

岳西县被评为全国农业标准化（茶叶）
示范县（岳西茶叶局／供）

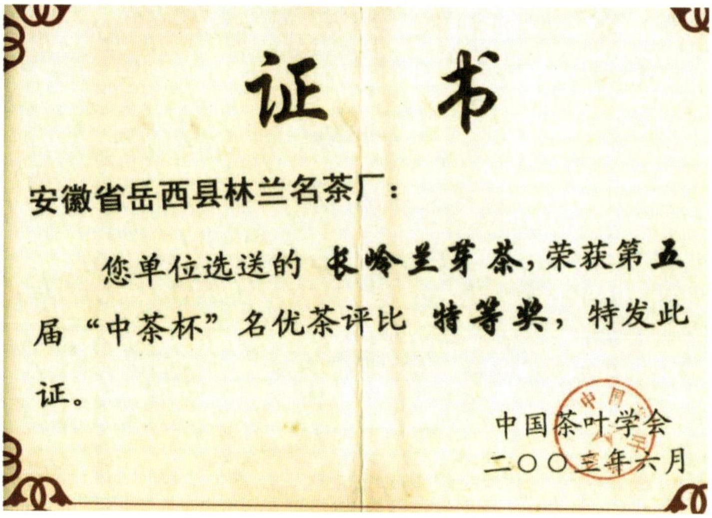

证书

安徽省岳西县林兰名茶厂：

您单位选送的长岭兰芽茶，荣获第五届“中茶杯”名优茶评比特等奖，特发此证。

中国茶叶学会

二〇〇三年六月

长岭兰芽茶荣获第五届“中茶杯”名优茶评比
特等奖（林兰名茶厂 / 供图）

证书编号：151OP1700005

有机产品认证证书

认证委托人名称：安徽云林茶叶有限公司
地址：岳西县天堂镇山货大市场三组团创业楼六层南段
加工企业名称：安徽云林茶叶有限公司
地址：岳西县天堂镇山货大市场三组团创业楼六层南段
产品认证的类别：加工
产品标准：GB/T 19630.2 有机产品：加工
GB/T 19630.3 有机产品：标识与销售
GB/T 19630.4 有机产品：管理体系

加工厂名称	加工厂地址	产品名称	产品描述	生产规模	产量(吨)
云林有机茶加工厂	岳西经济开发区	茶	绿茶	--	1. 74

以上产品及其生产过程符合有机产品认证实施规则的要求，特发此证。

初次发证日期：2017 年 01 月 03 日
本次发证日期：2017 年 01 月 03 日
证书有效期至：2018 年 01 月 02 日

COIC　CNAS 中国认可 产品 CNAS C140-P　负责人签字：　盖　章：

北京中合金诺认证中心有限公司
北京市丰台区南四环西路188号十六区3号楼11层
HTTP://WWW.CO-IC.COM TEL:010-88850617

云林茶叶有限公司生产绿茶获得有机产品认证（岳西茶叶局 / 供图）

北宋罗源场遗址（钱子华/供图）

黄沙岭古道（钱子华 / 供图）

亭子岭茶亭（来源：岳西网）

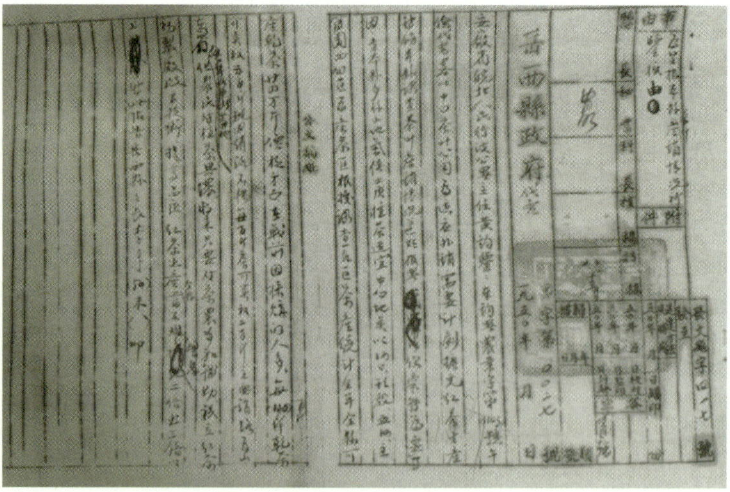
岳西縣政府

1950 年岳西县县长李正乾吁请建红茶厂（钱子华 / 供图）

北宋斗笠茶碗（岳西县文保中心 / 供图）

“万物生长靠太阳”瓷茶壶（岳西县文保中心 / 供图）

壶桶（钱子华 / 供图）

西水岭茶亭碑拓片（岳西县图书馆 / 供图）

清代塔儿岭碑拓片（岳西县图书馆 / 供图）

20 世纪 80 年代衙前老街花茶厂（钱子华 / 供图）

目　录

概 述

大别山处祖国中部，横亘千里，名闻天下。西汉元封五年（前 106），汉武帝登礼大别山南“潜之天柱山”，封之为“南岳”。安徽省岳西县因在潜岳之西而得名。

岳西县位于大别山东段分水岭，地跨长江、淮河两大流域，大别山第二主峰天鹅尖、第三主峰驮尖、第四主峰多枝尖均在本县境内。1936 年，国民政府析潜山、太湖、舒城、霍山 4 县边区置县，与霍山、舒城、潜山、太湖、英山 5 县接壤。岳西是安徽省唯一集革命老区、纯山区、生态示范区、生态功能区于一体的县，总面积 2398 平方公里。2021 年，全县 24 个乡镇，182 个行政村，6 个社居委，总人口 41.24 万人。

岳西县地理坐标为北纬 30° 39′ ~31° 11′ 、东经 115° 50′ ~116° 33′，恰在全球北纬 30°线上。独特的自然生态及文化传承，使得这条线附近地域成为我国名优茶最集中的产区。西湖龙井、黄山毛峰、岳西翠兰、霍山黄芽、信阳毛尖等，都产自这条线附近。本县森林覆盖率高，漫射光多，土壤呈微酸性反应，雨量充沛，气候温凉湿润，生态环境宜茶。在农业部《全国茶叶重点区域发展规划》中属中国长江中下游名优绿茶产区。

茶，原产中国，中国也是世界上最早种植、利用茶叶的国家。约公元前 1046 年，周武王伐纣，西南地区少数民族把茶叶作为贡品献给周室。从西汉开始，茶叶就作为商品在市场销售。到了唐代，茶叶已遍及南方十几个省份。

岳西茶叶最早可追溯到秦汉，唐宋以后影响越广。

秦汉时期药典《桐君采药录》记载：“西阳、武昌、庐江、晋陵，好茗，皆东人作清茗。”说今湖北黄冈、武昌，安徽安庆、六安，江苏常州等地喜好茗饮，普遍用清茶待客。

本境茶在唐代已负盛名。唐代陆羽《茶经 · 八之出》载：淮南，茶出“光州”“义阳郡”“舒州”“寿州”，舒州（茶）“生太湖县潜山者”。王敷的《茶酒论》记载：“舒城太湖，买婢买奴。越郡余杭，金帛为囊。”说舒州太湖一带，茶利甚好，业茶者家境优渥，可以买得起奴婢。唐代封演《封氏闻见记》载：“起自邹、齐、沧、棣，渐至京邑。城市多开店铺，煎茶卖之。不问道俗，投钱取饮。其茶自江、淮而来，舟车相继，所在山积，色额甚多。”这里所说的河北至长安沿线，由车船从江淮茶区运来的堆积如山的茶货，自然有出自其核心产区的岳西茶。

宋代对茶叶经营控制最为严苛。东南广大茶区，普遍实行禁榷制度，由政府专营。在淮南道设十三山场六榷务，专事茶叶的管制经营。十三山场，舒州有罗源、太湖两个，罗源场在今岳西县温泉镇资福村。史料载，“舒州罗源场年额（编者注：购销额）三十万八千一百五十斤，太湖场一百二十一万四千一百四十八斤”。为说明榷茶中的“贴射法”，《宋史》举舒州罗源场为例：“如鬻舒州罗源场茶，斤售钱五十有六，其本钱二十有五，官不复给，但使商人输息钱三十有一而已。”国史当作典型案例，解释新的茶叶制度的实际操作，从一个侧面说明当时罗源场茶具有广泛的代表性和影响力。北宋《太平寰宇记》也记录了宋代本境产茶信息，其“舒州怀宁县”条记：“多智山在怀宁县西北三百里，高九百八十丈，自霍山县西南入怀宁、太湖二县界，西接蕲县，又有小山连太湖县境，迤逦百余里，中有大峡，两岸相去十里，水分两道，一道西北入霍山县界，一道东南入太湖县界，其山有茶及蜡，每年民得采掇为岁贡。”水入太湖、有茶有蜡的“多智山”，即今岳西西北的多枝尖。

明清时期，由于年代稍近，本境茶叶记载更为详尽。明万历年间霍山县令王毗翁作《焙茗诗》曰：“家家篝火山窗下，每到春来一县香。”许次纾《茶疏》记载：“天下名山，必产灵草。江南地暖，故独宜茶。大江以北，则称六安。然六安乃其郡名，其实产霍山县。”《柳氏家谱》记载，明朝重臣柳升的四弟柳汝佚居柳畈茶园。清顺治十二年（1655）《潜山县志》记载：“闵山……芽茶，岁派供应库二百九十斤。谷雨前者，岁派供应库二百八十五斤。”康熙二十二年（1683）《安庆府志》记载：“茶，六邑俱有，以桐之龙山，潜之闵山为最。”柳畈、闵山，均在本县田头乡。

岳西主产绿茶，兼产其他茶。

史料记载，唐代以蒸青饼（片）茶为主。其制法就是陆羽《茶经》所说的“采之，蒸之，捣之，拍之，焙之，穿之，封之，茶之干矣”。宋代，饼茶趋于精致化，同时兼产蒸青散茶。《宋史·食货志》载：“茶有二类，曰片茶，曰散茶……散茶出淮南、归州、江南、荆湖，有龙溪、雨前、雨后之类十一等。”“凡散茶，上中上号以上庐州，上中下号以上寿州，上中下号以上舒州。”庐、寿、舒三州出产散茶。

明代是我国茶叶的重大转型期。农民出身的皇帝朱元璋于洪武二十四年（1391）下诏“罢造龙团，唯采芽茶以进”，从此，中国茶叶步入散茶时代。明代早期是蒸青散茶，即以蒸汽杀青，然后烘干。后来人们为了提高茶叶香气，逐步改蒸为炒，于锅内热炒杀青。其标志性产品是明隆庆年间（1567—1572）由大方和尚制作的松萝茶。明中期以后，随着徽商崛起和绿茶销售的增多，松萝茶制法逐步向全国传播开来。是时，本境松萝茶（炒青前身）也开始了生产。

明代后期，黄茶制作方法被发现，黄茶生产渐成气候。从晚清到20世纪80年代百余年间，岳西县以生产黄茶为主，成为皖西黄茶的主产区。品种有黄大茶、黄芽（黄小茶）。20世纪80年代后，岳西翠兰成功创制，黄茶由主导茶类退居次要茶类，2010年后黄茶在市场上基本绝迹。受多样化需求刺激，2015年后一些茶厂开始恢复小批量生产。2000年后岳西大量生产的有名优绿茶岳西翠兰、岳西炒青，少量生产工夫红茶、乌龙茶、白茶、黄茶等。种类繁多，蔚为大观。

古往今来，岳西名茶迭出。

唐宋时期有黄芽茶、天柱茶、多智茶等，明清以后有兰花茶、闵山茶、黄大茶、黄小茶、松萝春、银针、雀舌、梅花片、兰花头、蕊尖、贡尖（皇尖）、客尖、细连枝等。1958年创天堂云雾茶，名震一时。1985年6月，岳西翠兰被农牧渔业部遴选为中国新名茶，同年被授予“优质农产品”称号，后经30多年努力，岳西翠兰形成了由中端到高端的产品系列，岳西茶叶产业也由此翻开崭新的一页。岳西翠兰手工制作技艺被列入安徽省非物质文化遗产名录。

从产区看，今包家—青天—头陀—姚河一线茶叶品质最优，史料记录的名茶也最多。清光绪三十一年（1905）《霍山县志》记载：“货之属，茶为第一。茶山环境皆有，大抵山高多雾，所产必佳。以其得天地清淑之气，悬岩石罅偶得数株，不待人工培植，其清新绝伦，故南乡之雾迷尖、挂龙尖二山左右所产，为一邑之最。采制既精，价亦倍于各乡。”《安徽省岳西县地名录》载，挂龙尖在岳西县包家乡。1985 年获中国新名茶称号的岳西翠兰，为包家、姚河两地生产的拼配样。此外田头闵山茶也多次出现在安庆旧志之中。

在漫长的历史长河中，本境留下了丰富的茶文化遗存。

宋代著名茶叶“十三山场”中的舒州罗源场在岳西县温泉镇，距县城 5 公里。岳西境内有许多古茶道，如自唐代就已形成的“茶禅古道”（司空山—天柱山），明清时期就十分繁忙的“潜六茶路”（潜山—天堂—六安），其部分路段，至今犹存。在岳西山岭之间，古道沿途，有茶亭 60 多座，影响较大的有塔儿岭茶亭、西水岭茶亭、亭子岭茶亭、马玉坳茶亭、罗铺茶亭、白石坳茶亭、九老亭、花桥亭等。历史遗留下的古茶园、古茶号，班班可考，姚河竹山古茶树龄达 300 多年。古人创作的茶诗、茶歌、茶舞、茶戏曲，在岳西至今仍广为流传。国家非物质文化遗产岳西高腔之《采茶记》，就是一曲反映岳西茶事的传统剧目，创作年代距今 300 多年。1929 年春，胡祥仁等共产党人为反对地主苛征茶租，组织头陀河农民先开展“抗茶租”斗争，随即举行声势浩大的头陀河暴动，在岳西茶史上留下一段弥足珍贵的红色记忆。丰厚的文化积淀，让岳西县茶产业不断发展有了足够的自信。

新中国成立后，岳西茶业进入快速发展时期。

新中国成立 70 多年来，岳西茶产业面貌变化之大，创新之全面，过去任何时候都不曾有过，创造的业绩之巨，辉煌之多，也是过去任何时期皆不可与之比肩的。

规模效益显著增长。20 世纪二三十年代，全县茶园 1 万亩左右，年产干茶 100~300 吨。新中国成立前夕，全县茶园 1.4 万亩，产茶 250 吨。1984 年全县茶园面积 5.69 万亩，产茶 502 吨，产值 95.38 万元。2021 年全县有茶园 18.5 万亩，茶叶总产量 6300 吨，干茶产值 8.02 亿元。茶产业链条不断延伸，茶树育苗、茶机制造，皆处全省领先地位，一批知名茶企应运而生。茶叶成为岳西最大特色产业和农民增收的主要渠道，很多农户因茶致富，不少乡村因茶跃居全省甚至全国先进行列。菖蒲镇水畈村、姚河梯岭村等，因茶叶成为中国最美乡村、全国生态示范村。

科技研推成果显著。茶叶无公害、绿色、有机，茶树良种选繁，茶园机修机耕机采和病虫害绿色防控，高标准生态茶园建设管理，茶叶清洁化、标准化、自动化加工，夏秋茶综合开发利用等技术，得到了广泛推广和使用。形成较为完备的产品系列，内贸外贸全面发展。制定了安徽省地方标准《岳西翠兰茶生产加工技术规程》《山地茶园机械采摘技术规程》等一系列技术文件。选育出国家级良种“石佛翠”“梦茗”。培育内贸外贸全覆盖的市场，建设成为全省规模最大的无性系良种繁育基地。此外，还在茶叶生产、加工、包装、茶机制造等领域，获得了一批国家级成果与专利。

文化建设卓有成效。闵山贡茶、300~500 年竹山古茶树群、千年古茶场“罗源场”、岳西高腔《采茶记》、古茶歌先后被发现；《请喝一杯翠兰茶》《翠兰说》等现代茶歌被搬上舞台，在网络上广为传播；2005 年县茶业协会在全市率先开通网站，如今数百上千的茶企茶人，利用网络媒体推广宣传；一批文化人热心参与，创作了大量以翠兰茶为主题的文学作品；岳西首部茶书《印象 · 岳西翠兰》2010 年出版。

品牌影响日益扩大。岳西翠兰继 1985 年被农牧渔业部授予“优质农产品”称号后，1989 年再度获得农业部“优质农产品”称号，2001 年、2004 年连夺中国芜湖（国际）茶博会金奖，2005 年被评为“安徽省十大品牌名茶”，2008 年获国际名茶金奖，2010 年入选国宾礼茶，2011 年、2012 年再次入选国宾礼茶，并被选定为全国“两会”用茶，2018 年获第二届中国国际茶博会金奖。“岳西翠兰”公共品牌先后被评为“中国地理标志证明商标”“中国驰名商标”，2014 年被评为中国“最具经营力品牌”。岳西县被授予“全国重点产茶县”“中国名茶之乡”“茶业百强县”称号。2017 年，岳西茶叶发展被农业部作为“全国一县一业”扶贫典型案例宣传推广，2021 年岳西翠兰品牌估值 19.65 亿元。

一千多年有史可考的岳西茶业，一路走来，虽然历经很多艰难与曲折，但总能浴火重生，并以不可阻挡之势，高歌向前，历久弥香。这不得不让生活在这片土地上的我们，对茶，对一代又一代接力的业茶人，生发无尽的感恩与敬意。

第一篇

茶产销

本境产茶可以追溯到秦汉，唐宋以后名茶迭出，影响深远。1985 年岳西翠兰诞生，岳西茶史翻开新的一页。在千百年漫长的实践中，岳西人民积累了丰富的茶叶生产管理经验，也有令人扼腕的历史教训。这些经验与教训，必定成为未来茶产业持续高质量发展的宝贵财富。

第一章　产区环境

岳西县位于安徽省西南部大别山腹地，北纬30° 39′~31°11′，东经115°50′ ~116° 33′ 。新石器时期就有人类在此繁衍生息。1936年1月建县，由太湖、潜山、舒城、霍山4县各划一部分组成。境跨长江、淮河两大流域，天羊、青四、多丛三大山脉，构成“大”字形山脊线控制全县，连接千米以上高峰69座。南北过渡性山区气候，丰富的水文资源，高达77.33%的森林覆盖率，以花岗岩为母质的微酸性土壤，共同构成中国版图上一块至精至美的宜茶生态区。

第一节　建置沿革

古时，岳西属《禹贡》所记“九州”中的扬州。西周时，诸侯分治，分属皖国、龙舒国、楚国。春秋先属吴，后属越，战国属楚，因此有“吴头楚尾”之称。

秦朝，南属庐江郡，北属九江郡、衡山郡。汉、三国、两晋，统属庐江郡。南朝，东北属庐江郡舒县，东南属晋熙郡怀宁县，西南属晋熙郡太湖左县，西北属岳安郡岳安县。

隋时，北属庐江郡庐江县、霍山县，南属同安郡怀宁县、太湖县。唐开元二十三年（735）析庐江县置舒城县，开元二十七（739）年霍山县并入盛唐县，天宝元年（742）复置霍山县，属寿州寿春郡。是时，境北属庐州舒城县、寿州霍山县，南属舒州怀宁县、太湖县。三州同属淮南道。五代十国时，南属舒州，其他未变。

两宋时统属淮南西路，潜山、太湖同属舒州（安庆府）；开宝年间（968—976），霍山入六安，属寿州。

元至治三年（1323）析怀宁县置潜山县，境南属安庆路潜山县、太湖县，北属庐州路舒城县、六安县。明撤路设府，弘治七年（1494）分六安、英山两地复设霍山县、六安州。境北属六安州霍山县、庐州府舒城县，南属安庆府潜山县、太湖县。

清顺治二年（1645），安庆属江南省，康熙六年（1667）析江南省为江苏、安徽两省，境属安徽省安庆府潜山县、太湖县和庐州府舒城县、六安州霍山县。

1936年1月，国民政府划潜山县的衙前、汤池、来榜、五河、菖蒲，太湖县的杨胜嘴、银河、深村、南庄、店前、白帽、冶溪，霍山县的黄尾河、头陀河、包家河、黄羊殿、虎形地、鹞落坪等地和舒城县的沈家桥、姚河、主簿原置新县。因位于潜岳（古南岳，今天柱山）之西，故名岳西。

建县时，全县面积约2315平方公里，分3区18乡，180保，人口约18万。1949年2月，太湖县虎丘区长坪乡所属司空、虞阳2保划归岳西。1955年12月，潜山县港河乡及新下乡南山岭选区的28户居民区划归岳西县菖蒲区。1956年1月，境内石盆乡9户、梓树乡2户、黄龙乡6户共计17户居民所在地（锅式）划归霍山县。1956年5月，潜山县逆水乡巍岭、夹河、夺坪、板舍、薛河、羊河划归岳西县。至此，岳西县域总面积达2398平方公里。县城天堂镇（旧称衙前）。2021 年，全县 24 个乡镇，182 个行政村，6 个社居委，总人口 41.24 万人。

第二节　地形地貌

岳西县属北亚热带向暖温带过渡区，具“南北过渡，襟带东西”的地理特征。

晚太古代，该区系海盆（又称优地槽），新生代第四纪以前，经多次造山运动，特别是元古代的大别运动和中生代白垩纪的燕山运动两次不同方向的剧烈地壳震荡，使该区形成多种复杂险峻的褶皱与断裂地貌。

岳西县总属中国第三级阶梯中的中低山区。西北角地势居高，由大别山第四大主峰多枝尖（1721 米）向东南倾斜下降。境内天羊、青四、多丛三大山脉控制全县，构成斜“大”字形山川态势。连接千米以上山峰 69 座，500 米以上千米以下山峰 66 座。本县地形以中低山地为主体，河流、盆地、山前丘陵于北、东、南方向密集分布。

县境跨长江、淮河两大流域。多丛山脉以多枝尖为起点，向东北延伸，经界岭、公界尖、黄毛尖、二祖山所组成的山脊线，是大别山东段主分水岭，南为长江流域，北为淮河流域。再由二祖山北向抵褚家岭一线，为江淮小分水岭，东为长江流域，西为淮河流域。全县长江流域面积为 1855.9 平方公里，淮河流域面积为 542.1 平方公里。

境内冈峦起伏，千峰竞秀，万壑争流。最高处县北天鹅尖，海拔标高 1755 米（实测 1769 米）；最低处县南袁家渡，海拔 90 米。

司空山：中华禅宗第一山

第三节　气　候

县境属北亚热带大陆性湿润季风气候区。总气候特点是光照充足，雨量充沛，气候温凉湿润。变化规律是气温由低海拔向高海拔高山递减，降水自低处向高山递增。山势每上升 100 米，气温下降 0.6℃。由于地形、坡向不同，微地域气候差异明显，有“山高一丈，气候两样”之说。

全年主导风向为东南风，其次为东北风，常年平均气温 14.4℃，年平均降水量 1445.82 毫米，年最大降水量为 2323.7 毫米（1969 年），年最小降水量为 957.3 毫米（1978 年）。平均日照 2070.5 小时 / 年，年平均无霜期 213 天，最长无霜期 234 天。最热月 7 月，月平均气温 26.4℃。最冷月 1 月，月平均气温 2.0℃。极端最高气温 39.4℃（1959 年 8 月 28 日），极端最低气温 –15.2℃（1977 年 1 月 30 日）。

境内大气环境质量良好。广大农村地区达到国家 GB3095–1996 一级标准或优于国家二级标准，属洁级。县城局部工业区达到国家二级质量标准，大气污染物排放量一直在安庆市规定的指标以下。空气质量优良天数比例超过 98%。

第四节　水　文

县境局部地形把河流分成四大水系。属长江流域的有皖河、巢湖、菜子湖三大水系。皖河水系的干流有衙前河、鹭鸶河、潜水河、店前河、冶溪河；巢湖水系有杭埠河源头姚家河；菜子湖水系有大沙河源头巍岭河。属淮河流域淠河水系的有包家河、黄尾河、头陀河。

境内大小河流 900 余条，其中集水面积 8 平方公里以上的有 106 条。河道总长为 1.1 万公里，河网密度为每平方公里有河流 4.6 公里，年径流量 20.53 亿立方米。全县出境河流有 12 条：皖河水系的皖水、潜水、长河上游支流衙前河、鹭鸶河、潜水河、店前河、冶溪河、小羊河、岩上河；巢湖水系的杭埠河上游支流姚家河；菜子湖水系的大沙河上游支流巍岭河；淠河水系的包家河、黄尾河、头陀河。岳西县无外来水，地表水均为本流域降雨产生，地下水蕴藏量较为丰富，但利用率不高。全县水质长时期保持良好。监测显示，各河流水质均符合国家《地面水环境质量标准》（GB3838–1988）。全县丰水期水量大，稀释自净能力强，枯水期为 10 月、11 月两个月，时间短。城镇生活饮用水合格率 100%。

第五节　森　林

岳西县现有林业用地 18.43 万公顷。其中有林地 16.6 万公顷，活立木蓄积量 509 万立方米，2021 年森林覆盖率 77.33%，林业绿化率 79.05%，活立木总蓄积量 1276.5 万立方米，为安徽省重点林区之一。全县区划公益林面积 8.32 万公顷，其中，国家公益林面积 4.25 万公顷，省级公益林面积 4.07 万公顷。境内建有两个国家级自然保护区——鹞落坪和古井园自然保护区，一处国家级森林公园——妙道山森林公园。因山地呈自然垂直分布变化，各处地势、高度、坡度、坡向不同，小气候多样。县域植被类型主要为北亚热带的落叶阔叶—

鹞落坪十里画廊

常绿阔叶混交林和温带针叶—阔叶混交林，南北树种兼而有之。

县域动植物种类繁多，资源丰富。目前发现，植物中，维管束植物185科，605属，2033种，其中木本植物600余种。属国家重点保护的野生植物27种，其中一级保护2种（银杏、银缕梅）、二级保护25种，省级保护15种，珍稀及特有种6种。野生动物中，昆虫1025种，鱼纲89种，两栖纲7种，爬行纲18种，鸟纲89种，哺乳纲28种。国家一级保护3种（金钱豹、大别山原麝、大鸨），二级保护18种，省级重点保护67种。

境内植被平面景象以落叶阔叶树和马尾松、黄山松为主，由北向南，成片常绿阔叶树逐渐增多。立体图景是垂直差异明显：海拔700米以下，以马尾松为主，次为成片杉林、竹林及其他经济林；700~1000米，以黄山松、落叶栎、椴、桦、山槐、化香为主；1000米以上以茅栗、短柄枹、黄山松、黄山栎为主；孤峰顶部，风大多冻，多为矮林、灌丛或草甸。

第六节　土　壤

土壤类型

县境地属大别山花岗片麻岩为主的岩系，表层受自然风化、生物富集及人群生产活动等综合作用，成土母岩逐渐变成以麻碎石、麻沙子和麻泥土为主体的母质土壤。境内海拔高差大，小环境复杂，形成的土壤类型多，有5个土类、7个亚类、16个土属、42个土种。5个土类中，山地草甸土占0.16%，石灰岩土占7.19%，山地棕壤占23.48%，黄棕壤占 69.15%，总土壤面积为 20.98 万公顷。

分布特点

水平差异小于垂直差异。在天鹅尖、驮尖、多枝尖等海拔 1400 米以上的平缓处，为山地草甸土；800~1400 米多为山地黄棕壤；800 米以下则为黄棕壤。平均土层较浅，一般 40~70 厘米，表土 25 厘米。

土壤质地

县内土壤受其岩性母质影响很深，花岗岩多为粗粒，石英含量 15% ~25%，长石含量达 70%，粗粒风化易，细粒风化难，导致土壤砂性重，黏粒含量少，易耕作，但保水、保肥、抗旱涝的性能差，坡地、梯田、梯地尤易跑水、跑土、跑肥。

土壤酸碱度

多由酸性结晶岩类风化物的母质发育而成，加以温和湿润气候，土壤盐基淋溶作用较强，PH 值较低，为 5.0~6.0，呈酸性或微酸性反应。旱地 PH 值稍大于水稻土，呈微酸性反应，山地土壤除极少石灰岩成土外，PH 值在 5~5.5，呈酸性反应，适合多种亚热带植物生长，特别是茶树生长。

土壤肥力

20 世纪 80 年代土壤普查时，全县茶园整体肥力水平相对较低，低海拔茶园肥力低于高中海拔茶园，海拔 1050 米的包家石佛寺茶园，其土壤肥力明显高于海拔较低的茶园。全县 80% 茶园严重缺氮，70% 茶园缺磷，10% 茶园缺钾。其原因有三：一是肥源不足，二是保肥能力低，三是管理粗放。20 世纪 50 年代，以农家肥（厩肥、堆肥）为主，20 世纪六七十年代，专业茶园以化肥为主，分散零星茶园以农家肥为主，20 世纪 80 年代“大包干”后，茶园由农户分散经营，采取农家肥、饼肥、绿肥（槎草、秸秆）、化肥并用，2000 年后，用肥沃的塝田、旱地所建茶园增多，同时重视饼肥、农家肥、绿肥的使用，茶园肥力水平明显提高。

岳西县茶园土壤养分测报表

序号	海拔（米）	73~500	501~800	801~1164	总评
	样本数（个）	1808	1441	228	3477
1	pH 值	5.348009	5.211797	5.104386	5.27477
2	有机质（克 / 千克）	19.04392	21.00125	26.55132	20.33674
3	全氮（克 / 千克）	1.143551	1.204684	1.430307	1.187115
4	碱解氮（毫克 / 千克）	103.4895	110.3097	116.9035	107.1421

续表

5	有效磷（毫克 / 千克）	20.32485	17.34929	24.03408	19.4818
6	缓效钾（毫克 / 千克）	665.385	619.5781	546.1096	637.6045
7	速效钾（毫克 / 千克）	79.70243	80.27412	90.29386	80.60132
8	交换性钙（毫克 / 千克）	957.0925	747.6433	588.2868	845.4648
9	交换性镁（毫克 / 千克）	128.7602	94.27104	63.30263	110.077
10	有效铁（毫克 / 千克）	25.33686	24.58326	25.08158	24.98879
11	有效锰（毫克 / 千克）	14.54296	13.02556	9.057018	13.54329
12	有效铜（毫克 / 千克）	0.634174	0.482583	0.41443	0.557149
13	有效锌（毫克 / 千克）	1.78388	1.384778	1.208333	1.578574
14	水溶态硼（毫克 / 千克）	0.201373	0.217724	0.191111	0.206253
15	有效硫（毫克 / 千克）	10.84668	11.46833	12.53246	11.24232

数据来源：县农业农村局土肥站。土样采集于 2007—2017 年。

牛草山高山草甸（钱子华 / 摄）

第二章　茶区生产

县境茶叶最早可追溯到秦汉。成书于秦汉时期的《桐君采药录》载："西阳、武昌、庐江、晋陵好茗，皆东人作清茗。茗有饽，饮之宜人。"说西阳、武昌、庐江一带人喜欢饮茶，都是主人准备好的；茶有饽，喝了对人有好处。《全唐书》载："江淮百姓营生多以种茶为业。"清光绪三十一年《霍山县志》记，芽茶、竹、木，为本境物产大宗。

对茶树的记载，最早见于清康熙年间陈启源的《司空山见闻录》。据该书记载，"目唐戒可中兴禅宗二祖道场，金容玉相重现司空山。罗汉洞处，楼阁高低，僧舍静具，右有清泉，左有深壑，涧底有山茶一株，直撑殿角，俨如翠盖，游人至此，心荡神飞。啜茗上行，车骑不可复乘"。估计这是一株半乔木型野生大茶树。这些记载既见证了岳西司空山地区 300 多年前有茶树、茶饮的史实，也与古往今来"禅宗尚茶"的习俗十分吻合。

茶在岳西，全境皆产，境内以海拔400~800米茶园居多，头陀镇毛安仰天凸1160米处，也有成片茶园数十亩。根据区位、地貌不同，物候、品质差异，大体可划分为北部茶区、西部茶区、东部茶区三个片域。

第一节　茶　区

县境多山，平畈区不足二十分之一，不利于粮油作物生产。旧志载，境域"山高寒早，峭而多石，所出常苦不丰"。这种特殊的生态环境却十分有利于茶树生长。

"茶宜高山之阴，而喜日阳之早"，古人早就知道茶是喜阴喜温植物。岳西茶园多在海拔 400~800 米中高山上，这里植被丰富，加上亚热带大陆性湿润气候，正好满足了茶树生长发育对环境条件的要求，因此所产茶品全境都好。但因地貌复杂，小环境不同，茶的物候及品质表现，也有一定差异。大抵北部优于南部，中高山优于低山，山区优于平畈。

北部茶区

该区在多丛山脉以北，位于岳西县北部，包括主簿、石关、姚河、头陀、黄尾、青天、包家等乡镇。这一茶区，高山多，名山多，名茶多，品质优。建县前，西北的头陀、黄尾、青天、包家等乡镇为历史名茶霍山黄芽、皖西黄大茶最优产区，东北的姚河、主簿、石关等乡镇为历史名茶舒城小兰花深山产区。1985年后，北部茶区为岳西翠兰主产区，其中姚河香炉冲，包家石佛寺、川岭，青天明山寨一带，品质最优。香炉冲竹山、石佛寺两地，为 1985 年参加国家名茶评比并获"全国十一种新名茶"称号的岳西翠兰的制样地。该区域茶叶自然品质好，销价也高于其他茶区。

该区高山多，森林覆盖率高，气候冷凉，雨水充沛，雾日多。区内名山名景有天鹅尖（岳西县第一、大别山第二主峰）、鸡笼尖、挂龙尖、多枝尖、公界尖、丛毛尖、铜安寨、二祖山、牛草山、明山寨、彩虹瀑布、道元古村、鹞落坪自然保护区、古井园自然保护区、国家体训中心（石关）、红二十八军军政旧址等。

国家体训中心（石关）年平均气温 14℃，盛夏最高气温不超过 28℃。鹞落坪国家自然保护区，森林覆盖率 90% 以上，全年平均气温 10℃ ~12℃，最高月温度 21℃ ~23℃，经安徽省疾病预防控制中心监测，负氧离子平均浓度 4012 个 / 平方厘米，指数为 A 级以上，空气质量达“最洁净”。岳西被称为“避暑胜地，度假天堂”确非妄言。

植物春花期比西片迟 15 天以上，比东片迟 10~15 天；秋花期比西片早 10~15 天，比东片早 5~10 天。当地茶叶开园采摘，一般比西片迟 15 天以上，比东片迟 10~15 天。气温最低的包家石佛寺茶园往往比西片冶溪畈茶园和菖蒲水畈茶园迟 30 天以上。该区春茶一般在 4 月上中旬开采，夏茶少量采摘，不采秋茶。1985 年后主产岳西翠兰、岳西炒青，部分生产黄大茶；2008 年后，少数生产乌龙茶、卷曲形绿茶（碧螺春）、红茶。

东南茶区

该区系青四山脉以东、多丛山脉以南的地区，包括和平、来榜、莲云、温泉、天堂、毛尖山、巍岭、响肠、中关、五河、菖蒲、田头等乡镇，为全县茶叶重点产区，茶园多，产量大，品质好。建县前属潜山北部深山茶区。历史上曾产天柱茶、闵山茶等。北宋著名茶叶“六榷货务十三山场”中的罗源场，在该区温泉镇内。

这里的名山名景有驼尖、雷音寺塔、乌帽尖、妙道山、四望山、公界尖、黄毛尖、睡佛山、法云寺、天仙河、水车畈、妙道山、五龙寺、大别山烈士陵园、汪氏宗祠、请水寨、飞旗寨、桃园寨等。该区气候温和、雨量充沛，茶园分布甚广。

该区植物春花期大抵介于北部与西部之间。因菖蒲部分区域海拔低、回温早，春花期与西片相仿。春茶上市早于北部 10~15 天，少数茶园开采期与西片相近。极端回春早的年份，春茶开采时间会大大提前，2021 年，该区乌牛早、龙井 43 等早芽种 2 月 23 日（正月十二日）开园。大部分茶园采制春夏茶及少量秋茶。1985 后主产岳西翠兰、岳西炒青，少数生产乌龙茶、红茶和扁形绿茶。五河片习惯生产嫩度极高的烘青芽茶并形成特色芽茶市场。

西部茶区

该区在青四山脉以西，包括河图、古坊、白帽、冶溪、店前等乡镇。建县前属太湖县，历史上产茶不多，新中国成立后发展较快。建于 20 世纪六七十年代的冶溪镇东方红茶场（石嘴茶场）曾闻名安庆各县。2000 年后，这里无性系茶园迅速扩大，古坊、河图为深山区，茶质优，其他大部分为低山丘陵。冶溪镇四面环山，中间平坦，光照充足，土壤肥沃，有“大别山中小江南”之美誉，茶树生长量大，产量高，茶品尚可，为县境大宗茶最大生产基地。

该区是岳西县地貌、海拔差异较大的地区，也是景点最集中的区域，闻名遐迩的有司空山、明堂山、天峡、羊角尖、凉亭坳、窑形包遗址、千年古树群等。

该区植物春花期全县最早，比北片早 15 天以上，比东片早 10~15 天，秋花期比北片迟 10~15 天，比东片迟 5~10 天。春茶开园早，大多年份在 3 月 15 日左右就有新茶上市。春茶后，大部分茶园采制夏茶，冶溪镇畈地、丘陵茶园普遍采摘秋茶。

了解茶区差异，有利于纠正一些认识偏差，指导茶叶生产。

1. 定义春茶、夏茶、秋茶主要由气温和品种因素决定。高山冷凉地区或迟芽种，谷雨前后才开园采摘，立夏后尚在旺采，此茶当然属于春茶，不是夏茶。

2. 上市迟不能说明茶叶不好。高山地区寒冷，采茶要等到四月中下旬，不能说其品质不好。虽然可能不是“明前茶”“雨前茶”，却是真正的头采好茶。

3. 中高山茶区，受冻风险大，管理上应注意适时封园，防冻减灾。

第二节　面　积

建县前，茶叶产量记录多有缺失，少部分的统计也散落在原属各县资料中，无法准确厘分。新中国成立后，也有部分年份不可考录。1949 年前，茶园总面积万亩左右，产量 100~300 吨；1973 年，面积达 30000 亩；1980—2005 年，面积 6~10 万亩，产量 400~2000 吨；2020 年，面积 18.29 万亩，产量 6100 吨。

历史上县境茶多。唐元和十一年（816），宪宗讨伐吴元济，诏寿州 3000 兵士保境内茶园。宋时推行“榷茶制”，在东南茶区设立 13 个山场，收购管理茶叶事务，县境的舒州罗源场年购销额 30.82 万斤，太湖场年购销额 121.41 万斤。境内闵山宋时即产茶，且卖价昂贵，明代入贡，清顺治十二年（1655），岁贡 285 斤。明代霍山县令王毗翁在《焙茗》诗中写道：“家家篝火山窗下，每到春来一县香。”

清至民国时期，生产茶叶有松萝、毛峰、黄大茶、老片、茶末等，以黄大茶为主，占总量 90% 左右。

岳西县 1936—1946 年茶销往外地数量表

年份	1936	1937	1938	1939	1940	1941	1942	1943	1944	1945	1946
数量（篓）	800	14000	15000	11710	17000	18500	19500	21000	10397	25000	30000

1. 篓，旧时标准包装。松萝每篓 10 斤，黄大茶每篓 45 斤。本表中数量含松萝茶、黄大茶两种，各类茶具体篓数不详。2. 数据来源：《岳西县供销合作志（初稿）》（1988）。

1949 年，全县有茶园 1.4 万亩，产量 225 吨。据《河图镇志》记载，是时该镇有茶园 145.5 亩，凉亭坳、下雨山、晓铺有成片种植茶园。

新中国成立后，茶叶面积、产量、产值受不同时期社会经济、技术状况、政策导向、气候等因素影响，波动很大，但整体是朝着量质双增方向发展。

新中国成立初的三年恢复时期，茶园在恢复中缓慢增长。1952 年 1.45 万亩，产茶 357.7 吨。

20 世纪 50 年代后期，“大跃进”和人民公社化运动开始，片面追求面积，低质量建园，重采轻管，为 20 世纪 60 年代初产量下滑埋下了隐患。

20世纪60年代，全县茶叶呈倒退甚至止步状况。1959年后，粮食紧缺，农民毁茶种粮，茶园面积骤减。1960年，提出“夏茶超春茶，秋茶超夏茶”的不切实际的采摘计划，7月份掀起万人采摘夏茶的高潮，结果老嫩一把抓，严重损坏茶树，致使后几年茶叶产量锐减。1961年，产量降到195吨，为新中国成立后最低。1963年，茶园面积减至最低点，仅6066亩。1962—1965年，遵照中央“以农为主，以副养农，综合经营”的方针，建梯式茶园3500亩，1966年后，执行“以粮为纲”政策，茶园再度退减。

20世纪70年代，在毛泽东主席“以后山坡上要多多开辟茶园”的指示和“学大寨”运动的推动下，掀起新一轮茶园建设高潮。以（公）社（大）队为单位“大会战”，加上政府部分资金扶持，建起一批专业茶园、茶场。这时开辟的知名茶园有梯岭、黄树、沙埂、羊河、八里、大滑岭、东方红、石佛、公山、花墩、港河、长岭等。1979年，实行农业生产责任制。1980年，从福建调茶种9万斤，从太湖调茶种20万斤。这期间，全县茶园净增5万余亩。

20世纪80年代到21世纪初，农村落实土地承包责任制，耕地、茶园全面到户，1984年全面取消农特产品的统购、派购，农户自主经营，市场活跃，1985年岳西翠兰成功创制，茶叶效益快速增长。其间，在改造低产茶园的同时，选择条件较好的中低山缓坡地发展茶园，试验推广无性系茶园，对部分坡度大于25度，土层浅、效益低的茶园，实行“退茶还林”，茶园质量得到优化，茶园面积动态维持在6万亩左右。

2003年后，县实施茶叶“二次创业”，制定奖补政策，“打捆”使用扶贫资金，如以工代赈资金、皖西南农业开发资金、林业政策资金等，集中支持茶园发展，全县茶园快速扩大，产量、效益大幅提高。2011年后，利用国家现代农业生产发展资金项目建设标准化茶园。2015年全县茶园面积15.81万亩，其中，采摘面积13.65万亩，茶叶总产量4680吨，产值5.87亿元。很多农户因茶致富，菖蒲水畈等乡村因茶叶发展带动各项社会事业蓬勃发展，跃居全国先进行列。2015年冶溪镇产干茶840吨，产值1450万元，茶农户均茶叶收入6042元。

岳西县各乡镇2003年、2010年茶园面积表

单位：亩

乡镇	2003年	2010年	乡镇	2003年	2010年
天堂镇	1670	2210.40	莲云乡	3000	3549.60
店前镇	3850	4721.24	青天乡	4366	5850.50
来榜镇	4209	7363.94	包家乡	3400	5648.25
菖蒲镇	5010	10457.92	古坊乡	4600	5897.30
头陀镇	3600	5697.10	田头乡	5668	7920.10
白帽镇	2743	4230.40	中关乡	4050	6228.46
温泉镇	2630	4468.70	石关乡	4100	5433.99

续表

响肠镇	4190	6056.20	姚河乡	6400	9108.21
河图镇	3840	5459.49	和平乡	1680	3488.28
五河镇	4500	8330.65	西坪乡	800	划归冶溪
主簿镇	3968	3825.98	前河乡	1053	划归店前
冶溪镇	3035	5534.70	岩河乡	2500	划归菖蒲
黄尾镇	2363	3329.70	茅山乡	2400	划归五河
毛尖山乡	2200	3478.95	魏岭乡	1500	2132.50
合计	47808	75165.37		45517	55257.19

资料来源：岳西县茶叶局。

第三节　茶　村

岳西，中国名茶之乡，处处产茶。在茶产业发展进程中，各地凭借有利的自然条件，奋勇作为，涌现出一批以茶富民、以茶兴业的特色乡村。

石佛有机茶园（石佛寺生态农业开发有限公司／供图）

石佛村　属包家乡，一部分在鹞落坪国家级自然保护区，以产优质茶久闻于世。360户，1400余人，3000余亩茶园，有茶厂6家。石佛寺茶园组茶园获全国最早有机认证（1999年），2016年9月被评为“全国三十座最美茶园”。2020年，全村推行有机茶生产技术。

香炉村　属姚河乡，生态环境好，岳西翠兰核心产区之一，有300~500年古茶树群。386户，1400余人，4000余亩茶园，户户产茶，有茶叶加工厂6家。竹山、龙王包茶自然品质最优，制作亦精。

2012年，省委书记张宝顺在梯岭村茶园（梯岭村／供图）

梯岭村　属姚河乡，一直是全县知名茶叶先进村。299户，人均茶园1.2亩，茶叶收入占农民收入40%以上。2013年被评为全国“一村一品（茶叶）专业示范村”，其集体茶园2021年被评为“中国茶产业T20最美生态茶园”。

百步村　属五河镇，所产单芽形岳西翠兰享有盛名。全村520户，户户种茶，有茶园1300亩，茶厂20多家，林山上有10个组，将原有低产水稻田全部改建成标准茶园。2015年，农户茶收入最高达5万元。

水畈村（水畈村 / 供图）

水畈村　属菖蒲镇，全国标准茶园示范地，全县茶旅融合先进村。563户，2142人，茶园2180亩。2003年起，在全县率先用塝田建标准化无性系茶园，用沼液等作肥源，以绿色手段防控病虫草害。2011年被评为“国家生态村”，获CCTV“2014年度中国十大最美乡村”称号。

花墩村　属来榜镇，岳西县知名茶叶专业村。204户，716人，茶园970亩，中心茶厂1座，小型茶厂2座。村茶叶协会2017年荣获“全国科普惠农兴村先进单位”称号。全村人均茶叶收入超过2000元。

闵山村　属田头乡，岳西县知名茶叶专业村。366户，1389人，茶园614亩。旧志记载，此地在宋代即产茶。闵山雪山庵炒青绿茶，清香味厚耐冲泡，享誉县内外。

南河村　属河图镇，岳西县知名茶叶专业村。11个村民组，174户，730人，2003年率先在岳西县成为“一棵水稻不种”的行政村。全村有茶园1720亩，茶叶加工厂5家，人均茶收入超过2000元。

黄尾彩虹瀑布

西坪村　属冶溪镇，岳西县知名茶叶专业村。523人，茶园980亩，2018年茶叶总产值360万元。走茶园绿色防控病虫害之路，2014年后，实现了从茶园管理到采摘加工全程机械化，多数制成（绿）毛茶，销往本县或皖南，用于精制出口。

黄尾村　属黄尾镇，茶旅融合典型村。17个村民组，444户，1700人，茶园2100亩。有“同茂合”“恒兴”两个百年老茶号，有“悦溪茶谷”观光区，彩虹瀑布景区（AAAA级）内有茶叶公园和“世外茶源主题酒店”。

第三章　茶树品种

在漫长的自然生长和人工栽培过程中，茶树特性不断变化演进，形成多样种质类型。20世纪70年代前，岳西县茶树全属群体种。20世纪80年代后，本地选育的石佛翠、梦茗，先后成为国家级茶树良种，石佛香成为安徽省级茶树良种。

20世纪90年代以来，本县茶树良种化进程加快，良种繁育与栽培推广齐头并进。从2002年开始，全县新发展茶园中使用无性系茶树良种栽培的占70%以上。2014年，全县共有无性系茶园4.64万亩，占茶园总面积的30%。冶溪镇7200亩，占该镇茶园总面积的66%。无性系茶苗良种繁育规模、质量，长期居全省前列。

推动茶树良种化，使岳西茶园素质和收入水平得到明显提升。2003年冬至2004年春，菖蒲镇水畈村试建高标准无性系茶园120亩，品种为乌牛早，获得成功。以此为基础，2010年，创建全国标准茶园示范片，创建面积1350亩，到2012年示范片总产值637.9万元，亩均产值4725元。通过扩基地、美环境、改茶厂、制标准、抓管理，实现了种植规模化、生产标准化、经营产业化的既定目标。

第一节　本地群体种

本县茶树地方群体种多为灌木型中叶类。树姿半开展，叶片上斜状着生，中叶，长椭圆形，部分柳叶形，叶色绿或黄绿，抗寒性较强，花量中等，结实较少，品质优良，产量中等。地域分布上，海拔800米以上茶树，由于适应高寒气候，叶肉较厚，发芽偏迟，抗寒性强。海拔800米以下茶树，叶片柔软，发芽较早，芽叶多，产量较高。

1980年，由安徽省农业厅经济作物处和省茶科所共同主持，安徽农学院和皖南农学院协助，对全省名茶产区（含岳西县）和重点产茶县的茶树品种资源，进行系统物候观测、产量摸底、制样审评和鲜叶成分分析，筛选出32个当地优良群体品种，岳西县石佛中叶种、乐道中叶种在列。

石佛中叶种　分布于岳西县包家河流域。植株灌木型，树姿半开展，分枝较密，树高86.6厘米，幅139×126厘米，全年新梢长31.8厘米，节间长3.5厘米，叶片半上斜着生，叶形椭圆，叶长宽8.4×3.9厘米，叶色深绿有光泽，叶面隆起，叶缘波状，叶质较柔软，叶脉8~10对，种子直径1.36厘米，越冬芽3月21日萌动，活动积温106℃，三叶展5月1日，活动积温611.2℃，一芽三叶长7.14厘米，百芽重49.2克，生长休止期10月上旬，春季亩产干茶108.6公斤，抗性较强。历史上曾制黄大茶，是制作优质绿茶的优良品种，1982年制作的烘青，香气鲜爽略带花香，滋味鲜爽。

乐道中叶种　分布于岳西县头陀河流域。植株灌木型，树姿半开展，分枝较密，树高78.56厘米，幅120×116厘米，全年新枝长13厘米，节间长2.54厘米，叶片水平着生，叶形椭圆，叶长宽8.95×3.66厘米，叶色深绿，叶面隆起，叶齿浅而密，叶尖渐尖，叶缘波状，叶质较软，侧脉平均 9.2 对，越冬芽 3 月 20 日萌动，活动积温 97.5，三叶展 4 月 23 日，活动积温 482.3；一芽三叶长 7.51 厘米，百芽重 50 克，新生芽叶黄绿色。春季亩产干茶 85 公斤，适制黄大茶和炒青绿茶。

岳西县茶树品种化学成分分析表

品种	氨基酸（%）	茶多酚（%）	水浸出物（%）	咖啡因（%）	化验时间及单位
乐道中叶种	6.1767	27.33	43.7532		1982 年安徽省茶科所
石佛椭圆类中叶种	5.1774	28.08	44.79	3.8	1990 年安徽省农科院

灌木型中叶种外，岳西还发现少量半乔木型野生茶树。姚河乡香炉村竹山组一株半乔木型野生茶树，树高 2.5 米，主干 1.7 米。

第二节　本地无性系品种

1989 年，安徽省茶科所、安庆市农牧渔业局、岳西县农牧渔业局三家合作，开展大别山区早生、优质、抗寒茶树新品种选育。至 1990 年，江济和、汪士杰、查道生分别在包家乡石佛、来榜镇花墩群体茶园中，选出 9 个种性良好的单株。1989—1991 年，技术人员驻点包家石佛冯立彬茶厂、来榜花墩王晔光茶厂，对选育单株进行茶样制作、审评、化验分析、扦插和初步繁育。1991 年淘汰 4 个品系，保留 8902、8903、8904、901、905 共 5 个品系。

按照育种程序要求，1992—1999 年，在岳西县中关乡土星茶场和东至茶树良种场布置“三园”（母本园、品比试验园和区域试验园），进行品比试验、区域试验，繁育及物候期观察，产量、抗性测定，茶叶成分分析、品质鉴定，1999 年 4 月，通过省科委现场验收。2000 年 2 月，安徽省茶科所、安庆市农业局联合向省农作物品种审定委员会申报省级良种，2000 年 11 月经省农作物良种鉴定委员会审定，“石佛翠”“石佛香”（申报名“蒿香茶”）以其早生、优质、抗寒、产量高、效益好等综合表现，被定为省级茶树良种。

中关乡石佛翠茶园（查道生 / 摄）

2003 年，安庆市经济作物站将石佛翠、石佛香、901 三品种报中国茶科所参加全国茶树新品种区域试验（地点是贵州湄潭、河南信阳、浙江杭州），2009 年区试结束。2010 年 7 月，安庆市种植业管理局向全国茶树品种鉴定委员会上报石佛翠（原编号 8903，申报名“岳西翠”）国家级良种申请材料，同年 8 月经全国茶树品种鉴定委员会审定通过，定名石佛翠，编号：国品鉴茶 2010006。

2014 年 4 月，经全国茶树品种鉴定委员会审定通过，8902（申报名“梦茗”）成为国家级茶树良种，定名梦茗。1989—1991 年进行单株鉴定、筛选、初繁，1992—1999 年完成品比布置，实施品种幼龄阶段鉴定，品比试验阶段物候期、产量、品质、抗性等测定鉴定。2000 年起在安徽省内试种，2007 年 12 月，由安庆市种植业局申报，参加全国区试（区试地点分别为福建福安、湖南长沙、湖北武汉），2013 年区试结束。2014 年 2 月申报国家级良种，同年 8 月经全国茶树品种鉴定委员会审定通过，编号：国品鉴茶 2014003。

石佛翠　国家级无性系茶树良种，母树在包家乡石佛村，适制岳西翠兰等名优绿茶，色泽绿翠，故名。植株灌木型，中叶类，早生种，叶色浓绿，芽叶肥壮，育芽力及持嫩性强，产量高，品质优，抗寒性强；内含物有效成分高，尤以氨基酸含量高著称。据农业部茶叶质量监督检验测试中心检测，茶多酚含量 13.8%，水浸出物 46.2%，氨基酸含量 8.4%。该品种适制绿茶，尤其适制名优绿茶。所制岳西翠兰，外形色泽翠绿鲜活，汤色绿亮，清香高长，滋味鲜醇，叶底肥壮绿明。

石佛翠母树（石佛寺公司 / 供图）

梦茗　国家级无性系茶树良种，母树在来榜镇花墩村。灌木型中叶类，早生，树姿半开张，分枝较密，叶形长椭圆，叶色绿，叶身稍内折。用梦茗制作岳西翠兰干样，经农业部茶叶质量监督检验测试中心检测，氨基酸含量 4.9%，茶多酚含量 26.9%，水浸出物含量 40%。品质优，产量较高，抗寒、抗旱、抗病虫能力强，适制名优绿茶，适宜在长江流域易遭干旱和低温冻害侵扰的地区推广。无性繁殖力中等，幼龄期生长相对缓慢，加强幼龄期培肥管理、适当提高定型修剪高度，有利于早成园。

石佛香　安徽省级无性系茶树良种，母树在包家乡石佛村。植株灌木型，发芽较早，叶色绿，密度特大，育芽力和持嫩性强，幼嫩芽叶角度小，节间短，叶面 1/2 处背卷。据农业部茶叶质量监督检验测试中心 2014 年测定，水浸出物含量 46.5%、茶多酚含量 18%、氨基酸含量 4.8%、咖啡因含量 3.53%。适制红、绿茶。制绿茶清香带蒿香，滋味鲜醇。六年生茶树亩产干茶 95.2 公斤，名优茶采摘时间长，经济效益显著，抗寒和抗旱能力强。

901（**未鉴定**）　无性系茶树良种（品系）。植株灌木型，发芽早，芽叶齐壮，色泽黄绿，育芽力强，密度大，成熟叶片稍内折，抗寒和抗早春低温能力强。制作岳西翠兰等高档绿茶，栗香持久，滋味较鲜醇，品质优。

岚里香　无性系茶树品种，菖蒲镇张常春自选自繁，母树 1993 年在灵山寨林药场发现。灌木型，中叶早芽，分枝节位低，育芽能力强，芽叶色绿齐壮，密度大，持嫩性尤好。茶多酚含量 21.4%，水浸出物含量 49.7%，氨基酸含量 5.0%，咖啡因含量 3.8%。制岳西翠兰茶，外形壮硕整齐，品相好。

第三节　引进无性系良种

20 世纪 70 年代后期，本县开始把茶树良种化工作提上日程，花精力，投资金，先大量引进黄山大叶种、祁门楮叶种种子，后引进省内外无性系良种苗，主要有福鼎大白茶、安徽 7 号、安徽 1 号，面积约 200 亩。2000 年后无性系良种加速推广，外地种有舒茶早、乌牛早、皖茶 91（农抗早）、白毫早、龙井 43、龙井长叶、山坡绿等。2008 年，安徽云林茶业公司引进安吉白茶，栽培百余亩。2014 年，王士遐会同台湾同胞罗锡炼在响肠镇新

菖蒲镇水畈村乌牛早茶园（钱子华 / 摄）

响肠镇新浒村黄金芽茶园（新浒村 / 供图）

浒村建茶园基地，引种黄金芽茶。

无性系良种茶园具有发芽整齐、品质一致、产量高、质量好等优势。冶溪镇金盆村刘国政 60 亩乌牛早、舒茶早良种茶园，2015 年茶叶收入 28 万元，亩均 4745 元，收入水平比当地群体种高出一倍。

第四节　良种繁育

短穗扦插繁育茶树良种，开始于 1958 年，当年全县完成茶叶短穗扦插 153.4 亩，其中沈桥公社扦插 45 亩。因技术不够成熟，此后数十年没有进展。20 世纪 90 年代，菖蒲镇农民张常生曾用嫁接法换种，小面积获得成功。

1991 年，中关乡土星村储诚华在省茶科所汪士杰老师指导下，用短穗扦插法繁育安徽 7 号茶苗 1.2 亩，1992 年冬出圃无性系茶苗 9 万棵。1992 年秋，县农牧渔业局多经站（多种经济作物工作站）指导农户，在毛尖山乡岳峰、天堂镇南园畈建茶叶苗圃 20 亩，培育无性系茶苗，翌年春出圃苗木 300 万株。

1998 年后，冶溪、中关、店前、菖蒲、响肠、古坊相继建立苗圃，面积 100~500 亩 / 年，年出圃苗木 1000 万 ~6000 万株，品种包括石佛翠、石佛香、乌牛早、舒茶早、皖茶 91（农抗早）、白毫早、龙井 43、龙井长叶、安吉白茶等。2005 年后，冶溪、店前两镇育苗面积稳定在 300~450 亩，育苗户由最初的县神雁公司、胡知佐、程金华、王奕初等几户增加到 40 多户。2015 年这两镇茶苗销售收入 800 余万元。育苗技术日臻成熟，每亩出圃 10 万 ~15 万株。2010 年后，岳西县繁育的无性系良种茶苗除本境自用，还销往省内六安、黄

冶溪茶叶苗圃（钱子华 / 摄）

山、池州等市县，以及陕西、山东、贵州、云南、湖北、湖南等省。

母穗来源，先期主要是安徽省祁门茶叶研究所、安徽农业大学、东至和金寨茶树良种场，也有部分从浙江引进。2000 年后，基本从当地母穗园或生长健壮、纯度高的无性系生产园采剪。

建扦插圃

选地势平坦、能排能灌、灌溉水源清洁、日照充足、土壤通气性好、pH5.0 左右、交通方便的水田或旱地，先全面翻耕 30 厘米，破碎犁底层，清除前茬作物根茎，按畦面宽 1.2 米、高 25 厘米左右、畦距（沟底宽）25 厘米、畦长 10~20 米（长度由地块决定）做成畦坯，再在畦表层匀施腐熟饼肥 250 公斤 / 亩或茶树专用复合肥 70 公斤 / 亩，与田土翻匀耙细。畦面铺厚 8.5 厘米左右、粒径小于 1 厘米的心土，稍加镇压，做到上实下松，压后心土层保持在 4.5 厘米左右，按 8.3 厘米行距划出扦插痕。整块地四周开深 40 厘米、宽 30 厘米的边沟。地块长于 30 米，每隔 10~20 米挖一条横沟，与边沟相通。

穗条采集

用达标穗条，剪截穗长 3.5 厘米、茎干木质化或半木质化、具有 1 张完整叶片和 1 个健壮饱满腋芽的短穗。本地一般以秋季（8—10 月）采穗扦插，也有育苗户个别年份春季（2—3 月）扦插。当日气温高，在上午 10：00 前或下午 4：00 后采穗，剪后运至阴凉处摊放，48 小时内剪穗并扦插完毕。

扦插穗条质量标准

级别	品种纯度（%）	穗条利用（%）	穗条茎粗（厘米）	穗条长度（厘米）
Ⅰ	100	65	0.3	50
Ⅱ	100	50	0.2	25

扦插管理

扦插前心土层浇透水，待水分下渗后即可扦插。扦插密度：穗距 2 厘米，行距 8.3 厘米。用食指与拇指捏住插穗茎干直插或稍斜插于划痕上，以腋芽露出土面、叶柄平贴地面为度，插后随即用食指按实泥土。叶片朝向应与当地常年多见风向一致。边插边浇水，浇水后覆盖遮阳网。

苗圃在插后 30 天内，晴天每天早晚各浇水 1 次，阴天每天浇水 1 次，以后隔天浇水。当根系较多或高温干旱期，采用沟灌，灌水深度以沟高的 2/3 为度，注意及时排水。具体可视墒情，3~5 天沟灌 1 次。待发根后，3~5 天浇灌 1 次，做到不干不渍即可。幼苗成株后，视天气情况适时浇灌水或排水，以畦面土壤不泛白、畦沟不积水为宜。在越冬前，全面喷一次石灰半量式波尔多液（每 100 公斤水加 0.33 公斤生石灰和 0.65 公斤硫酸铜）。在平顶高架棚上保留覆盖的遮阳网，大棚内每个苗畦上再搭一弧形小拱棚，小拱棚中高 43 厘米，上盖薄膜，将薄膜四周用土封实，当土壤干燥泛白时揭膜浇水，至次年 3 月中下旬揭去薄膜。当午间棚内温度高于 32℃时，打开薄膜两端通风换气 3 小时左右，下午 4: 00 前后及时封闭。幼苗期，当日平均温度稳定通过 8℃后，适时揭膜炼苗，除草施肥。

起苗出圃

当苗木质量达到下列指标要求，11 月至翌年 3 月起苗定植。

起苗定植苗木质量标准

级别	苗龄	苗高（厘米）	苗粗（厘米）	侧根数（根）	品种纯度（%）
Ⅰ	1 足龄	30	0.3	3	100
Ⅱ	1 足龄	20	0.2	2	100

冶溪镇胡知佐、店前镇王奕初、中关乡储诚华、菖蒲镇张常生等是县内有经验的良种茶苗繁育户。多年来，胡知佐和岳西县稳生茶叶合作社育苗最多。

第四章　茶树栽培

茶树原产中国。《华阳国志 · 巴志》载："周武王伐纣……丹添、茶、蜜……皆纳贡之。"这是全世界迄今发现最早的记录茶事的文字，距今已 3000 多年。20 世纪 70 年代，考古学家在浙江河姆渡田螺山文化遗址，发现 6000 年前人工栽培的茶树根，表明中国对茶的利用甚至是人工栽培，或已超过 6000 年。

姚河乡竹山古茶树（刘会根 / 供图）

我国南方的古巴蜀地区是茶树的发源地，在漫长的历史长河中，茶树顺着河流山脉，或天然或人为，向外地传播扩散开来。茶学家陈椽认为，大别山茶的来源有两个，一是茶从原产地出发，向西北先到雅安，再沿川陕大道向北抵陕南秦岭南麓，南折沿汉水经湖北襄州（襄阳）到达河南信阳入大别山（唐代的义阳郡、光州），继而向东到安徽西南部的寿州（今六安）、舒州（安庆）大别山区；另一条是沿长江而下，传到湖北、安徽。时间不晚于战国。杭州中国茶叶博物馆介绍说："茶的饮用起源于中国西南地区的古巴蜀一带。随着经济文化的交流，逐渐向长江中下游及中原地区传播。"唐时，安徽已是重要茶叶产区，淮南道（陆羽称之为"淮南茶区"）就有光州、义阳郡、舒州、寿州、蕲州、黄州 6 个州郡产茶。

如今，岳西县处处是茶，从海拔 90 米的菖蒲镇袁家渡，到千米以上的包家乡石佛寺、头陀镇仰天凸，山岗涧底，畈地林间，都有茶园分布。新中国成立前，多为茶粮间作，河口、头陀、五河、主簿原茶园最多。包家河、头陀河、竹山、龙王凸、沈家桥、主簿原、凉亭坳、菖蒲潭、溪沸滩、五河宕、溪河刘垅塝等处，有少量联片茶园。天堂地区人口集中，山地较少，以粮为主，茶棵多在田头地边。1960 年至 20 世纪 80 年代初期，先后兴办茶场，建成一批坡地专业茶园。20 世纪 80 年代后期，政府引导农民调整种植结构，菖蒲镇菖蒲村瓦塘组将天仙河边一片漏水田改种茶叶，获得很好的经济效益，为全县旱田和缓坡地种茶提供了榜样。2003 年，县实施茶叶"二次创业"，整合资金支持发展高标准茶园，旱田和缓坡地茶园加速增建，成为岳西茶园的主流类型。

新中国成立前，茶园大部分归地主所有。新中国成立后归集体所有，先后由社（初级社、高级社、公社）、队（生产队、专业队）及农户个体承包经营。2000 年后，公司介入，土地经营权开始流转。在长期实践中，岳西茶农和茶叶科技工作者，在茶叶建园、茶树栽培管理、灾害防控等方面，积累了诸多宝贵经验。

第一节　茶园经营

新中国成立前，茶园大多归地主所有，农民租佃兴种。

新中国成立初期，废除封建土地所有制，茶园土地归农民所有，农民自主经营。合作化后（1953年），土地归农民所有，由社（初级、高级）合作经营。农户入农业社集体劳动，年终决算，按人按劳（工分）计酬分配。决算前急用，可酌情支取。初获土地的农民积极性高涨。

公社化时期（1958—1983年），集体所有，以队为基础（以生产队为最小单位，组织生产，独立核算），茶叶统一交供销社。1961年，一度允许茶园到户管理，统一销售。1961年5月，县委印发《和平大队茶叶生产情况调查报告》，指出和平大队茶叶生产特点是茶棵分散，不占耕地面积，分布于田埂地边，成片茶园几乎没有。新中国成立前，一般人家可做黄大茶3~7斤，很少人家产百斤。茶叶除自家留喝之外，外卖销湖北黄安或山东，换回布、盐等。1952年，该大队茶叶总产645斤，1957年总产1042斤，1958年后逐渐下降：1958年912斤，1960年470斤。为遏制下降趋势，报告提出“三定”（定面积、定底分、定质量）“四包”（包产、包质、包工、包费用）“五统一”（统一计划、统一采制、统一出售、统一分配、统一垦复新茶园）办法，把茶园管理责任承包到户。

这一时期，新建小规模茶园由生产队主导，新建大规模茶园由大队或公社主导。新建茶园靠人工垦覆，人海战术（称“大会战”）。先选好建园山场，作初步技术设计，并估算出工程量，然后在大队或公社范围内调集劳动力，分配工程任务，集中时间砍山、作梯、播种。工地记工分，回生产队分配。

“大会战”一般在秋收之后、春耕之前进行，9月、10月开工。会战前各公社、大队都会召开“誓师大会”，宣布纪律和工程要求，参会人员百十人至上千人不等。1973年秋，黄尾公社召开千人农田（茶山）会战誓师大会，要求全社人员举家投入会战，吃住在工地：“上到八十三（岁），下到手里弹（婴儿），人带口粮猪带糠，老婆孩子一起上。”建成门楼、官庄两片梯式茶园，共120亩。1972年秋到1974年春，凉亭公社书记祝伯成指挥，公社干部葛贤斌、祝裕平坐镇，带领300多名社员，在海拔千米的磨刀坪建梯式茶园3片，共100余亩，并办起养猪场、炒青绿茶加工厂各1座。1973—1979年，沈桥公社6个大队，每个大队建1个茶场，种茶800余亩。

建于20世纪70年代的河图镇磨刀坪茶园（钱子华/摄）

白果公社沙埂大队1970年大会战建成

茶园 78 亩，1971 年组建“沙埂‘三八’妇女茶叶专业队”（队长朱诵兰）管理茶园，独立核算。1981 年产干茶 1890 斤，销售收入 2067 元，收入交大队 5%，其余归专业队。1987 年，包园到户，专业队解散。

1981—1985 年，全县基本完成茶园土地的集体经营向“大包干”转变，实行农户自主经营。为巩固村集体经济，姚河、来榜、冶溪等乡镇公社化时期建起的部分茶园、茶厂，仍由村或组集体经营。2000 年，姚河乡尚保留村集体茶园 4 片，村集体茶厂 5 座（梯岭、皂河、沈桥、马石、黄树各 1 座），由个人承包经营。

1985 年后，县加大对茶园建设的投入，各地规模茶园增多。2010 年，全县较大面积茶园有：梯岭、香炉、黄树、杨塝、皂河、新塘、沙埂、八里、黄羊、东冲、铁铺、大滑岭、三道河、石佛寺、川岭、门楼、平等、黄尾、平安、明山、老鸭、河口、长岭（古坊）、檀树、上坊、羊角尖、南河、虎厂、竹坪、海螺、太平、雨山、花墩、公山、黄岭、闵山、百步、林湾、土星、徐龙、龙桥、靖寨、东渡、港河、长岭、水畈、储冲、应冲、金狮、林山、钟形、中心、司空、西坪、石咀、鸿雁、琥珀、杨河、夺坪等。个人流转或承包经营的茶园有石佛寺、公山、石咀、土星、徐龙、龙桥、雪山庵、港河等。

第二节　茶园类型

一、坡地茶园与平地茶园

坡地茶园　在坡地种植，又分梯式茶园和不作梯茶园。坡度一般在 25 度以下，也有少数园超过 25 度。不作梯坡地茶园，不整水平梯面，按 2~3 米一丛，等距点播，茶棵隙地种粮。新中国成立前这类茶园占主导，20 世纪 80 年代初，姚河、头陀、包家等地这类茶园仍有相当大比例。梯式茶园是在坡面上沿等高线方向，水平作梯面，防止水土流失，保持地力，也叫坡地水平梯级茶园。一般梯面宽 1.3~1.5 米，单行条播，或 1.5~2.0 米，双行条播。新中国成立后，大力提倡开辟这类茶园。

平地茶园　在塝田、平地所建。2000 年后确立“生态立县”思想，原则上不开山种茶，反

建于 20 世纪 70 年代的菖蒲镇港河茶园

冶溪镇无性系茶园（来源：岳西网）

对毁林种茶，平缓坡地茶园成为新建茶园的主要类型。

二、丛播茶园与条播（栽）茶园

丛播茶园　丛距一般 2~3 米，每亩种数十丛、200~300 丛不等。以缓坡地、石碌窠为主，大多是粮茶间作。新中国成立前，战乱频仍，生产凋敝，茶园树老丛稀，产量极低。也有少量深山粮地茶树，因肥力较足，长势良好，一般树冠直径在 1 米左右。包家乡河上岭有树高 2 米、丛冠直径达 4 米的大茶树，20 世纪 70 年代生产队曾单丛采鲜叶 40 公斤。1949 年前遗留的茶园，大多属于这种类型。

条播（栽）茶园　按宽度 1.3~1.7 米规格水平作垄，每垄分播（栽）1~2 行。一般小行距、株（丛）距 0.33 米。20 世纪 50—70 年代所营建的社队茶场茶园，基本是这种类型；20 世纪 80—90 年代以农户为主体所建，丛播、条播都有；2000 年以后坚持高标准，所建茶园全是条播或条栽茶园。

三、茶籽直播园与茶苗移栽园

茶籽直播　20 世纪 90 年代以前，全部是茶籽直播。传统种法，按丛距挖播种穴，穴深 6~10 厘米，每穴放茶籽 20~30 粒，多的达 50 余粒，半木碗。茶籽在四周均匀撒开，中央空出，种米豆数粒，再覆细土掩籽，插上竹签做标志，5—6 月茶苗出土。新中国成立后提倡条播，在茶行中间开播种沟或播种穴，沟（穴）深 10 厘米，每隔 30~33 厘米播 5~8 粒饱满成熟茶籽，上掩土盖籽。一般当年秋或翌年春深挖，间种粮食作物，第三年打顶采摘（称“破桩”）。2000 年后，提倡杂草除早除小，幼年茶园茶菜或茶药间作。

包家乡石佛村茶籽直播茶园

茶苗移栽　分速生苗移栽和无性系扦插苗移

栽，以无性系扦插苗为主。速生苗培育，冬春季节，用肥沃、平整的菜园地或农田作苗床，上足底肥（厩肥、人粪尿）后播种，一般苗床宽1.5米，洒播3~4行，每亩播茶籽150~200公斤，第二年冬春起苗栽植，按茶园株行距要求，开栽植穴，穴深10厘米，每穴栽2~3株，按紧、浇定根水。无性系扦插苗由专业苗圃育苗，8—10月扦插，第二年冬或第三年春出圃栽植。2000年后，无性系建园技术得到推广，速生苗移栽建园方式被淘汰。

四、栽培茶与野生茶

除栽培茶外，本境野茶分布同样广泛。头陀、黄尾、包家、青天、姚河、五河、田头、河图、店前等地野茶，远近闻名。

本书编者曾著文对岳西田头乡四望山野茶做过这样的描述："盛产野茶肯定是四望山另一大特色。在这里，行走在古道之上或攀缘于坡岭之间，野茶随处可见。有的依于树旁，有的长在溪边，有的扎根石缝，有的悬于高崖，有不足尺余的，有高过人头的，有孤枝孑立的，有繁茂如盖的，有成片而生的，有离群独处的。每到春来，它们竞相探出金黄色的小脑袋，散发出袭人清香，风情万种。此时，当地的大姑娘、小媳妇，也会呼朋引类，进山采摘，傍晚时分，她们走出山林，踏上回家的路，还会扯着别人的茶篮掂试轻重，争说别人采得多，自己采得少。"

第三节　茶园建设

千百年来，岳西茶树栽培大抵经历了老式丛栽茶园、梯式等高条播茶园、密植速成茶园、高标准无性系良种茶园四种重大技术探索与改进。

1949年前，成片茶园少，绝大多数与旱粮间作。20世纪50年代后，茶园面积扩展。20世纪70年代，重视山坡茶园建设。1987年，中央、地方对岳西各投资60万元，实施"全国名茶基地县建设"项目，县农牧渔业局在各区乡村圈定58片3600亩，派农技人员驻点指导，进行茶园综合改造。2000年后，调整农业生产结构，利用缓坡地、山塝田建高标准茶园，同时重视茶园环境建设，一些茶园还建有鹅卵石（或水泥）人行步道、路灯、观光亭、水塘、沼气池、灭虫灯等设施。

2009年10月，国家启动"百个标准茶园创建示范点"项目，在全国安排七处示范点，菖蒲镇水畈村名列其中。

一、垦复荒芜茶园

新中国成立初，以垦复荒芜茶园为主。1955年，县作出扩大茶园决定，县供销合作社贯彻"好茶好价，次茶次价"原则，投放茶叶预购定金20.05万元，当年全县除新建茶园外，垦复荒芜茶园600亩，补种280亩，播种茶籽2.5万公斤。生产上推广全面深翻、台刈更新、移植归并、稀园补密、增施肥料等技术。

冶溪镇高标准无性系茶园（钱子华/摄）

二、开辟新茶园

20世纪60年代以前，本境以茶粮间作茶园和四旁（村、宅、路、水）隙地茶园为主，多数用茶籽丛播，规模化专业茶园建设始于20世纪70年代后。20世纪70—80年代，推广梯式等高条播茶园建设技术；20世纪80—90年代，曾一度推广密植速成茶园；2003年后，重点推广高标准茶园。

梯式等高条播茶园　20世纪70—80年代，岳西县贯彻中央“努力稳定粮食生产，积极发展多种经营”山区工作方针，先后采取“大会战”和群众投工投劳、山场作价入股方式，建起一批连片梯式等高条播茶园。茶区大队、生产队以此为基础组建茶场，由专业队负责生产管理。秋冬季节，选缓坡宜茶地片，砍灌、全翻，然后沿等高线方向作梯，要求梯宽1.5米以上，外高里低，呈“反坡形”，内沿开排水沟，连接园地侧边围沟。顺坡方向主沟，相隔10~20米挖建一个沉砂凼，雨后挖取沙土复原。坡度较大，因地制宜，用带土草皮或石块垒筑梯坎，保持水土。冬季封冻前或春季解冻后开穴播种。穴距30~40厘米，每亩播茶种15~20公斤。因技术把关存在较多缺失，这批茶园质量总体不高，“三跑”（水、土、肥）及“小老树”现象普遍。

20世纪80年代前，全县百亩以上梯式条播茶园有：梯岭、黄树、香炉、沙埂、八里、蛇形岗、铁铺、羊河、门楼、大滑岭、三道河、石佛、花墩、公山、徐龙、河西畈、田头、港河、东方红等。

密植速成茶园　要求建在土层1米以上的平地或缓坡地。全面深翻50厘米以上，分层施肥。土杂肥、秸秆等粗肥放中下层，饼肥、厩肥等细肥放中上层，肥土相间铺置。每亩猪（牛）粪40担，饼肥100公斤，磷肥50公斤。坡地建园要作梯垒坝。大行距1.5米，小行距0.33米，穴距0.2米，每穴播茶籽5~7粒，三行种植。每亩播茶籽30公斤。苗期勤除草、施肥，第二年春间苗补苗，确保每穴2~3株健壮苗。第二年春茶前，苗高平均达

30 厘米，进行第一次修剪，离地面 15 厘米剪除，以后每年一次；第二年打顶采春茶、夏茶，第三年投采。投产茶园精心管理，按标准（炒青一芽三、四叶及同嫩度对夹叶）勤采（全年采摘 20 次以上）。1981 年，主簿区农技站技术人员在沙埂茶场试建小片密植速成茶园，1982 年开采，1983 年亩产干茶 103.2 斤，实现了县农业局期望的“一年种，二年摘，三年过一百（斤）”的目标。

因该种茶园建设管理要求较高，特别是密度过大，早衰严重，1985 年后停止推广。

高标准茶园 高标准茶园概念为本县农业部门提出，要求在选地、建园、品种、种植、管理等方面都坚持高标准，最后实现效益明显好于其他茶园。该茶园建设的关键技术如下：

严格选地 选择生态环境良好，坡度 15 度以下的缓坡地、旱田平地作园址。园地空气质量符合国家《环境空气质量标准》（GB3095-1996）中规定的一、二级标准要求。有效土层 60 厘米以上，排水和透气性能良好，生物活性较强，营养丰富，耕作层有机质含量 >1.5%、PH 值 4.5~6.5。土壤质量应符合《土壤环境质量标准》（GB15618-1995）。

吊槽施肥 坡地建等高梯地，平地直接开沟。做法是：先确定种植基线，沿基线开出第一条种植沟，然后向上下（或左右）开第二条沟，两沟中心距离 1.5 米，每沟宽 70 厘米，深 50 厘米，沟开出后施入基肥，每亩埋青 1500 公斤，磷肥 50 公斤，土杂肥 200 担以上，饼肥 100 公斤，然后填平。

合理栽植 无性系茶苗，每亩 3800~4000 株，双行或单行栽植。大行距 1.5 米，双行小行距 0.33 米，每穴栽 1~2 株。低山区秋冬栽植，高山易冻地区初春栽植。栽时，茶苗在沟内根系要舒展，且不接触肥料，以免烧伤。定植后用脚踏紧并浇透水。茶籽直播每亩用优质茶籽 25 公斤，行、穴距与苗栽同，每穴播 5~8 粒，“梅花形”排列。

铺草护苗 栽植后立即在行间铺上一层稻麦草或山槎，以保墒、增湿、抑草、防小苗被烈日灼伤等。

田头乡新建茶园铺草（来源：岳西网）

防旱防渍 茶苗栽后要视土壤含水状况及时浇水防旱。用水田改建的茶园，要开围沟、中沟，排水防渍。

锄草施肥 栽植当年要浅耕浅锄，勤除杂草，施肥用低浓度人粪尿或尿素液，夏秋两季各施两次以上。以后每年追肥 3 次，秋冬结合深挖，重施基肥 1 次。

定型修剪　进行 3 次。无性系茶园，第一次定型修剪在茶苗栽植时进行，第二次在第二年春季，第三次在第三年春季。低山区管理水平高的茶园，茶蓬生长量大，第三次定型修剪可于第二年 6 月进行。茶籽直播茶园延迟一年定型。

合理间作　小苗期茶园提倡适当间作，品种以豆类、叶菜类为主，间作密度以不影响茶苗生长为宜。

环境建设　园区内要路相连、水相映、树成行，管理方便，环境优美，生态宜人。

第四节　茶园管理

历史上丛栽茶粮间作茶园，管理相对粗放。幼苗出土后，一般当年不除草，不浅锄，秋后或翌年春翻挖，间种粮食作物，第三年打顶开采。茶园普遍不修剪，只采春茶，夏秋养膘（养树），春茶后期将茶树上的所有丛内徒长嫩梢、对夹叶全部采净（俗称“翻棵”），封园。茶园春季锄草一次，秋季深挖间作。有些地方用羊角叉搜茶兜、掰枯枝，以“清兜亮脚”，并把茶棵上方挖空，下方围土，称“上空下壅”，以保水蓄肥。对衰老茶棵，在春茶结束后，离地面 10 厘米左右砍掉或烧掉（称“砍棵”“烧蓬”），让其抽生新的枝条，养两年采摘。条栽专业茶园管理相对精细，特别是 20 世纪 80 年代后，本境茶园的土壤、树冠管理及低产园改造日趋科学与规范。2000 年后，一方面因农民大量外出务工，务农人员严重不足，另一方面是农村新兴产业不断涌现，部分地区茶叶比较效益有所下降，出现茶园管理粗放甚至抛荒现象，少数地方还相当严重。

土壤管理

有浅锄、深挖、施肥、铺草间作和覆盖防草布。

春茶前浅锄　目的在于松土除草，提高土温，结合施肥，促进茶芽萌发。20 世纪 80 年代前，不采名优茶，浅锄一般在 3 月中下旬进行；20 世纪 80 年代后，在 2 月下旬至 3 月上旬浅锄。高山茶区物候稍迟，浅锄追肥相应后延。浅锄深度 10~15 厘米。

春茶后浅锄　经过春茶采摘，行间土壤因踩踏板结，影响雨水下渗和气体交换，妨碍根系活动，同时因气温上升，杂草旺长，加上春茶采摘消耗大量养分，结合浅锄施肥，达到除草松土和增肥效果。通常在 5 月上中旬进行，深度 10~15 厘米。

夏茶后浅锄　低山茶区采摘夏秋茶，在 7 月上中旬进行，深度 10 厘米。

秋季深挖　民间有“七挖金，八挖银”之说。农历八月前后对茶园深挖、埋青，重施基肥，能有效改良土壤性状。行间深度 20~25 厘米，根茎附近 10~15 厘米。1985

五河镇响山村成年茶园铺草（钱子华 / 摄）

年后，深挖、埋青技术得到强力推广。

施肥 遵循“平衡施肥”原则，防止茶园缺肥和肥分过量，施肥种类和数量控制在无公害茶园允许范围内。以有机肥为主，化学肥为辅。追肥与浅锄同步，每次每亩（沟）施纯氮 5~15 公斤。基肥结合秋挖，每亩施饼肥 150~200 公斤，或施农家肥 1500~2000 公斤。

响肠镇新浒村防草布覆盖茶园（钱子华 / 摄）

铺草间作 对幼龄、台刈及行距较宽茶园，在行间种植豆科绿肥及株型矮小的蔬菜。2000 年后，不少成年茶园实行行间铺草覆盖，既防旱防冻，抑制杂草，促进有益生物（如蚯蚓）繁衍，又保持水土，提高土壤肥力，一举多得。一些农户对土壤深厚肥沃、树冠覆盖度高、病虫害少的茶园，还往往通过铺草，减耕或免耕。

覆盖防草布 2015 年后，少数茶园使用。防草布由塑料丝织成，多为黑色。茶树行间覆盖，可以抑制杂草，早春秋冬提高土温，通过经纬编隙，能让雨水顺畅渗入地面。

树冠管理

修剪能打破顶端优势，激发腋芽和隐芽萌发，提高茶芽密度，打破地上部分与地下部分平衡，刺激地上部分生长，让树冠整齐，便于采摘。机采茶园如不修剪，无法进行机采作业。

幼年茶树实行定型修剪。茶籽直播园播后翌年春，无性系园栽植时，进行第一次定型修剪。第一次定型修剪，要求苗高平均 30 厘米以上，用弹簧剪离地 15 厘米剪去；第二次定型修剪，要求苗高平均 60 厘米以上，离地 30 厘米剪去；第三次定型修剪，苗高要在 80 厘米以上，离地 50 厘米剪平。第二、三次定型修剪同样在春茶前进行。完成三次定型后，每年在春茶后各进行一次修剪，每次在上年剪口上提高 3~5 厘米剪平。当树高达 90 厘米，树幅达 120 厘米后，每次在上年剪口上提高 2~3 厘米；当树高超过 120 厘米，不便农事操作时，再回剪至 90 厘米高度，以此循环往复。树冠覆盖率高的茶园，应修去部分侧枝，方便采摘及管理作业，保证通风透光。

20 世纪 90 年代后，北部茶区以制作名优茶为主，基本不采夏秋茶。为获得较多的壮硕春芽，对各类型成年茶园，年年在春茶后（6 月上旬前）进行深修剪（剪绿叶层的 1/3）或重修剪（剪绿叶层的 1/2），刺激生长新梢。2000 年后，冶溪镇茶园机采逐步推行，前期春茶采后，4 月中下旬进行轻修剪，以后以采代剪。

低产园改造

20 世纪 80 年代后，大力推广低产茶园改造技术，包括改土、改树、改园、改进管理四方面。1989 年 8 月，省委书记卢荣景到岳西检查，对岳西茶园面貌不满意，认为“下功夫不够”，要求学习霍山诸佛庵茶区经验。由此县提出“七分行政干预，三分技术服务”，将政府推动作为主要手段，抓点带面，坚持“四改”，每亩给予50元补助，统一采购肥料投入“四改”茶园。当年完成改土工程茶园2701亩。

改土施肥　时间在每年7—9月份，在离茶树根部20厘米以外处开深35厘米、宽35厘米左右的沟，埋青施肥，每亩青槎1500公斤以上，茶叶专用肥50公斤、尿素20公斤，然后盖土。

改树　每年春茶结束后至6月上旬进行。根据树势衰老程度有区别地实施重修剪或台刈。对未老先衰的“小老树”或树形零乱、枝条细弱、产量下降的茶树，剪去茶树的1/3~1/2。对树势衰老、枯死枝多、育芽能力差、产量很低的，将离地面20厘米以上的枝条全部刈除。

改园　包括“坡改梯”和增行补棵。园地坡度在25度以下，水土流失严重，但茶园相对连片，根据具体情况修筑石坝或垒土坝建梯地茶园；结合改梯，设置干道、支道、环园道，实现路路相连；设置截洪沟、竹节沟、沉沙宕，保证沟沟相通，以达到保水、保土、保肥目的。增行补棵，丛栽茶园每亩不足800丛，条栽茶园每亩不足1000丛的，按茶丛缺棵、缺行情况采取大棵补植或茶籽补行。补棵在2~3月份进行。坡度在25度以上，提倡退茶还林。

改管理　低产茶园经过改土、改树、改园后，三年内加强培肥管理。每年轻剪一次，追肥三次，锄草三次。以养树为主，采摘为辅，采养结合，培养树冠。

通过“四改”，茶园呈现园成块、茶成片、路成网、沟相连，区格分明，园相美观。

第五节　灾害防控

病虫草害

遵循“预防为主，综合防治”方针，综合运用农业防治、生物防治、物理防治，创造不利于病虫等有害生物滋生和有利于各类天敌繁衍的环境条件，保持茶园系统的平衡和生物的多样性，将有害生物控制在允许的阈值以内，将农药残留降低到规定标准范围以内。

农业防治　选用对当地主要病虫抗性较强的优良品种，加强茶园管理，增强树势，提高茶树对病虫害的抗性，采用相应农艺措施控制病虫害。如2000年后不再推广在本地易感炭疽病的龙井43茶树品种；分批、多次、及时采摘，控制假眼小绿叶蝉、茶橙瘿螨等；通过修剪控制毒蛾类、螨类、蚧类、黑刺粉虱等害虫危害；通过秋末茶园深耕，减少翌年在土壤中越冬的鳞翅目和象甲类害虫的种群密度等。

生物防治　利用天敌和生物农药（包括动物源、植物源和微生物源农药）防治病虫害。注意保护和利用茶园中的草蛉、瓢虫、蜘蛛、捕食螨、寄生蜂、鸟巢等，为茶树虫害天敌营造良好生存条件。

物理防治　利用各种物理因子（光、热等）人工或器具防治。如人工捕杀，灯光、信息素诱杀，黄板粘杀等。

化学防治　在上述方法难以奏效的情况下，有限使用高效、低毒、低残留农药，严格执行NY/T5018附录C规定，按照要求控制施药量与安全间隔期。

茶园杂草，坚持人工除、机械除，禁止使用除草剂。

2010年后，茶园绿色防控力度增强。2012年，水畈村茶园安装太阳能杀虫灯10盏，防控面积达500亩；中关储诚华家庭农场茶园安装太阳能杀虫灯5盏，防控面积达250亩。2014年，菖蒲现代农业示范区安装使用杀虫灯100盏、粘虫片3万片，防控面积2000余亩。2021年3月，县出台《岳西县推行化肥农药减量增效、创建绿色有机农产品示范基地实施意见》，重点在茶园推广应用“粘虫板+生物农药+生态农艺”绿色防控模式，全面推广应用全降解天敌友好型粘虫板，县补贴总费用的2/3。同年，在冶溪、中关、响肠、田头、包家和来榜6乡镇，建立省级茶叶病虫害绿色防控示范区，面积3000亩，辐射带动面积3万亩。全县15.4万亩茶园通过无公害认证，5686亩茶园获绿色认证，3836亩茶园获有机认证。

灾害性天气

茶园冻害是本县最常见的自然灾害。特别是石关、包家、主簿、青天、姚河、田头、古坊等乡镇高山茶园，冬季常受北方强冷空气侵袭，春季受晚霜或“倒春寒”影响，极端最低气温 -15.2℃，极端最低地温 -21.1℃（地面0厘米），小冻年年有，大冻三五年就有一次，为害严重，尤其是“叠加性”冻害，损失更为惨重。

石关乡石关村徐塆茶园冻害调查表

年份	冻害级别	冻害原因	减产程度
2004	二级	冰冻	21%
2005	三级	倒春寒	12%
2006	四级	干冻、倒春寒	48%
2007	五级	倒春寒	8.5%

资料来源：石关乡农技站程建德。茶园海拔950米。

2017年包家乡石佛寺受冻茶园（钱子华/摄）

本境高山茶园冻害防范通常采用如下措施：

1. 建防护林。防护林高于茶树 10 倍以上。

2. 退茶还林。对于北风口、“死阴洼”和海拔过高茶园，退茶还林，还原生态。

3. 茶园覆盖。在低温到来之前，用秸秆、槎草或农膜进行蓬面或地面覆盖。

4. 合理间作。在幼龄茶园合理间作玉米等高杆作物，采收后秸秆原态立地，为幼树防风御寒，翌年春拔起覆盖茶行。

5. 壅土压株。冻土形成前对幼树进行壅土压株，来年春季，扒开壅土。

对已经发生冻害的茶园，采取修剪、施肥、补植等措施补救。

1. 修剪冻枝　部分枝叶失去活力，必须进行修剪，使之重发新枝，培养骨架和采摘面。做法是：枝叶死到哪里剪到哪里。具体操作时，因地因树制宜，修剪的程度按照“照顾多数，同园一致”原则。修剪时间，在早春气温稳定回升后的三月份。过早修剪易遭受“倒春寒”袭击，过迟修剪会延误复壮时期，影响产量。

2. 施肥锄草　受冻茶树剪后立即追施催芽肥，重施有机肥。每亩施尿素 30~40 公斤、土杂肥 5000 公斤，有的还施肥饼 200 公斤。全年锄草 3 次，分春、夏、秋进行。

3. 培养树冠　根据修剪程度，分类进行。台刈或重修剪的，需要重新培养树冠，当年只养不采，第二年以养为主，以采为辅，待茶树高度达到 90 厘米，树幅超过 100 厘米时，改为“以采为主，采养结合”的分批留叶采摘方法。采用轻修剪和深修剪的，根据树势恢复情况，合理采摘。

4. 补植缺丛　对幼年茶树和部分衰老茶树，有时会出现地上、地下部分同时死亡现象。茶农做法是：茶株冻死 20% 的，采取补缺补棵；达 20%~50%，移植归并；超过 60%，重新栽种。

第六节　有机茶园

有机茶是 20 世纪后期发展起来的符合国际有机农业运动联合会 IFOAM 标准的健康饮品。1997 年，中德有机农业合作项目在岳西县实施，选包家乡石佛村茶园组茶园和主簿镇余畈村猕猴桃园作为项目试验基地。岳西县有机茶生产自此起步。

有机茶园禁止使用人工合成的化肥、农药、植物生长调节剂和含有毒害作用的其他物质，应使用通过认证的有机专用肥和经过无害化处理的农家肥、绿肥、饼肥。要形成良好生态体系，在园内安排一定空间种树养草，保护害虫天敌栖息地，以实现园区生物多样性。建立完善的农事活动档案，做到农残可控，产品质量可追溯。

培肥　有机栽培排除了施用化肥的做法，只允许施用有机肥和矿质肥。在有机肥中，绿肥最好，既具有长效性，又有利于改良土壤。本境有机茶园绿肥，主要是利用茶树行间隙地、坎边斜面及茶园周边种植，也有直接砍割山青（青槎）使用。项目实施中茶园种植过的绿肥，一年生秋季播种的有黑麦草、苕子、紫云英，春夏种植的有豌豆、蚕豆、绿豆、黄豆、米豆等；多年生的有白三叶、苜蓿、紫穗槐、博落回等。此外，还有食用菌废菌料，经处理过的粪肥、饼肥、堆肥、沼肥、枯枝落叶等天然有机物。

病虫害防控 有机栽培实现了生物多样性，益虫、益鸟、益菌增多，茶树病虫害相对减少。出现病虫害，既可以用人工捕捉，粘虫板、性剂诱杀，也可以用生物性农药如BT，植物性农药如鱼藤精、苦参碱，矿物性农药如石硫合剂等防控。

防二度污染 鲜叶：有机茶加工厂，按标准收购有机茶园鲜叶，杜绝混收非有机园鲜叶，严禁接触有毒、有害、有异味的物品，以确保鲜叶质量。加工：不准沾染机械油污，禁止使用含铅材料制成的设备。包装：用铁、竹、木、瓷、纸等器皿，倡导使用无菌包装、真空包装、充氮包装，禁止使用不符合国家卫生标准的塑料制品。贮存：只用低温或常温贮存，不使用化学保鲜剂。

建立良性生态系统 新建或转换的有机茶园，要远离城镇、工厂和交通干线，茶园与农田间有不影响有机茶生产的足够宽的天然或人工隔离带。保护茶园周围植被，实行高标准建园，做到梯地等高水平，梯面宽1.5米以上，留足林、草防护带，做到“山戴帽，脚穿靴、腰系带”，防止水土流失。

第五章　茶叶加工

第一节　加工主体

岳西茶叶初加工，长期为家庭手工分散进行。实行合作化、公社化后，由社队统一加工。20 世纪 70 年代后，政府大力推动黄大茶向炒青绿茶的改进，重点产茶区大队、生产队纷纷建起绿茶机械初制厂。1977 年，梯岭大队购得杀青机（锅式）、炒干机（锅式）和揉捻机及滚筒（干燥用），开始机械生产炒青绿茶，当年生产 750 公斤。茶厂鲜叶来自大队茶场和生产队，分 6 级 12 等收购，一级一等每斤（500 克）0.44 元，4 级以上的每等差 0.03 元，4 级以下的每等差 0.04 元。

20 世纪 80 年代初，全县有加工厂百余家。1984 年，东风区（主簿）9 家茶厂，当年加工茶叶：皂河 5525 斤，梯岭 18100 斤，沈桥 4000 斤，黄树 3500 斤，永安 4230 斤，大塘 2810 斤，蛇形 2600 斤，中河 7100 斤，沙埂 2500 斤。

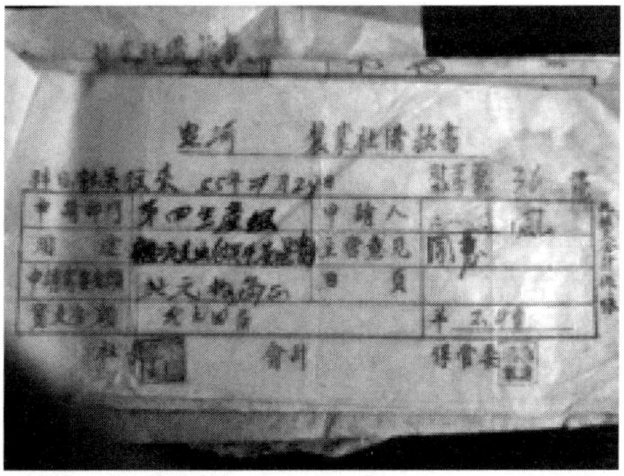

1955 年岳西皂河农业社借款书，置添茶把、烘斗、灯油（钱子华 / 摄）

农村实行联产承包责任制后，茶园到户，绝大多数社队茶厂解体，少数实行个人承包经营。旋即出现大批个私经营的茶叶加工厂。2010 年后，全县 98% 以上的茶叶鲜叶都集中在私人茶厂或企业加工，只有姚河梯岭、香炉，冶溪石嘴等少数茶厂产权仍属村集体，个人承包经营。

2000 年后，岳西县茶叶加工主体及其加工形式由：茶厂从分散农户或者鲜叶市场收购鲜叶加工；茶叶企业、茶叶大户用自营茶园鲜叶加工；茶叶合作社茶厂限用来自合作社成员单位的茶叶鲜叶加工；茶农鲜叶由茶厂代为加工，茶厂按鲜叶数量收取加工费（多在茶季末进行，加工的茶叶相对粗老，干茶多为农家自用）；个人租用他人或村集体茶厂加工。

实行分工协作，农民管理茶园、采摘鲜叶，茶厂加工销售，保证了茶叶质量，解决了销售难题，提高了茶农收入。县茶叶局调查，2010 年，春茶单芽和一芽一叶鲜叶，平均售价 100 元 / 公斤，普通鲜叶均价 20~30 元 / 公斤。包家乡石佛村极品鲜叶，最高卖到 1400 元 / 公斤。全县茶厂加工销售每公斤干茶净利 20 元上下。

第二节　历代茶品

岳西自古及今，茶品纷呈，名茶迭出。古时有黄芽茶、天柱茶、兰花茶、黄大茶、闵山茶，近现代有岳西翠兰、岳西炒青、黄大茶、兰花茶、红茶、白茶等，特色茶有野茶、冬茶、绿箭茶、粉茶、炙茶等。

茶叶最初作为药物、食物，进而演化成专用饮品。早先是生用，或生煮羹饮，或晒干储用。及唐，茗饮之风盛行，茶叶加工随之趋于精细。到宋，茶叶成为“人家不可一日以无”的生活必需品。宋李觏《盱江集·富国策》曰：“茶并非古也，源于江左，流于天下，浸淫于近代，君子小人靡不嗜也。”王安石《议茶法》曰：“夫茶之为民用，等于米盐，不可一日以无。”

唐宋时，岳西境内产天柱茶、黄芽茶、太湖茶、舒城茶、多智茶。天柱茶、黄芽茶、太湖茶、舒城茶产于包括岳西在内的潜（山）舒（城）霍（山）太（湖）广大区域，多智茶独产岳西县境。宋《太平寰宇记》载：“多智山在县怀宁西北三百里……一道东南入太湖县界，其山有茶及蜡，每年民得采掇为岁贡。”说宋时的多智山（即今岳西多枝尖）所产茶叶为贡品。

唐时，境内的茶叶属蒸青团（饼）茶。唐代中期名相陆贽，从陕西回江南老家探母，路过寿州，拜访寿州刺史张镒。临别时张送钱百万，陆不受，只收下“新茶一串”。晚唐诗人秦韬玉，为楚湘人，长期身在长安，收到离自己老家不远的舒州太守寄来的天柱山茶，喜不自禁，写下了《寄谢天柱山茶》一诗：“天柱香芽露香发，烂研瑟瑟穿荻篾。太守怜才寄野人，山童碾破团团月。”前者“新茶一串”，后者“穿荻篾”“团团月”，都说明所赠之茶是饼茶。晚唐杨晔《膳夫经手录》则明确记录：“寿州霍山小团，其绝好者。”

宋元时期，除饼茶外，还有大量蒸青散茶。《宋史·食货志》载：“茶有二类，曰片茶，曰散茶……散茶出淮南、归州、江南、荆湖，有龙溪、雨前、雨后之类十一等。”“凡散茶，上中上号以上庐州，上中下号以上寿州，上中下号以上舒州。”庐、寿、舒三州出产散茶。元人马端临在《文献通考》中也说：“茗有片、有散。”其同时人王桢在《农书》中记载：“鲜叶微蒸放筐箔上摊晾，而后乘湿用手揉捻，最后入焙烘干。”据此可知，我国揉捻型蒸青绿茶制法在元朝已基本形成。《宋会要辑稿》载：“舒州罗源场，散茶上号每斤二十八文，中号二十五文，下号二十二文；太湖场，（散茶）上号三十八文五分，中号三十三文，下号二十七文。”《宋会要辑稿》还记载宋太祖开宝九年（976），“荆湖、两浙、江淮诸州出产茶货处……拣选不精……多采粗黄晚叶及杂木叶蒸造。”“蒸造”二字，说明当时江淮诸州茶是蒸青绿茶。岳西当然也不会例外。

茶叶制法总是在不断改变。大约到了南宋，逐步有了炒制法。“散则不蒸而干之……始知南渡以后茶渐以不蒸为贵矣。”（马端临《文献通考》）

明朝是我国制茶工艺承前启后、全面发展的时期。元朝贡茶仍为团茶，饮茶方式仍为烹饮。到了明代，全面改蒸为炒（粗老茶，沿用“蒸造”），饮茶亦由烹饮改为冲泡，从而形成散茶独盛的局势，并一直延续至今。

黄茶大约也是在明代才出现。明洪武二十四年（1391），朱元璋因片茶（即饼茶）“重劳民力”，下诏“罢造龙团，唯采芽茶以进”，倡导散茶，炒青散茶得到普及。此后，除散茶绿茶外，也有了黄茶生产。许次纾《茶疏》记述：“天下名山，必产灵草。江南地暖，故独宜茶。大江以北，则称六安……顾彼山中不善制造，就于食铛大薪炒焙，未及出釜，业已焦枯，讵堪用哉！兼以竹造巨笱，乘热便贮，虽有绿枝紫笋，辄就萎黄，仅供下食，奚堪品斗？”陈椽教授认为，这段记载的工艺就是黄大茶的制法。大锅炒后，未及全干，“乘热便贮（闷黄）”。“闷黄”“焦味”，正是黄大茶的关键工序和突出特征。直至现在，岳西黄大茶制作仍循此法。

明末清初之后，本区为御用贡茶区。詹罗九先生在《霍山黄芽古今谈》一文中说：“古代茶叶，唐人首称阳羡，宋人最重建州，元明贡茶，武夷雨前最胜，明末清初以降，贡者十余处，上贡专用六安。”六安茶中以霍山茶最好，茶产也丰。明黄一正《事物绀珠·茶类》列当时茶名 97 目，其中有“六安茶出六安霍山”；列古制茶名 101 目，其中有“黄芽出霍山”。清顺治年《霍山县志》记录了落儿帽、桃源河、挂龙尖、乌米尖等 22 处茶山。挂龙尖属今岳西县包家乡。

本境所产茶叶品目繁多，有寿州茶、六安茶、皖山茶、太湖茶、舒城小兰花茶、闵山茶等，细目又有银针、雀舌、蕊尖、细连枝、梅花片、兰花头、松萝茶、云雾茶、钻林茶、老飞天等。“老飞天”“兰花头”的称呼至今还在民间流行。因上贡朝廷的茶相对细嫩，书志上又有称之为“贡尖”“芽茶”。潜山曾上贡闵山（今属岳西田头乡）茶，就有“芽茶，岁派供应库二百九十斤”的记载（清顺治年《潜山县志》）。清乾隆四十一年（1776）《霍山县志》载：“本山货属，以茶为冠……其任枝干天然而制者，最上曰毛尖，有贡尖、蕊尖、雨前尖、东山尖、西山尖等名（西山尖多出雨后，枝干长大，而味胜东山之雨前）；次者连枝，有白连、绿连、黑连数种，皆以老嫩分等次也。”这里说的“西山”，就包括现在本县包家青天一带。这里的茶叶，现在依然是“多出雨后，枝干长大”。姚范《援鹑堂笔记》也说：“六安茶产自霍山。第一蕊尖，无汁。第二贡尖，即皇尖。皇尖只取一旗一枪。第三曰客尖。第四曰细连枝。第五曰百条……六安茶以谷雨前为上品，破夏后则无毛而生骨。其产地周回八百里……神仙冲、黄溪涧、乌梅尖、佛寺岭、蒙潼湾……沿口东、西石笋……管驾渡、舞旗河、野鸡岭、石盆、傅埠园。”石盆，属今岳西县头陀镇。

县北部深山区主簿、石关、头陀、包家一带，还有一种冬季采制的特殊茶品，叫冬茶，又名雪茶。清代和民国时期普遍生产，“大集体”以前，尚有相当多的家庭炒制，现在仍有少许。此外，妙道山周边还有种最“草根”茶品——炙茶。

从新中国成立直至 20 世纪 80 年代初，岳西县茶的生产，大抵是春茶前期生产毛峰、炒青或小兰花（手工为主），后期做黄大茶。黄大茶远多于炒青。1982 年，县供销社沈桥收购点收购炒青 1.16 万斤，金额 1.68 万元；收购黄大茶 3.79 万斤，金额 3.34 万元。黄大茶占收购量的 76.6%。据主簿区农技站调查，1983 年，姚河公社香炉大队龙王凸生产队有 10 亩茶园，4 月 20—30 日生产毛峰和兰花茶 25 斤，之后做黄大茶 102 斤。一般于 4 月 30 日前采制毛峰、小兰花，之后制黄大茶，黄大茶占 80%。

岳西古油灯（钱子华 / 摄）

简而言之，本境茶叶大抵唐代以饼茶为主，宋元片茶

（饼）和散茶并存，以散茶为主，明代起至20世纪80年代中期，炒青绿茶和黄大茶并存，且以黄大茶为主，1990年后，春季主制岳西翠兰，夏秋主制炒青。2000年以后，一些茶叶企业成功生产出了红茶和其他创新性茶品。

第三节　名优茶加工

岳西翠兰

岳西翠兰，烘青绿茶类。1985年获评农牧渔业部优质农产品，列全国11种新名茶。

创制背景

1979年后，我国农村联产承包责任制逐步推行，社会经济复苏，优质茶消费需求激增，国家取消茶叶统购统销，个体户、小商贩日渐活跃，中国经济快速转型。1983年，岳西县农业局启动名茶创制项目，由副局长操声焰、多经站站长程东明主持，安庆行署经济作物站、县多经站和各区农技站技术人员共同参加研创，操声焰负责领导协调及后勤保障，程东明负责技术攻关，局长叶三义调度支援。

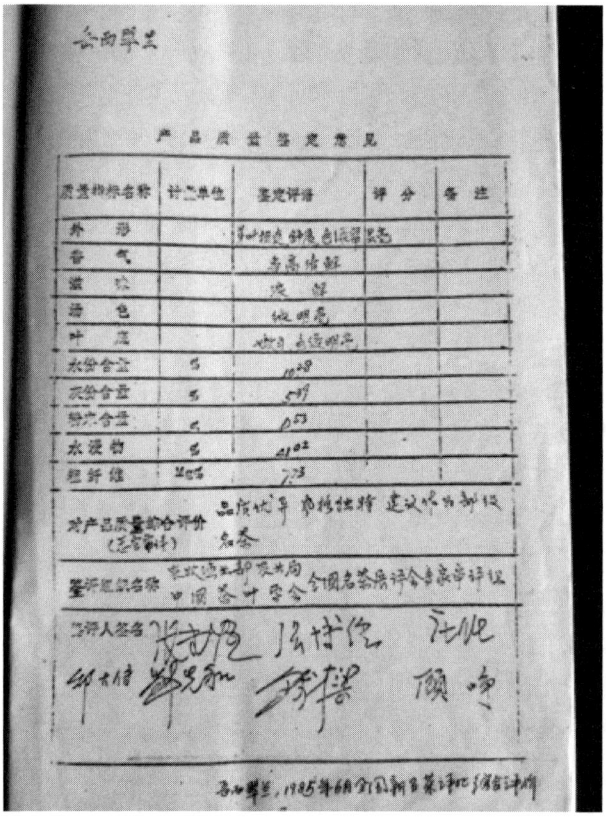

1985年农牧渔业部名茶评比专家签名：张堂恒、张博经、庄任、郘大传、刘先和、钱梁、顾峥（钱子华／摄）

翠兰茶创制前，岳西茶叶主要有4种，整体品相不高。一是小茶（又称细茶、毛峰），烘青绿茶类，原料较细嫩，为单芽或1芽1~2叶初展，但采摘粗放，茶果、茶梗和鱼叶俱在；二是岳西炒青，采1芽2~4叶和同嫩度对夹叶制作；三是黄大茶，采3~5叶新梢，有芽或无芽；四是小兰花茶，烘青绿茶类，采1芽2~3叶或1芽3~4叶，色泽翠绿，清香显著，滋味鲜爽，缺点是采摘标准宽泛，大小不一，老嫩不匀，主产姚河一带，又称"姚河小兰花"。

1982年，县农业局组织专业技术人员对县优质茶区进行考察，主簿区茶叶技干撰《岳西地方名茶——姚河小兰花》在《安庆日报》发表，县多经站提出"改进小兰花采制工艺，创制新名茶"设想。1983年4月，县农业局组织人员，先行在包家石佛试制，项目正式启动。在包家试制的产品取名"岳西翠峰"。同年，样

程东明（前左一）、操声焰（后左二）在合肥获全国名茶荣誉牌

品在安庆地区优质茶评比会上获一等奖。1984 年，县农牧渔业局确定“以姚河小兰花传统工艺为基础，研制新茶”工作思路，安排主簿区姚河乡香炉、黄树（竹山），来榜区包家乡石佛寺、斑竹乡公山，头陀区平等乡门楼、头陀乡乐道，五河区中关乡徐龙，菖蒲区田头 8 个茶场，扩大试制，并选样送香港参展。1985 年，一方面推广已经取得的经验技术，扩大生产，试制单位由上年的 8 个增加到 24 个，一方面组织精干力量继续攻关。程东明、查道生、邱高让赴包家乡石佛村，会同当地冯立彬等参加研制；刘琼霞、储复生赴姚河乡黄树村竹山（今属香炉村），会同当地刘会根进行研制。重点在采摘标准、加工工艺上进一步规范、创新。1985 年 5 月，这两地制作的样品茶参加安庆地区名茶评比，又分获全地区前 2 名（黄树竹山生产茶样 97.5 分，第一名）。在这次评比会上，定名岳西翠兰。当年 6 月，国家农牧渔业部、中国茶叶学会联合在南京举行首届全国新名茶评比，岳西翠兰送样参评。为获得更好的品质效果，将这两只茶样进行了拼配，达到了色、香、味、形俱佳。经张堂恒等知名茶学家历时 5 天的审评，岳西翠兰脱颖而出，成为 11 种全国新名茶之一（因其中 10 种为绿茶，一种为乌龙茶，人们习惯忽略后者，称“中国新十大名茶”）。同年，被农牧渔业部授“优质农产品”称号，1986 年获安徽省农牧渔业厅“农牧渔业技术改进”三等奖，1988 年获安庆地区科技进步一等奖。

岳西翠兰品质突出特点在“三绿”，即干茶色泽翠绿，汤色碧绿，叶底嫩绿。外形：芽叶相连，色泽绿翠，绿亮而鲜活。内质：香气清鲜，高而持久，“香透”是岳西翠兰香气的典型特征；滋味鲜醇，回味甘爽，耐冲泡；汤色碧绿明亮。1985 年全国新名茶评审现场，专家给出的评语是：外形芽叶相连舒展，色泽绿翠显毫，香气清鲜，滋味浓鲜。综合评语“品质优异，风格独特”。

岳西翠兰从动议到创制成功，历时 4 年。总结成功经验，副局长操声焰在 1986 年对省农牧渔业厅的汇报中归纳为 3 个方面。1. 岳西有生产名茶的自然条件和技术基础。生态环境宜茶，茶叶自然品质好，茶树种质资源丰富，有传统名茶小兰花作制作基础。2. 各级领导高度重视和有关部门的支持配合。3. 茶叶技干和试点单位人员付出了辛勤汗水。

岳西翠兰是岳西县人民共同创造的重大科技成果，岳西茶业也由此翻开了新的历史篇章。

采制技术

鲜叶采单芽或 1 芽 1 叶至 1 芽 2 叶初展。

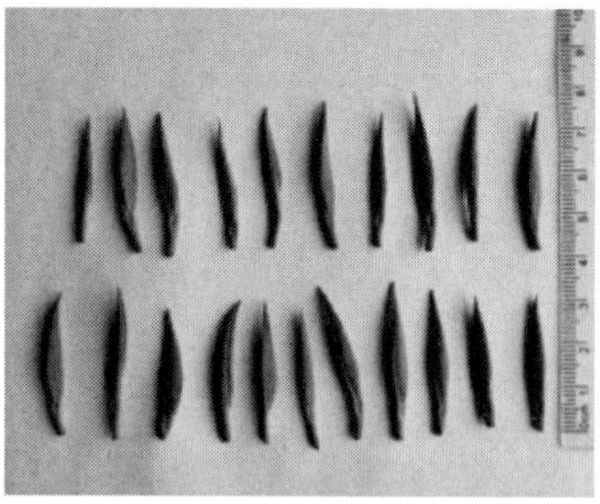

单芽（钱子华 / 摄）

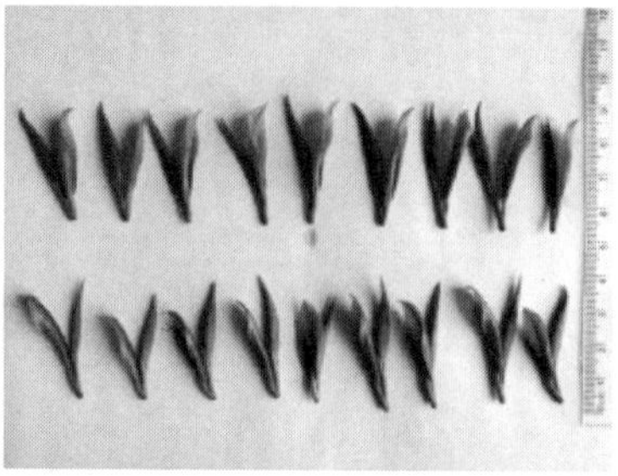

1 芽 1 叶初展（钱子华 / 摄）

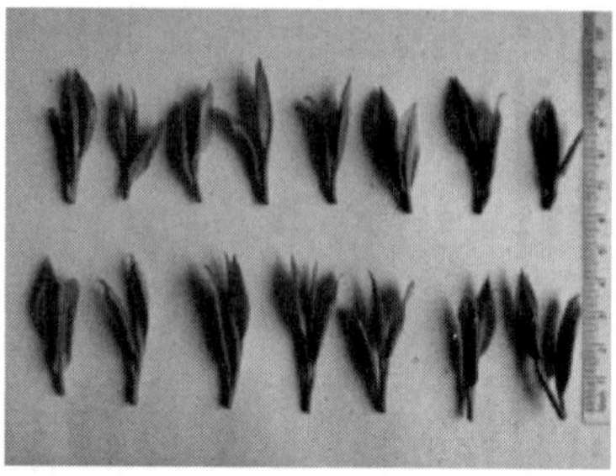

1 芽 2 叶初展（钱子华 / 摄）

（1）手工制作

工具有摊青架、竹匾、铁锅、小棕帚、接料盘、烘斗等。制作工序包括采摘、摊放分级、头锅、二锅、初摊、毛火与滚坯、复摊、足火。

采摘　一般清明前后开采，要求提采，保持芽叶完整、新鲜、匀净，不允许捋采、抓采和掐采。每批采下的鲜叶要芽叶完整，嫩度、匀度一致。做到不带老叶、老梗、单片叶；不采鱼叶、病虫损伤叶、紫芽叶、对夹叶。鲜叶放入随身携带的竹篮中，上覆薄布，以防曝晒。

摊放分级　鲜叶及时送厂验收、分级，按等级分开摊放。摊放地要求清洁、阴凉干燥、通风良好，摊放器具为洁净的竹匾或木匾。摊叶厚度：极品茶芽叶摊放厚度不超过 2 厘米，特一至一级茶鲜叶摊放厚度不超过 3.5 厘米。摊放时间：一般 4~8 小时，雨水叶和露水叶可用风扇吹或鲜叶脱水机进行脱水。摊放程度：以减重 15%~20% 为标准，叶质发软、芽叶舒展、水分散发、清香透露。

头锅　作用是散发青气、形成茶香，是翠兰茶制作最关键工序。通过杀青钝化鲜叶中酶的活性，阻止多酚类物质氧化，防止芽叶红变，并随着叶内水分的散失，鲜叶里的青草气挥发消失，增进茶香。头锅锅温为 120℃ ~130℃，以鲜叶投锅后有“沙沙”响声为宜。每锅投入鲜叶量按茶的等级各不相同，极品茶每锅投叶 50 克左右，一般茶也不能超过 100 克。翻炒要求朝一个方向，做到干净利索。手法有“抓、抖、撒”“抖、带、甩”和“拢、带、甩”。待叶质变软，青气消失，茶香出现，用小棕帚扫入第二锅。用时约 3 分钟。

二锅　作用是理条整形、增香增味，这是茶叶塑造外形的主要工序。二锅要紧靠头锅安放在同一灶台，锅温为 80℃ ~100℃，以手触锅底烫手为宜。其手法为“翻、带、撒、拢、滚、理”，前期以翻炒为主，后期边炒边理条，直到茶条成形，用棕帚扫出。通过杀青和整形两道环节后，茶叶已达到六成左右干度。

初摊　将二锅叶均匀薄摊于竹匾上，散去湿热，使叶内水分均匀分布。极品岳西翠兰，将二锅叶均匀薄摊在一尺见方韧性良好的皮纸（如桑皮纸）上，让其散热更加均匀。初摊时间以二锅叶完全冷却为宜。

毛火与滚坯　炭火烘焙，烘斗顶部温度 80℃ ~90℃，这是茶叶干燥定型的第一道工序。极品岳西翠兰，有的还“烘滚”并行。将皮纸托茶置于烘笼上烘焙，每隔 2 分钟左右，两手捏紧纸边提起，上下往复提动若干次，使初摊叶在皮纸内匀速滚动，相互挤压，理直条形，确保芽叶均匀受热，不断不碎不焦，且平直美观，滋味与香气更好。“滚坯”是岳西

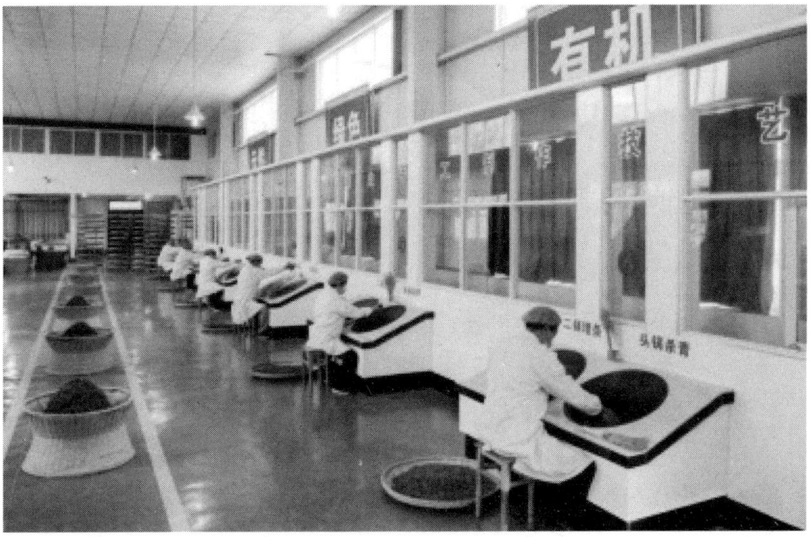

岳西翠兰手工生产车间（刘会根 / 供图）

翠兰特有的传统技艺。不滚坯的也要每隔 2 分钟左右翻动一次。翻动时将烘笼移离炭盆，防止茶末掉落炭盆生烟，污染茶叶。至八成干时，下笼复摊。

复摊　毛火叶倒入竹匾中，使芽叶水分自然均匀分布，用时 2 小时左右。

足火　足火是低温慢烘，烘笼顶部温度为 60℃ ~80℃。要求每隔 3~4 分钟翻动一次，直到足干，用手指捻最粗壮的芽头能成粉末（水分含量低于 6%），下烘备装。

制作岳西翠兰，用火十分讲究。杀青、整形、毛火、足火，必须用无烟无味、火力均匀的木炭火。

岳西翠兰手工工艺，2010 年由安徽省人民政府公布为安徽省第三批非物质文化遗产。

（2）机械加工

加工机械主要有滚筒杀青机、理条机、烘干机、提香机等。制作分杀青、初摊、理条、毛火、摊凉、足火等工序。有单机作业，也有各机型组合成生产线作业。

杀青　先开启滚筒预热，当温度达到 220℃左右时（手伸进杀青机进口在 20 厘米处，有热烫感）投叶杀青。手工投叶每次 10~20 克，每分钟约 30 次，杀青时长约 2 分钟。标准是手捏柔软，略有粘感，叶色暗绿，失去光泽，青草气散失，清香显露。2010 年后有厂家在滚筒杀青后再行微波补杀，效果良好。

初摊　将杀青叶均匀薄摊于竹匾上，散去湿热，使叶内水分均匀分布。杀青叶完全冷却，进入下道工序。

理条　在杀青叶进入理条槽前，先将理条机预热，槽内温度达到 90℃时（手离槽面约 5 厘米高处有热烫感）即可。理条时间 3~5 分钟，以色泽淡绿、条形自然收紧为宜。

毛火　杀青叶经理条后，进入传送带，自动导入烘干机。此前，先将烘干机预热到 130℃左右，原则是高温快烘、薄摊，摊叶厚度以 1 厘米以下为宜，摊匀不使茶叶成堆。约 6~7 分钟，茶叶七成干（手抓茶叶有刺手感，手捏茶梗不断，叶片易碎），拉开烘干机手柄，茶

竹山古茶园公司岳西翠兰生产线（刘会根 / 供图）

叶自动进入传送带，冷却摊凉。

摊凉　使茶梗内的水分向叶片均匀扩散，便于足干。流水线作业，此处输送带要长，速度要慢，时长不少于 20 分钟。最好在毛火后直接下机摊凉数小时，再行足火提香。

足火　茶叶摊凉后自动导入第二部烘干机进行足火烘干。原则是低温慢烘，温度 70℃ ~80℃，厚度 3 厘米，茶叶手捻成末即可下机。等茶冷却后，包装入库。

20 世纪 90 年代前，一直以柴炭为炒制热源，2000 年后，普遍使用电能或颗粒燃料等清洁能源。

（3）产品标准

品质特征：外形芽叶相连，舒展匀整，色泽翠绿鲜活，香气清香持久，滋味鲜爽回甘，汤色浅绿明亮，叶底嫩绿匀齐。

《地理标志产品岳西翠兰（DB34/T430—2018）》将岳西翠兰分为特一级、特二级、一级、二级四个级别。

①各级鲜叶质量指标

特一级　1 芽 1 叶初展及以上，芽头肥壮，匀齐，叶色嫩黄绿；

特二级　1 芽 1 叶开展及以上，芽叶完整，匀齐，叶色嫩绿；

一　级　1 芽 2 叶初展为主，芽叶完整，较匀齐，叶色绿；

二　级　1 芽 2 叶开展为主，芽叶完整，较匀齐，叶色绿。

②各级干茶感官指标

特一级　外形芽头壮实，色泽翠绿鲜活，匀净；汤色嫩绿、明亮；香气嫩香、清鲜；滋味鲜爽、回甘；叶底嫩黄绿、匀亮。

特二级　外形芽叶肥壮，翠绿鲜润，匀净；汤色嫩绿、明亮；香气清香、高爽；滋味鲜醇、回甘；叶底嫩绿、匀亮。

一　级　外形芽叶成朵，舒直，翠绿鲜润，较匀净；汤色绿、清亮；香气清香、高长；滋味醇厚、回甘；叶底黄绿、匀亮。

二　级　外形芽叶成朵，舒展，翠绿较润，较匀净；汤色黄绿、明亮；香气清香、纯正；滋味醇厚；叶底黄绿、较匀亮。

③理化指标

水分（%）≤ 6.0

水浸出物（%）≥ 36.0

总灰分（%）≤ 6.0

粗纤维（%）≤ 14.0

碎末茶（%）≤ 4.0

岳西翠兰（陈庆昌 / 摄）

黄大茶

岳西黄大茶，属皖西黄大茶，是岳西史上重要茶品之一。

明洪武二十四年（1391），朱元璋命罢贡龙团凤饼，皇室朝臣改饮芽茶（散茶），推动了炒青绿茶的兴起。明初，皖西深山茶农不善做炒青，毛茶未烘干，乘热便贮，导致黄变，成了黄茶。也正是这种技术上的不成熟，无意中创制出了一种新的茶类——黄茶。

黄大茶因大枝大杆、黄色黄汤得名，采摘标准 1 芽 4~6 叶，长 10~15 厘米，要求芽叶长而肥壮，有“叶子能包盐，杆子能撑船”之喻。

黄大茶主产安徽岳西、霍山、金寨、六安，湖北英山、河南商城固始、安徽潜山等地也曾少量生产。旧时，霍山人通常将淠河中上游山区所产黄大茶称“内山茶”，下游丘岗圩畈地区所产称“外山茶”。内山茶品质优于外山。现岳西北部的包家河、黄尾河、头陀河流域，为东淠河源头，所产黄大茶又为内山茶中的上品。

1942 年，岳西县有茶行 27 家，共收购黄大茶 150 吨，绿茶（炒青）11 吨。黄尾河是县北黄大茶最大集散地，有“同茂”“恒兴”两个资产万元（银元）以上的茶号。

《岳西县 1953 年度茶叶生产改进工作总结》中记载：岳西为内销黄茶区。以河口、头陀两区最丰，占全县总产 55%以上，品质也最好；次以五河、来榜、主簿三区，占全县总产 10%以上；其他六大区占总产 30%左右。店前、白帽两区产制一些松萝茶。

黄大茶

1985 年，岳西翠兰成功创制，效益剧增，加上市场放开，茶叶消费向“小”“精”方向转型，黄大茶生存空间缩小，到 20 世纪 90 年代后期，只有少数茶农利用春茶末的“翻棵叶”（5月上中旬，采净园中漏采的芽梢或较嫩的对夹叶）自制少量黄大茶自饮。后因人们生活及茶叶加工机械化水平进一步提高，农户自用茶也由过去的黄大茶改为翠兰茶或炒青绿茶。大茶大壶，黄叶黄汤，在岳西终成难得一见的稀罕之物。

岳西黄大茶制作有炒茶、初烘、堆闷、烘焙 4 道工序。

（1）炒茶：分生锅、二锅、熟锅。本地传统，黄大茶炒制多用普通饭锅，砌成三锅相连的炒茶灶，锅呈 25~30 度倾斜。炒茶用毛竹枝丫扎成丝把，长约 1 米。炒茶起杀青兼揉条作用，锅温先高后低，炒至条索紧细，发出茶香，约四五成干出锅。

（2）初烘：炒后用烘笼炭火烘焙。高温快烘，烘至七八成干，有刺手感为度。

（3）堆闷：堆闷是黄茶制作的特征性工序，称“闷黄”。将初烘叶趁热装篓或置于圈席内堆实压紧，堆高约 1 米，放进干燥的烘房内 5~7 天，待叶色微黄、茶杆深褐即可。

（4）烘焙：采用木炭明火高温烘焙（似瓜片茶拉老火），每烘笼投叶 12 公斤左右，由两人抬移轮烘，几秒钟一次。以茶梗金黄、叶色黄褐起霜、一折即断、口嚼酥脆、焦香显露为适度，烘后趁热踩篓包装。

成品岳西黄大茶，梗壮叶肥，大枝大杆，叶片成条，枝叶相连，形似钓鱼竿（俗称“龙头拐杖”），梗叶古铜色（俗称“金枝玉叶”），汤色深黄显褐（品质好的汤色黄亮，茶碗内呈现金圈），滋味浓厚醇和，香气焦香厚重，叶底黄中显褐。

兰花茶

兰花茶产于安徽省舒城、岳西、桐城、庐江一带。清嘉庆十一年（1806）《舒城县志》载：“茶出晓天、主簿原、毛坦厂。”今岳西姚河属当时晓天茶区，主簿原全境在岳西。旧志记，晓天冲是因“山高水聚，初晓时不见日，唯见天光”得名，十分宜茶，产量亦丰。清光绪年间（1875—1908），舒城晓天和与之相邻的山七里河，年产茶叶千余引（每引折合旧秤 120 斤）。岳西建县后，岳西姚河小兰花远近闻名。1984 年，主簿、头陀两区，大部分乡村生产小兰花茶，产量 200 石上下，销售很好。

兰花茶采摘，谷雨前后开园，1 芽 2~3 叶制小兰花茶，1 芽 3~4 叶制大兰花茶。采回的鲜叶晾干表面水分后，及时付制。

兰花茶初制技术分杀青、初烘、足烘三道工序。

杀青　杀青用斜锅，两口或三口一组，砌成一灶。炒茶的把帚分大、中、小三种，竹枝扎成。大帚竹枝较粗硬，小帚竹枝细软，竹枝和把柄长各尺余，依鲜叶老嫩程度不同选用。杀青温度，第一口锅底见微红，其余锅温依次下降。投叶量每次 100~150 克，不得超过 250 克。鲜叶下锅后，用竹帚回旋翻炒，抖散水汽，动作先慢后快。待叶质柔软时，改用“紧把”和“松把”结合手法，叶子在竹帚内吞吐腾挪，“紧把”揉、“松把”透。两种炒法巧妙结合，使叶子既搓卷成条，又保持翠绿色泽，香味鲜爽。杀青用三口锅，要求“一锅炒瘪、二锅炒熟、三锅炒细成条”。杀青若分两口锅，则要求第一锅炒的时间适当延长，以保证进度一致，作业协调。杀青适度后，出锅上烘。近年使用控温电炒锅，上述过程在一口锅内连续完成。

初烘与足烘　初烘温度高，投叶量少；足烘温度低，投叶量多。边烘边翻，轻翻勤翻，防止断芽碎枝。初烘到七成干后，摊凉拣剔后，进行足烘，足干后即装桶贮藏。

兰花茶的品质特点：条索细卷呈弯钩状，芽叶成朵，色泽翠绿匀润，毫峰显露，兰花香型，鲜爽持久，滋味甘醇，汤色嫩绿明净，泛浅金黄色光泽，叶底完整，呈嫩黄绿色，梗嫩芽壮，叶质厚实，冲泡时形似兰花绽开。

1985 年，岳西县以兰花茶工艺为基础，设计创新，成功制出岳西翠兰，成全国名茶。

炒青

炒青（岳西民间称“绿茶”），是绿茶中的一个门类，其前身是松萝茶。

松萝茶，始产安徽休宁县松萝山，创于明弘治年间（1488—1505），后传大江南北，明末清初成出口名品。茶学家詹罗九教授在《关于安徽茶叶经济的思考》一文中说：“茶商自明末清初开始批量出口欧洲，而出口最早的是武夷茶和松萝茶。休宁松萝茶……到明代中后期已经远近闻名，松萝茶的制法已传播到安徽南北和赣、鄂、浙、闽诸省，成为当时质量优良的大宗茶品。”

清乾隆四十一年（1776）《霍山县志》载：“茶……其品之最上者曰银针（仅取枝顶一枪），次曰雀舌（取枝顶二叶初展），又次曰梅花片（择最嫩叶），曰兰花头（取枝顶三五叶），曰松萝（仿徽州松萝制），皆人工采制，以雨前为贵。”岳西县境最迟在 18 世纪中后期就有松萝茶生产。1950 年，县长李正乾致电上级汇报岳西产茶情况，曾提及“店前、白帽两区产制一些松萝茶”。《岳西供销社志》载：“清朝至民国时期，岳西山区就能生产绿茶，毛峰、松萝。”“新中国成立前我县制作以黄大茶为主，20 世纪 50 年代开始，逐渐改制绿茶。”“到 20 世纪 80 年代，全县已有绿茶（炒青）机械加工厂 102 个。”计划经济时期，本境炒青绿茶主要调往安庆、舒城精制厂加工外销，称“中国舒绿”。因岳西炒青香高味浓，被定为舒绿拼配骨干。

采制技术

鲜叶采 1 芽 2 叶或 1 芽 3~4 叶及少量同嫩度对夹叶，制作工艺有杀青、揉捻、干燥。

（1）杀青

杀青是形成绿茶品质的关键性措施。主要目的：一是彻底钝化鲜叶中酶的活性，制止多酚类化合物的酶促氧化，以获得绿茶应有的色、香、味；二是散发青草气，发展茶香；三是蒸发一部分水分，使之变柔软，增强韧性，便于揉捻成形。鲜叶采后，要摊放 2~3 小时，然后进行杀青。杀青的原则，一是“高温杀青，先高后低”，先以高温迅速破坏酶的活性，然后适当降低温度，使芽尖和叶缘不至于被炒焦；二是掌握“老叶嫩杀，嫩叶老杀”原则，让嫩叶在杀青中失水适当多些，老叶失水适当少些。杀青标准：叶色由鲜绿转为暗绿，无红梗红叶，手捏叶软，略微粘手，嫩茎梗折不断，紧捏叶子成团，稍有弹性，青草气消失，茶香显露。

（2）揉捻

目的是缩小体积，为炒干成形打好基础，同时适当破坏叶组织，让茶汁溢出，增进茶味。

揉捻一般分热揉和冷揉。热揉是杀青叶不经摊放趁热揉捻，冷揉是杀青出锅后，经过一段时间的摊放，叶温下降后再揉捻。较老叶纤维素含量高，揉捻时不易成条，宜热揉；嫩叶揉捻容易成条，为保持良好的色泽和香气，宜冷揉。揉捻加压的原则是“轻、重、轻”，即先轻压，然后逐渐加重，再慢慢减轻，最后加压再揉 5 分钟左右。揉捻叶标准：细胞破坏率 45%~55%，茶汁黏附于叶面，手摸有润滑粘手的感觉。

（3）干燥

干燥方法有茶锅炒干和滚筒滚干。目的是促使叶内成分发生变化，提香增味，排出过多水分，改进外形，防止霉变，便于贮藏。

产品标准

条索紧结匀整、香味鲜爽，干茶绿、汤色绿、叶底绿。梗朴片少，不得有烟、酸、馊、霉、日晒等异味，不能有红梗红叶红汤。

计划经济时期，茶叶由供销合作社专营，炒青绿茶分为 6 级 12 等，另加级外，共 13 个等级。逢双等设一个实物标准样作为各级评定底线参照。

2012 年，安徽翠兰投资发展有限公司（翡冷翠茶业）将岳西炒青分为特级（1 芽 2 叶初展，允许含少量同嫩度对夹叶）、一级（1 芽 2~3 叶初展，允许含少量同嫩度对夹叶）、二级（1 芽 3~4 叶，允许含同嫩度对夹叶）3 个级别。

岳西炒青不同等级感官指标表

级别	外形				内质			
	条索	整碎	色泽	净度	香气	滋味	汤色	叶底
特级	细嫩显峰苗	匀整	绿光润	洁净	清高持久	鲜爽浓醇	嫩绿明亮	含芽，嫩绿，明亮
一级	细紧有峰苗	匀整	绿润	净	清香高	鲜浓爽口	绿明亮	嫩匀，嫩绿，明亮
二级	紧结	尚匀整	绿润	尚净	清香	浓	黄绿	较匀，浅黄绿

此标准为安徽省企业标准，登记号 Q/CL0002S-2012。

红茶

岳西县总体属名优绿茶区，根据市场需求，也时有红茶生产。1950 年，岳西县县长李正乾致电安徽省皖北人民行政公署，要求中国茶叶公司安排岳西生产出口红茶。电称：“岳西以河口、头陀、五河、主簿园四区为产茶中心，每年可产干茶 24 万斤，只要对茶农多加补助，设立红茶场，改良技术，全县红茶出产当不难。”

1952 年，由县供销社牵头，在黄尾、沈桥、五河、朱屋四地各建红茶厂一座。沈桥红茶厂利用梯子岭孙氏宗祠房屋，添置红茶加工机器，茶鲜叶来自沈桥、姚河及周边的头陀、主簿原等地。1958 年，截至 5 月 24 日，全县收购红、绿干毛茶 6.14 万斤（红、绿茶比例不详）。2018 年，据 90 多岁的桂仲德老人回忆，当时沈桥红茶厂生产时，除技师、干部、当地采制人员，还有军人持枪保卫。

1985 年，县供销社提出“一兔、二麻（线麻、苎麻）、三茶（改制红茶、发展名优茶、提高炒青绿茶）”的工作思路，先在温泉应冲试点，改制红茶，再在全县布点 22 个，来榜区的花墩、公山，主簿区的梯岭等茶场在列。当地提供厂房，供销社提供萎凋槽、揉捻机、发

青天乡饴兰公司日光萎凋（钱子华 / 摄）

酵池，在贵池茶厂请来红茶技师，分派各点传授红茶制作技术，将原县花茶厂改建为红茶厂，当年加工红茶400石，销售收入12万元，1986年加工红茶390石，销售收入19万元。后因管理体制变更停止生产。20世纪90年代起，名优绿茶岳西翠兰销售势头强劲，全境一度由绿茶一统天下。

2014年后，竹山古茶园、礼宾、岳红、妙道山、饴兰等公司开始小批量试制红茶。2014年，台胞罗锡炼在响肠镇新浒村引种黄金芽茶，用黄金芽茶鲜叶制作红茶。2015年，岳西徽宏茶业开发有限公司批量生产红茶，当年7月出口9吨，销售额45万美元。

红茶制作流程是萎凋、揉捻、发酵、初烘、复焙。规模化红茶加工，全面机械化，使用萎凋槽控温控湿萎凋，揉捻机揉捻，柜式发酵机发酵，烘干机烘干。

红茶小批量生产工艺：

萎凋　鲜叶用竹匾薄摊，置日光下晾晒失水致萎，以叶色暗绿、失水40%~50%为度。

揉捻　机揉至茶叶成条、适度出汁。

发酵　将揉捻叶置于木桶或竹篓中，加力压紧，上盖湿布放在日光下捂晒，至叶面叶柄呈古铜色并散发出茶香。

烘干　用炭火烘焙至七成干，下烘笼薄摊45~60分钟，再上烘笼低温慢烘，直至干燥。要求干茶红中带乌，红叶红汤，有糖香，味甘甜。

第四节　特色茶加工

野茶

野茶有天然型和栽培型两种。天然野茶，自然生成长于山野林间，零零散散，棵棵丛丛，性状不一。栽培型野茶，原属人工栽培，因长期无人管理，茶园荒芜，返回野生状态。野茶品质远胜园茶。《潜山县志》载，“高山茶不待薰焙，自然馨馥。悬崖绝壁间不种自生者，尤为难得”，谷雨时节采制，“不减龙团、雀舌”。

岳西野茶因树龄和生长环境不同，大小有别，姿态万千。2021年，县茶叶技术人员在青天乡明山村明山组发现一株野生大茶树，根茎直径达30厘米，枝干盘虬，绿意盎然。

岳西县野茶分布广泛。历史上南部茶区称为“钻林茶”，北部茶区称为“小茶”，上

青天乡明山村野生大茶树（钱子华 / 摄）

店前太子坳野茶（钱子华 / 摄）

山摘野茶，民间叫“打小茶”。姚河竹山、龙王凸，主簿枯井原，头陀三道河，黄尾猴河，田头四望山及闵山，菖蒲岩上，五河茅山、妙道山，来榜马园寨、苏家坪，以及店前银河太子坳等处，野茶分布密集。姚河竹山的挂牌古茶树，有一部分就是生长在深山密林中的野茶。王业汉《古岳钩沉》中说闵山雪山庵周边“怪石疑从天外来，野茶恰似劈石栽”。游人走在岳西彩虹瀑布、妙道山大峡谷等景区步道，目之所击，野茶遍地。

20 世纪 80 年代以前，茶园归生产队所有，农民家中用茶大部分靠起早摸黑上山寻得的野茶。改革开放后，茶园到户，茶叶市场放开，茶价上扬，而野茶因长在环境较温暖的林间，出芽一般早于专业茶园，抢先采摘野茶芽叶，做成上好的干茶能卖到好价，所以在初春时节，农户全家出动采制野茶也是常有的事。据调查：2011 年，姚河竹山组 5000 余亩山场，1000 多亩有野茶分布，当地茶农年采野茶千斤；2016 年，头陀三道河一带年产野茶约一吨；2018 年，店前银河村青山组每户茶叶收入 3000~5000 元，全部来源于太子坳林间野茶。

野茶加工的茶品、方法，与人工种植的没有区别。21 世纪，南部、西部茶区多用野生茶原料加工炒青，北部茶区多加工岳西翠兰。

冬茶

冬茶是岳西的特色茶品。冬茶生产，先待冬季下过一两场雪之后的晴天，采摘茶树上当年新梢中部的叶片，要无病斑，无虫蛀，无黄片，老嫩适中，绿亮肥厚。以深山老林中的荒野茶最好。如用栽培园冬叶，为不影响翌年春茶产量，常于枝条上“隔叶留采”。炒制须在采摘当天完成，用专用铁锅高温杀青，散发青草气，杀熟杀透，然后上烘斗用上等栗炭烘焙，以保持绿茶特有的色泽与风味。烘焙火温先高后低，及时翻坯，到茶香尽显，叶片手捏成粉时下烘斗，摊放 5~7 天使其“回润”，再低温复火至足干。足干后的茶叶用手搓揉成细小的碎片，剔除筋梗、焦叶，最后筛除细末，冬茶告成。

冬茶品质，色泽浅绿微黄或金黄，茶片大小大体一致，3~4 毫米，如鳞似箔。品饮口感平和，清香持久，汤色透亮橙黄如花蜜，茶汁释出平缓，经久耐泡。特别是经过霜雪冷冻之后，茶多糖含量很高，滋味更加香甜醇厚，全无苦涩，茶性也由凉而趋暖。科学证明，茶多糖能增加免疫功能，降血脂血糖，防止糖尿病，抗凝血及血栓，抑制动脉粥样硬化，保护心血管。在众多茶品中，冬茶的保健功能独树一帜。

岳西冬茶（钱子华 / 摄）

据岳西县主簿镇 80 岁（2016 年）退休教师王统一先生介绍，冬茶有家居自用和作礼品两个用途。由于采制比较麻烦，产量极小，新中国成立前，大户人家多则也不过十来斤，因而一向被山里人视为珍品，不舍得随意饮用。

家庭自用，通常是将加工好的冬茶装进瓷坛或瓦、铁罐，用皮纸包一段干燥栗炭置于其上吸湿保鲜，然后加盖封口。一般要在重大喜庆节日或贵客临门，才会开坛取用，或壶泡共饮，或分杯独酌。

冬茶伏特加（钱子华 / 摄）

作礼品用时则更为讲究。过去农村送冬茶是最高的礼节之一，只有关系特别亲密，又逢做寿、嫁娶等重大喜庆才会相予礼赠。送茶人家，先是用白细布制 40 或 60 只铜钞大小的小方袋（取“事事如意”或“六六大顺”之意）装上茶叶，缝口（每袋置茶 5~10 克，袋外留一根细线，以方便提拿），再将小茶袋整齐排放，用皮纸包成方形礼包，与冰糖、糕点一起放进编制精美、漆成红色的篾篮里，要是祝寿，还须配上挂面（长寿面）。根据用途不同，在礼篮外贴个大红的“寿”字或双喜字，然后恭敬地送给对方。饮用时，一袋一泡，将小袋放于杯中，细线悬于杯外，品啜完毕，提线弃渣，既方便又雅致。

此茶一直是皖西深山茶农自产自用，长期不为外界所知，据传起源于清代康乾年间，新中国成立后几乎绝迹。2016 年 12 月，钱子华在主簿镇发现，著文宣介。2019 年元月，中国科技大学公共管理学院院长、博士生导师宋伟教授率团到岳西考察调研，认为岳西用同年新叶冬季生产绿茶为全国所独有，该茶内含物丰富，品质独特，开发潜力巨大。宋伟科研团队用包括岳西冬茶在内的原料，先后开发出冬茶啤酒、冬茶伏特加等再加工茶产品。

粉茶

粗老茶品，经济困难时期，多数农户自制自用。5—6 月，采春后翻棵的稍嫩枝叶或夏梢，老嫩不匀，大小不一，多为 1 芽 3~4 叶，甚至 5~6 叶或对夹叶，经杀青、揉捻、烘干或晒干，再置于碓臼中击砸成粉，用瓦罐装存。用时取出置于水瓶或大泥壶中冲泡，一般汤色橙黄，滋味醇厚。大集体时期，包家石佛寺每年在大队茶山留下一小片不采春茶，任其自然生长。6月上中旬，春茶加工结束，再统一采 5~6 叶长梢，加工成毛茶，每人 2~3 斤，按人口分配到户。农户在家中用栗炭拉老火（足干）、碓碾，备全年饮用。

绿箭

绿箭，又名翠毫，高档烘青绿茶。因干茶顶尖体扁酷似箭镞得名，由包家乡石佛村冯立彬在 2003 年主创。鲜叶采摘标准为，芽上第一片新叶中部初展、顶端尚与芽心相连，形似一瓣带芯的莲子，像指盖又像瓜子壳，所以当地又称之为“壳儿”“盖儿”，其嫩度介于单芽与一芽一叶初展之间。初春时节，高山壮硕的越冬顶芽开始萌发，“壳儿”渐次形成，但标准叶保持时间极短，一般只有 2~3 小时，可说是昙花一现，因此产量极少。该茶全部采用手工制作，工艺流程与翠兰相仿。包家石佛寺一带每年产量 50 公斤上下。岳西礼宾茶业有限公司产量最多，质量最优，销价高于一般翠兰茶。品质特征：干茶色泽翠绿，顶尖体扁，酷似箭镞，香气清高持久，汤色嫩绿明亮，滋味鲜爽，叶底浅黄显绿、匀整肥壮，形似半边带芯的莲子。

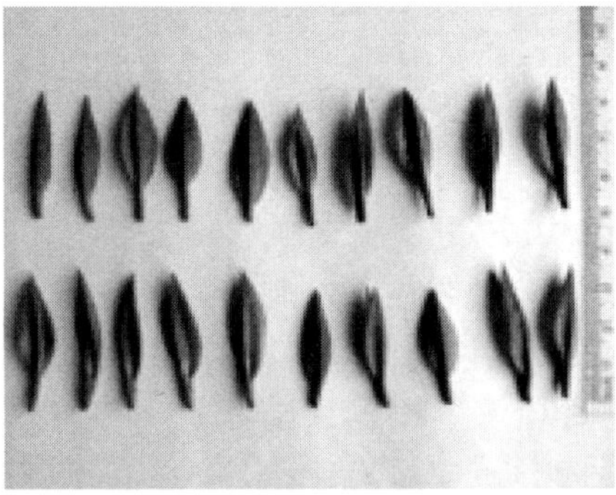

绿箭茶鲜叶（钱子华 / 摄）

岳西老枞

岳西老枞由岳西古茶园公司创制，2011 年通过安徽省科技成果鉴定。该茶以岳西县海拔 600~1000 米的姚河、包家等优质茶区百年以上老茶树鲜叶为原料，标准 1 芽 2~4 叶，芽叶长 6.0~7.5 厘米。干茶色泽翠绿鲜活、舒展微扁，香气清高持久，滋味鲜爽醇和。制作流程：采摘、分级、摊放、杀青、理条、初烘、足火、分拣、封装。加压棒加压理条和炭火慢烘足干是岳西老枞制作的关键技术。采用槽式理条机，以慢→快→慢为序，先慢理 2 分钟，加压棒，提速快理 3 分钟，再降速慢理 2 分钟，达七成干左右下机摊凉。足火是用烘斗炭火慢烘，每烘斗0.7~1.0公斤，烘焙15~20分钟，使茶叶含水率低于6%，香气显露，达成茶质量标准。

炙茶

产于妙道山—四望山一带，以五河响山最为普遍。通常随手采一把嫩茶枝，放在火焰上稍加炙烤，以嫩芽叶片不焦煳为度，除去青草气，显出茶香，丢进容器煎煮即可。岳西山区向来野茶丛生，昔日农民在深山劳作，往返不便，一般一去短则一天，长则数日，吃住在山中。他们自带吊罐、米、菜，就地拾柴汲水，做饭用餐，就地采把野茶炙烤煮沸，随时取饮。炙茶香气浓郁，汤色黄亮，滋味醇厚，止渴又解乏。老一代山民对它充满感情。

第五节 精制窨花

精制

出口茶要对初制后的茶叶进行整理拼配，称为精制。未经整理的称“毛茶”，整理拼配后的称“精制茶”。精制的目的是根据市场要求，把各地毛茶归堆，实行后态加工，使之品质规格化，达到样品等级要求。

本境精制出口茶生产，开始于2012年。该年7月，安徽良奇生态农业发展有限公司在县莲云开发区投资创办出口茶生产企业——安徽天水茶业公司，占地41亩，建眉茶、珠茶生产线各一条，主要针对非洲茶叶市场，2013年建成投产。2019年，岳西县金翠兰茶业有限公司在县莲云开发区，建成出口茶精制厂一座，年生产能力5000吨。

精制工序是：分筛→风选→拣梗→补火→摊分→紧门→净风→机拣→色选→匀堆装箱。

分筛：用圆筛机初步分清茶叶长短或珠茶的颗粒粗细，分出头子茶，割出茶末、茶灰。

风选：作用是划分茶叶级别，并扇去黄片毛衣等轻飘茶叶和夹杂物。加工时需风扇

20世纪80年代衙前老街花茶厂（2016年，钱子华/供图）

2~3 次，分别称毛扇、净扇、清风等。

拣梗：用机械或手工拣除茶梗、筋、朴及非茶类夹杂物。

补火：作用是使茶叶含水量适度，透发香气、增浓滋味；或者有利于提高拣梗效率。

摊分：扒堆晾茶，解散团块，散发水分，自然风干。

紧门：目的是抖去筋梗，分级取坯，提高纯度。

净风：吹去轻飘茶叶和夹杂物。

机拣：拣出较长的筋梗。用阶梯工拣梗机，第一格开沟大，二、三、四格开沟小。

色选：对毛茶中的正品茶和颜色有差异的梗、黄叶等进行区分筛选。

匀堆装箱：将各种筛号茶按成品茶的质量要求，按比例混合后搅拌均匀，再定量装入茶箱或茶袋。

与其他一些产品不同，同一批茶叶经精制后，并不是成为同一批成品茶，而是在精制基础上，进一步分成各个等级的筛号茶，分期分批拼配出厂。

窨花

1979 年，县供销合作社着手筹建花茶厂，先在县城东渔场边（现小城宝邸位置），后迁城南老街。收购毛茶整理加工，窨以茉莉、珠兰。起初几年自种鲜花窨制，后因效益低下改为将茶坯运至福建委托熏窨。茶品销山东、河北。1989 年停厂。

第六章　茶叶机具

岳西茶叶生产经历了传统手工、半机械和初步机械化的不同阶段。新中国成立前，岳西县茶叶全用手工采制和人工茶园管理。20 世纪 50 年代，开始探索机械制茶。1956 年，县举办茶叶初制机械培训班，教授茶机制造、修理与使用方法。1960 年，美丽公社建成水力机械制茶厂，茶叶杀青、揉捻、炒胚、焙干全面机械化，每昼夜 8 个人换班操作，可制干茶 800 斤。根据县里要求，当年在头陀、主簿、石关、菖蒲、美丽、店前等公社，又建 12 个水力机械制茶厂。2000 年前后，全程电动机械制茶推广开来。

2010 年后，新建高标准茶园，基本使用小型挖土机整梯、开沟，茶树修剪普遍使用修剪机。除草、施肥、采摘，仍以人工为主，少数茶园也开始使用机器除草和采摘。2018 年，冶溪镇、菖蒲镇、莲云乡夏秋茶机采面积达 5000 亩。茶叶的初制与精制，已实现机械化、清洁化，部分初制机型在控温环节初步实现智能化。

本县茶机批量制造，开始于 20 世纪 70 年代，2000 年后，进入快速发展时期。全县先后建茶叶机械制造厂 6 家，产品多样，有茶叶加工、茶园管理等机械，覆盖全国各大茶区市场，为安徽省首屈一指的茶机制造大县。

第一节　茶园机具

20 世纪 70 年代前，本县茶园建设与管理全部用传统农具，如柴刀（砍槎割草）、铁杠（建园移石用）、条锄（又叫条啄）、板锄、草锄、钉耙等，采茶用具有茶篓、布兜，雨天另有簑衣、斗笠等。

2004 年，全县掀起新建茶园高潮，天鹅集团配合县委县政府，购买小型旋耕机 100 台，分发各乡镇，用于建园开沟吊槽。因山地多石，效果不佳。部分乡镇试用挖土机作业，取得

茶园中耕机（岳西县茶叶局 / 供）

手提式单人采茶机（岳西县茶叶局 / 供）

成功，遂全面推广。此后多数乡村、大户，新建茶园都以小型挖土机翻土整地，开栽植沟。

1970年代前，县境茶园极少修剪，生产上最多只以采控高，以采代剪，有些社队还有意“留顶养标”，茶棵蓬面小，着芽稀。1980年前后，修剪技术得到普及，使用工具有弹簧剪、台剪、台刈剪。2004年起，开始引进微耕机、修剪机、茶园除草机、采茶机等农业机器，进行茶园中耕除草、修剪和采摘，开启了茶园管理全程机械化之路。2015年，茶树机械修剪全面普及，大多是燃油式单人手提机型。该年，冶溪镇有茶园中耕机26台，茶树修剪机234台，中小型植保机37台，采茶机217台。

第二节　初制机械

制茶业与制瓷、制绸、造纸术一样，为我国传统手工业，早已闻名于世。陆羽总结唐代制茶工艺流程：采摘、蒸煮、捣茶、装模、烘焙、穿茶、封茶，说的是饼茶做法。工具有帘、锅、甑、杵、臼、模（规）等。自唐至清，六大茶类制法先后被发现，茶类花色大增，新茶层出不穷，加工机具也日渐丰富。

新中国成立前，本县茶叶基本是分散手工制作。1952年，农村组建互助组和初级社，开展轰轰烈烈的生产运动。在此背景下，为提高制茶效率，岳西县政府因势利导，组织民间能工巧匠，设计出手摇、脚踏的单桶、双桶揉茶机和单锅、双锅杀青机。1956年12月，县农业局在店前区举办茶叶初制机械培训班，教授炒茶机、揉茶机、炒胚机、焙干机的制造修理与使用方法。店前、河图、菖蒲三区，每区在农业社选木工、砌工6人，衙前木业社2人，共20人参加培训。1958年3月，在五河农业社又举办同等规模的茶叶初制机械培训班，各区选木工、砌工参加。

20世纪60—70年代，茶园扩大，部分生产大队、生产队办起加工厂，机械制茶得到

姚河乡竹山20世纪80年代初手工茶灶（陈庆昌/摄）

发展，有了杀青机（锅）、揉茶机（木制或铁制），动力有人力、水力和电力。1966年，包家公社3个大队建"一条龙水力"茶叶初制厂，试制铁木揉茶机。20世纪70年代，学习皖南做法，结合本县以往经验，利用水能作为动力，带动铁木结构的机械完成杀青、揉捻、炒干工序并取得成功，后在包家、姚河、头陀、古坊等多地得到推广应用。1982年，程东明、陆克祥在包家乡石佛大队研制水能连动式炒青机械，性能稳定，日加工鲜叶2000多斤，一直使用到2006年。

1980年后，市场机制逐渐形成，经济向好，优于传统黄大茶的炒青茶需求增大，茶厂也以加工炒青为主。加上输变电网的扩大和柴油机的普及，以人力、水能为动力的设备逐渐被柴油机、电动机所取代。这时的茶厂，一般配1台动力机（电动机或柴油机）带动数台加工作业机，也有单机运行，1台动力机带动1台加工作业机。"集体传动"大多与"一灶多锅"相配套。由灶台和传动槽两部分构成。每灶安10口口径为840毫米的炒锅，两锅一组，共5组，依次用1组杀青、2组初干、2组足干；各组炒锅上安装转轴与炒把，转轴运转带动炒把，炒把翻动茶叶。灶内火力首先集中在杀青锅，余温沿火道依次到达初干锅和足干锅，基本满足"先高后低"的温度要求。传动槽在灶台内侧或车间地下，轴上装传动轮，轴间用皮带传动。早期，传动轮多为木制，后改为铁制。设备除炒锅外，一般还另配2台45型揉捻机，2台110型滚筒焙干机。1983年主簿片梯岭、沈桥、皂河、黄树、沙埂、白果、八里、铁铺、黄羊、夹河10个炒青绿茶加工厂，全采用"集体传动，一灶多锅"模式。

1983年全县有茶叶初制厂126座，机器有杀青机（锅）、揉捻机、滚筒炒干机、烘干机等。帮助社队建茶叶加工厂，是当时县区茶叶技术人员的首要任务。

1985年岳西翠兰诞生，2000年前后，实现翠兰茶加工全程机械化，全县茶叶加工厂剧增，2021年有600余座。加工设备主要为翠兰和炒青2个系列。翠兰加工机械有鲜叶分级机、杀青机（滚筒、微波）、理条机（槽式）、烘干机（翻板式、网带式、箱式）、提香机、红外线色选机等，或成套连续加工生产线。炒青加工机械有鲜叶分级机、杀青机、揉捻机、烘干机、炒干机，或成套连续生产线。有的连续生产线实现了部分智能化（如自动控温）。20世纪90年代以后，电能成唯一动力源；热源较多，有柴、炭、煤、电（阻）热、微波、热风、液化气等，多数连续生产机型适用于电能和柴炭2种热源。

杀青机　杀青是绿茶生产的第一道工序，也是决定绿茶品质的关键过程。岳西县使用的有锅式杀青机、滚筒杀青机、槽式杀青机、微波杀青机等。

锅式杀青机　以双灶双锅或单灶双锅方式使用，以84型（锅口直径84厘米）为主，构件包括炒叶锅、传动轴、翻叶器、机架等，安装时自筑灶台，台时产量80~100公斤鲜叶。

滚筒杀青机　20世纪90年代后普及推广。滚筒杀青机结构简单，由筒体、传动机构、供热系统3部分组成，筒体直径有30、40、50、60、70、80厘米等，70、80厘米大滚筒多作炒青杀青用。

槽式杀青机　小型加工厂单机使用，也有组装在翠兰茶连续生产线上使用。

理条机　槽式，槽数8~16不等，20世纪90年代岳西县开始使用。先由外地引进，后由本地厂家自己生产。

揉捻机 揉捻机问世前，杀青叶全靠人工揉捻，工效低，劳动强度大。20 世纪 70 年代后，岳西县大量使用揉捻机。结构包括：揉桶、揉盘、传动、加压装置、机架等，类型主要有 45 型、55 型 2 种。

烘干机 20 世纪 80 年代使用的是手拉百叶式，20 世纪 90 年代后姚河梯岭等较大茶厂引进自动链板式烘干机。该机由加叶装置将半成品茶输进烘箱，在烘箱内自动传输，逐渐烘干，自动化水平显著提高。2015 年后投入使用的烘干机又有翻板式、网带式、箱式、箱炉一体式等。

炒干机 炒干机有锅式和滚筒式 2 种。滚筒式炒干机使用最为普遍，其原理是茶叶在受热均匀的滚筒内不断翻转，受离心力、重力、摩擦力以及茶叶与筒壁接触下滑形成的挤搓力的共同作用，达到干燥紧条的目的。

名优茶加工生产线 1994 年由岳西县林兰茶机厂刘友林研制并投入生产，2010 年后，同发、长城、丰源、绿源等多家茶机厂都有生产，2015 年前后被广泛使用。特点是将杀青、理条、初烘集于一机，实现连续生产，工效大幅度提高。现行使用的机组中，杀青机器有滚筒杀青机、槽式杀青机和传送带杀青机，理条机是槽式，烘干机是链板式。

2017 年 9 月，岳西同发机械有限公司推出热风定型叠式名优茶生产线，与一台热风发生炉配套完成茶叶连续化生产。热风发生炉用柴炭生火，产生的热风通过管道分送给杀青机组和理条烘干机组，实行闸阀调控温度，高温可达 350℃，低温可调至 150℃以下，较好地满足了杀青烘干要求。利用弹簧的弹力或磁铁的引力，使运动状态下的 2 组烘网柔性结合，控制杀青叶在干燥过程中保持原形。有节能、环保、省工、占地小、易于操作等优点。

第三节 精制机械

本县茶叶精制出口企业两家：安徽天水茶业公司和岳西县金翠兰茶业公司，主要机械有：

圆筛机 该机筛体作水平旋转运动，用于茶叶分筛和撩筛作业。当加工叶投入筛面以后，在微倾的筛面上作回转运动，将长短、大小不同的茶叶依次在不同的几层筛面上分成数挡。

抖筛机 抖筛目的是让茶叶分出粗细，套去圆头茶头，抖去筋梗，使得粗细不等的茶胚分开，初步符合各级别规格要求。

切茶机 该机有 2 个嵌满大小相同方孔的圆柱体，圆柱体紧紧接触，相对运转，圆柱两边有和圆柱等长的切刀，茶叶落入滚筒内随之旋转，切刀将长出格子的茶叶横向轧断，从而把细长的和粗大的茶条切断轧细。

色选机 该机利用高清数码摄像和红外磁力分离技术，高精度分开不同色泽的茶叶，使得茶叶色泽一致。

风选机 该机利用风力作用，分出茶叶的轻重，从而扬去茶末、黄片和无条索的碎片。

车色机 使茶叶色泽均匀，绿润起霜，并且通过滚条使得茶叶条索紧结、平直。

匀堆装箱机 匀堆也称打混堆，将经过筛、抖、风选、拣剔、车色多次处理后的各档次筛号茶，按照拼配比例混合均匀，分装到规定的包装箱内。

岳西县天水茶业茶叶公司精制设备表

用途	名称	型号	灵敏度	来源
筛选	阶梯拣梗机	6DJJ-82Z	/	同茶机厂合作研发
	色选机	6CSX-180CEZ	/	合肥美亚光电技术股份有限公司
	提升机	TDSX-45	/	合肥金谷粮食机械设备有限公司
	风选机	6CFX-35	/	同茶机厂合作研发
	平面圆筛机	6CYS-766	/	同茶机厂合作研发
	平面圆筛机	6CYS-90	/	同茶机厂合作研发
	长抖筛机	6CED-787	/	同茶机厂合作研发
切碎	齿辊切茶机	6CCQ-500	/	杭州临安市钱王茶机厂
	螺旋切茶机	6CGQ-26	/	杭州临安市钱王茶机厂
烘干	八角炒干机	6CBC-120	/	杭州临安市钱王茶机厂
包装	匀堆装箱机	6DYP-80	/	同茶机厂合作研发
	电子秤	ACS-30	/	包装车间
检验	评审室	10 平方米	/	自建
	干评茶台	350×90×60	/	自建
	湿评茶台	150×90×50	/	自建
	评茶盘	40×40×2.5	/	中国茶叶研究所
	审评碗	150ml	/	中国茶叶研究所
	审评杯	150 克	/	中国茶叶研究所
	汤匙	15ml	/	中国茶叶研究所
	叶底盘	22×30×2	/	中国茶叶研究所
	计时器	电子钟	1 秒	上海国宝电子厂
	称茶器	ACS-D21	0.2g	上海医用激光仪器厂
	分析天平	TG328A（S）	0.1mg	上海精科仪器厂
	干燥箱	2002-00A	±1.0℃	上海精科仪器厂
	干燥器	¢ 150	/	上海精科仪器厂
	电子计价秤	ASC-21	0.1g	上海电子仪器厂
	茶叶筛分机	CFJ-Ⅱ型	/	杭州大吉光电仪器有限公司

第四节　茶机制造

20 世纪 50 年代，本境开始制造简易杀青机、揉茶机，20 世纪 90 年代末岳西县五河农机厂茶机生产初具规模，1994 年古坊林兰茶机厂开始自动生产线研制，1998 年应用于岳西翠兰加工，2003 年请寨茶机厂（后更名同发机械有限公司）创办，成为岳西县规模最大的茶机加工企业。2015 年全县有同发、长城、丰源、林兰、中辰、绿源六家茶机制造企业，为安徽省最大茶叶机械制造县，工业产值超过 6000 万元。

岳西县林兰名茶厂　岳西县林兰名茶厂既加工茶叶又制造茶机，1985年刘友林创办，厂址在岳西县古坊乡。茶厂通过国家食品质量安全认证，是安庆市“实施农业三项工程品牌先进单位”。该厂 1994 年率先将滚筒与理条机连接，形成茶叶杀青理条连续化，1998 年冬天成功研制出连续自动制茶机。以滚筒杀青机出料口与理条机进料口相连，理条机出料口与第一台烘干机进料口相连，第一台烘干机与散热压形输送机进料端相连，散热压形输送机下料端与第二台烘干机进料口相连，实现全程连续化生产。其工作流程是杀青、理条、初烘、散热、压形、复烘。2000年安庆市专利局组织专家论证，认为此制茶机械连续自动化强，是中国自动制茶机械的首创，2001 年国家专利局授予两项专利。该厂生产的岳西翠兰茶，两次在县级评比中荣获第一名。2007—2021 年，林兰名茶厂利用自己生产的茶机制作的名茶获“中茶杯”特等奖 4 次，金奖 3 次，品质评价“五星名茶”1 次（全国仅 8 名）。

岳西县同发机械有限公司　地址在岳西县莲云开发区，2009 年创办，注册资本 1100 万元，公司前身是岳西县五河农业机械厂和岳西县请寨茶叶机械厂，法人代表王卫兵。公司先后获“国家高新技术企业”“安徽省专精特新企业”称号，公司“请寨”牌茶机入选国家支持推广的农机产品名录，30 余种茶机产品被农业部、财政部、发改委认定为国家支持推广产品。年产茶机约 3000 台，销售额 2000 多万元，产品销安徽、湖北、云南、贵州，部分出口东南亚各产茶国。

茶叶加工机械产品生产始于 1999 年。开始量产的是手拉槽式杀（青）烘（干）机（俗称“碰碰机”），后又有 11 槽杀青（理条）机、40 型台式滚筒杀青机、5 平方米手拉百叶烘干机等，当时全为柴炭加热。经 20 多年发展，主要产品有 6CST 系列杀青机、6CL 往复式系列理条机、6CH 系列百页烘干机等数十种，此外，还有不同型号鲜叶分级机、茶叶分选机、揉捻机、输送带等。由单机连接组成的加工生产流水线，有 6CLM 系列名优茶加工组合，6CRLH 一 A/B 一站式供热热风全自动生产线、6CRD 一 A/B 热风网带定型连续自动化生产线等。

同发机械有限公司（钱子华 / 摄）

公司长期与安徽农业大学、中国茶叶研究所等高等院校（所）合作，是国家茶产业技术体系茶叶机械研究岗位科学家试验基地，先后获国家茶叶机械领域实用型专利19项、发明专利2项。发明专利自动提锅装置获“安徽首台套”产品认定，茶叶红外烘干技术专利得到科技部创新项目资金支持。

岳西县长城机械有限公司 该公司专业制造茶叶加工机械，坐落于岳西县莲云经济开发区，占地14亩，1990年汪正芳创办，原名岳西县长城铸造有限公司，2006年更名为岳西县正芳茶叶机械厂，2009年定为现名。2014年通过lSO9001质量管理体系认证，茶机系列产品列入国家支持推广的农机产品、国家农机购置补贴产品名录。产品有成套生产线和作业单机两类。生产线有超高温热风智能电热定型烘干大型生产线（加工鲜叶150~250公斤/时）、智能电热双热风复合槽锅杀青理条定型烘干生产线、燃煤（柴）电热风辅助杀青理条定型烘干组合机组等十余种。余热利用热风辅助式槽锅杀青理条机、磁定形茶叶烘干机、电热智能控温型高强热风槽锅式杀青理条机等多项技术突破传统，适用性强，被列为安徽省高新技术产品，2012年获国家科技部高新技术产品创新基金支持。公司自主研发产品先后获国家发明专利和实用新型专利30余项，产品销安徽、浙江、湖北、湖南、四川、陕西、河南等省，年销售收入近2000万元。

安徽丰源机械有限公司 地址在岳西县温泉经济开发区，2005年吴结明创办，员工40余人。产品有茶叶加工单机及生产线，市场覆盖皖、鄂、赣、云、贵等产茶省，年产值1000万元。公司拥有生产及检测设备70多台（套），主产条形和曲形绿茶加工机械，年生产能力2000台（套），产品及技术先后获20多项国家专利。6CQJHX-250型清洁化一条龙茶叶加工生产线，每小时加工鲜叶120~150公斤，产量大；6CYT-100茶叶加工一体机，杀青理条烘干多道工序在一台机器上完成，占地小（机器占地不足5平方米）、效率高（台时加工鲜叶50公斤）、人工省（只需一人操作）、能耗低（比单机节能20%），适合家庭使用。该机共获国家专利7项。公司“大丰源”“衙前河”牌20多个型号的茶机产品，通过安徽省农机鉴定站鉴定，入选国家支持推广的农机产品目录，享受政府农机购置补贴。

第七章　茶政贸易

茶叶政策受到历代政府重视。古代，在县境实施过的茶政有贡茶、榷禁、茶课（税），新中国成立后有政府支持、茶税征收、国家派购、自由贸易等。

县境茶产丰富，自古茶贸繁荣。早在唐宋时期就有了茶叶销售经营，明清以后，人口增多，衙前、响肠、来榜、五河、河图铺、店前、黄尾几个集镇渐成气候。进入现代，茶产业成为岳西主导产业，茶销售更加活跃，县内形成有规模、有影响的干茶、鲜叶两种市场，涌现出一批有规模、有影响力的茶叶企业。

明清时期，岳西茶叶销往山东、河北、湖北、扬州、上海、广东等地。20 世纪 80 年代前，由县供销合作社统一收购、调拨。1985 年后，由民间自主经营，主要销往安庆、合肥、上海、北京等市场。

第一节　新中国成立前茶贸茶政

古代茶贸

唐代含岳西境域茶在内的江淮茶，多销往河北甚至陕西，天柱山茶还远销新疆。唐封演《封氏闻见记》曰："起自邹齐沧棣，渐至京邑。城市多开店铺，煎茶卖之。不问道俗，投钱取饮。其茶自江淮而来，舟车相继，所在山积，色额甚多。"唐代王敷曾作《茶酒论》，说："百草之首，万木之花。贵之取蕊，重之摘芽。呼之茗草，号之作茶。"又说："浮梁歙州，万国来求。舒州太湖，买婢买奴。"以极夸张的手法讲述舒州太湖等地茶贸繁荣，因茶而富。在宋代前期，岳西境茶叶分由罗源、太湖、霍山、王同（今舒城）四个榷茶场统一收购，商人凭"引"提货，销往全国。明清以后，主销山东、河北、江苏、湖北等地。清人王士祯题霍山新茶有句："几日轻车路，新茶到广陵。"广陵是扬州的别称。

古时县境经商者较少，茶货多依靠外地人进山收购。嘉庆年《霍山县志》载："土人不辩茶味，唯燕赵豫楚需此日用，每隔岁经千里挟资裹粮，投牙预质。"光绪三十一年（1905）《霍山县志》云，县南"山高寒早，峭而多石，所产常苦不丰"，而山民又多"耻言工商，贩运制造，悉资外人"。《潜山县志》（1920 年版）说："潜之土广山深……男耕女织，质朴无他务，黄发老人有不识城市者。安土重迁，不善商贾。"清初至新中国成立前夕，每年茶季，县北包家河、黄尾河一带就有汉口、山东客商进驻，设立临时茶栈，收购黄大茶。茶栈老板依靠当地人把农户家毛茶收拢起来，集中匀堆、打老火、装篓，挑到山外市场销售。茶篓用竹篾编成，内衬箬叶，每篓装茶 15 斤左右，两篓称作"一联"，一般青壮劳力每担挑四联。

岳西高腔剧目《采茶记》（清康乾时期创作），说的就是扬州老板宋福来岳西采购茶叶的故事："（客白）听道，（唱）听诉原因，家住扬州一座城。姓宋名福字吉庆。（丑白）敢问客官，做何生涯？（客唱）贩山茗。"

近代茶贸

晚清时期，岳西境所产有黄大茶、毛峰、炒青、茶末、老片 5 种，以黄大茶居多。黄大茶 90% 销辽宁、吉林、黑龙江、内蒙古、山东、河南、天津等地，约 10% 销往皖北；毛峰、松萝（即炒青）等，90% 销往江苏、河南周口、湖北汉口等地；片茶销省内，末茶尽销湖北黄安。茶叶有茶行长年经营和小商贩临时经营。

民国年间，全境产茶 100 吨 ~200 吨，主要为黄大茶，次为绿茶。1937 年，产黄大茶 125 吨、绿茶 7.85 吨。1942 年，全县有茶行 27 家，共收购黄大茶 150 吨，绿茶 11 吨。县北黄尾河为县内影响较大的茶叶集散地，20 世纪 30 年代前，农产品经营即已兴盛，抗日战争爆发后，战区难民纷纷进山避乱，部分有钱人便在此设店经商卖茶。一里多长的黄尾老街，有 38 家悬牌商号，外地人开设的有 23 家。每到茶季，茶商云集，大量茶叶由此出发，循淠河外运皖北、山东、天津、内蒙古、东北。影响较大的有恒兴、振兴、同茂合三家。恒兴、同茂合以开茶行为主，兼营百货。恒兴，户主姓叶，湖北人，名不详，人称“叶胖子”，家资万元以上，长工十多人，收黄尾河、青天畈黄大茶，销往山东，后举家迁往山东。同茂合，湖北大冶胡石夫 1928 年创办，主营茶叶，兼营铁锅，1929 年秋胡石夫去世，其子胡承启接替经营，生意有更大拓展。

包家河黄大茶最负盛名。每到茶季，外地客商携巨款来包家老街，或自租门店（王家祠堂、包家老屋常被茶商租用），或与当地富户合伙采购毛茶，然后打老火（足干）、装袋，并在茶袋上统一刷写店号或产地，如“包家河”“石佛寺”等。姚河乡产茶亦丰，旧址在皂河村茶行组的秦氏茶行，由当地人秦延年乾隆时期开设，经营 200 多年。21 世纪初，行铺老房尚在。马石村 70 岁（2020 年）老人储德诚介绍，清末至民国年间，他的祖父储春安在当地开纸槽兼做茶叶生意，茶销三河、芜湖和山东等地。清朝末年至民国年间，河图金杨村叶良金、岚川村余良璧在武汉开设店铺，经营岳西黄大茶，生意红火。

20 世纪上半叶的战争年代，岳西多有中共地下党员或进步人士开设商铺，从事茶叶等土特产品经营，服务于组织发展和对敌斗争。1930 年 5 月，潜山县革命委员会成立（在今岳西天堂镇金家花屋），在潜山县北部（今岳西来榜、天堂一带）16 个区普遍开设“红军商店”（供销经营部），将本地茶叶、土纸、木材、毛竹、生漆、桐油等，运销安庆、六安、湖北等地，再购回棉布、食盐、药品、电筒等，供民用军需。

封建茶政

茶叶作为山珍特产，历代封建统治者都把它视作财富源泉。自唐以来，制定种种苛刻茶政、茶法，盘剥茶农，攫取厚利。主要方式有贡茶、榷茶和茶课（茶税）。所谓贡茶，实质是朝廷利用特权对茶农劳动成果的无偿占有。榷茶是官营（专卖）制度。茶课、茶税是打着国家名义，以实物或货币形式对茶叶经营者的利益进行征取。清光绪以前，安徽潜山、太湖、歙县、休宁、黟县、宣城、宁国、太平、贵池、青阳、铜陵、建德、芜湖、六安、霍山、广德、建平 17 个县有茶课，光绪以后，舒城县也有茶课（见光绪三十年《续修舒城县志》）。

1. **贡茶**　贡茶的起源可以追溯到西周时期。《华阳国志・巴志》中记载了公元前周武王将巴蜀所产的茶列为贡品的事。

贡茶制度始于唐朝。古代茶叶纳贡有两种形式：一种是朝廷选择茶质好的地区，设立贡茶院制作贡茶，进贡朝廷。在唐有湖州紫笋贡茶院，宋有福建建安（今建瓯）"北苑龙焙"，入元明，在武夷山置"御茶园"。另一种是朝廷选择茶叶品质优异的州府定额纳贡。唐时的舒州天柱茶在贡茶列，宋后各代大多沿袭了唐代的贡茶制度，对地方都会"岁有定额"，只是在实际执行中会年年加码、层层加码。明时霍山黄芽入贡，明朝初年，定岁贡20斤，到正德十五年（1520），定贡黄芽细茶1200斤，粗茶6000，岁贡比原来翻了几十至几百倍，茶农负担沉重。清代，经康、雍、乾百年安定，农民得到一定休养生息，特别是资本主义在中国萌芽与继续生长，促进了茶叶生产较快发展。此时，贡茶制度持续，霍山黄芽被定为宫廷内用。《清会典》载："顺治七年礼部照会，产茶各省布政司每年谷雨后10天起解（贡茶）转送该衙门供用，各有定数，具列于后……江南省六安州霍山县芽茶仍另委官起解。于进到时会同光禄寺交送内务府以供内用。"

清代《霍山县志》对本地贡茶额度、方式，有更加详细的记录。康熙四十七年（1708），贡茶1200袋；雍正七年（1729），增办100袋；乾隆元年（1736），720袋。光绪年《霍山县志·赋役志·解额》说，以前，全县贡茶定额360封（份），代办六安州40封，茶季由官入茶区督办。茶须一枪一旗（即一芽一叶）依法择制。规格化包封，每封一斤二两，以黄绢裹包，再以100封为一箱，箱盖缄封，上书"某某守土臣谨贡"。箱上盖旌袱、插龙旗，焚香启程，驿递解达，程序繁杂。到了光绪年间，为方便操办，以窠定额，以额折银，茶户按窠纳钱于官。是时，全县"册额征茶"3591窠。志称，这样"官民两便"。

除黄芽茶、天柱茶外，本境多枝尖一带的"多智茶"、田头的"闵山茶"，均曾列入贡品，定额纳贡。北宋《太平寰宇记》载：舒州怀宁县"多智山……自霍山县西南入怀宁、太湖二县界，西接蕲县……水分两道，一道西北入霍山县界……其山有茶及蜡，每年民得采掇为岁贡"。"多智山"即今岳西境内的多枝尖。清顺治十二年（1655）《潜山县志》载："闵山……芽茶。岁派供应库二百九十斤，谷雨前者，岁派供应库二百八十五斤。"

2. **茶税**　唐德宗李适继位以后，建中三年（782），依户部侍郎赵赞议，"税天下茶漆竹木，十取其一"，至长庆元年（821）盐铁使王播又请大增茶税，"率百钱增五十"。宣宗大中六年（852），裴休任盐铁转运使立严苛茶法，稳定茶税局面：一是各地设邸阁，只准收取邸值（住房堆栈费用），不得再赋商人；二是私鬻300斤，处死；三是园户私卖百斤以上，杖脊；四是各州县如有砍伐茶园或伤害茶业者，在任地方官要以律论罪；五是庐州、寿州和淮南一带，皆加半税。在实际执行中，除"国税"外，县州还另立名目，加收茶税。

明代至清初，按茶棵数量征课。清道光年间（1821—1850），以交易中的茶引课银。同治元年（1862），两江总督曾国藩颁发章程，定每120斤茶为一引，每引缴正银3两，公费银3分，捐银8钱，厘金银9钱5分。发给3联引票。同治二年（1863），每引加捐海防费4钱。同治五年（1866），李鸿章废引捐厘各票，改用落地税票，以求简便，每引共收银2两4钱8分。

《霍山县志》载，清光绪三十一年（1905），霍山县奎文书院改建官立高等小学堂，以旧试院为讲舍，加收茶税2厘充作经费。1930年，霍山县国民政府在县城、管驾渡、黄栗杪（黄栗杪与包家河毗邻）设茶厘局，对茶户征收附加税，对经营者征收入境税、落地税、出境税等名目的“厘金”。1933年4月，又于清明到白露期间，增设季节性营业税局。光绪以前，本境原属舒城的姚河、主簿一带，不用承担茶税，原因是舒城县整体茶少。光绪以后，舒城茶参与六安茶进入市场流通，茶税随之而至。《续修舒城县志》（光绪三十年修）记：“光绪初六安茶厘余引溢入舒境，而有茶税。”“茶课本境茶产无多，向无茶课。光绪初年，商人垄断逐利，始以六安余引溢入县境，设局三七里河、晓天二处，岁报行销千余引，而山民困矣。”

从建县初到新中国成立，未见独立茶叶税征收记载，茶叶税赋包含在田赋内。地主对佃农所收租额，有很大的随意性。1928年，头陀河地主胡锡文、胡锡祜对佃户茶叶按“二八”（佃户二，地主八）收租，激起茶农极大愤慨，引发著名的头陀河暴动。

3. **榷茶**　中唐以后，苛征茶税，宦官与茶商相勾结，坐地分赃，弊端昭然。大和九年（835），文宗准司空王涯榷茶之议，并以王涯为榷茶使推行榷茶法。王下令将江南百姓所有茶树，移官场栽植，在官场制造。凡民间不曾移植的茶树，一概焚毁，开了史上茶叶官营的先河。后各朝虽多有调整，但以“官营”为主要内容的榷茶法，一直沿用到清代中期。

宋代榷茶记录最为详尽。基本做法是园户种茶，官收租钱。在茶叶主产区设茶场，称榷茶山场，山场组织人员主管茶叶的收购和茶税征收。种茶制茶的农民称“园户”，由榷茶山场管理。园户种茶，政府给一定贷款（称“本钱”），所产茶叶，除一部分作“本钱”和茶园租税交政府外（这部分茶叫“折税茶”），其余部分全部卖给山场，不准自由出售。山场茶叶由官府批发给商人销售。商人贩茶，须先向榷货务缴纳钱帛，换取交引，凭引去指定山场或榷货务提取茶叶，运往销地出售。官府从园户处低价、重秤购入，给商人则高价、轻秤卖出，双利俱下。一般每年可得茶利百万贯以上，宋神宗时，最高曾获利428万贯。

宋代淮南道设榷货务6处，榷山场13个，通称“六榷货务十三山场”。十三山场是淮南蕲州的王祺、石桥、洗马，黄州的麻城，庐州的王同，舒州的太湖、罗源，寿州的霍山、麻步、开顺，光州的商城、光山、子安。霍山、太湖、王同三场分别在霍山、太湖和舒城县。现岳西境内茶叶，在宋分属罗源、霍山、太湖、王同4场收购经营。2012年专家考证，北宋舒州罗源场在岳西县温泉镇资福村。

宋天圣元年（1023），枢密副使张士逊等人考察茶法利害，奏请行贴射法，其方法是，以十三场茶买卖，商人与园户自相交易，官方收息。张士逊以舒州罗源场茶举例：“如鬻舒州罗源场茶，斤售钱五十有六，其本钱二十有五，官不复给，但使商人输息钱三十有一而已。”意思是，以舒州罗源场茶为例，卖56文／斤，过去官府收购，给园户（茶农）本钱25文／斤，官府每斤得净利31文；现在商人直接从园户处买茶，官府不再向园户提供25文本钱，商人必须按每斤31文的标准，向官府贴纳净利。此事被记录在《宋史·卷一百八十三》中。正史以舒州罗源场茶举例，表明罗源场茶在当时影响颇大。

《宋会要辑稿》记载了一件茶商在太湖走私的事。天禧元年（1017），参知政事李迪发现一个叫田昌的茶商，到舒州太湖茶场按交引规定数量一次提取了12万斤茶之后，还嫌不足，“又逾七万”，即私加了7万斤。这在宋代是违法的，所以李迪请求有司立案审查。区区田昌一个商人，一次就买走了 19 万斤茶叶，这从一个侧面说明了当年皖西南地区产茶之多。《宋会要辑稿 · 食货二九》又记，舒州两场（指罗源场、太湖场）买茶 160.23 万斤。

宋代对茶叶园户的剥削残酷至极，榷茶山场每收 100 斤茶，还要另收 20~35 斤不等的“茶耗”。

元世祖至元十四年（1277），朝廷设江淮榷茶都转运司，管辖江淮茶区各县。明代规定，茶叶运至茶司，官商对分。官府分得的茶叶用来换马，商人分得的茶叶用作出售，官府再向商人收税茶 30%。茶农种茶，按窝（丛）计算，每 10 窝中有官府 1 窝，并按制征茶 2 两。清代沿用明末制度，商人请引纳税，自行买卖。清顺治时，商人向官府申领引票，然后才可买茶。买的茶要先交茶马司，一半入官易马，一半给商人发卖。

清时流行的岳西地方戏曲《采茶记》，有“正月采茶是新年，奴在家中点茶园，点起茶园十二亩，当官写纸交价钱”的唱词，说的就是在榷茶制度下，当地茶农与官方签订契约建茶园的事。

新中国成立前，茶农除被政府任意宰割，还要遭受无良商人的无情盘剥。清代《霍山竹枝词》有句：“近城百里画茶山，贾客腰缠到此间。新谷新丝杈子母，露芽摘尽泪潸潸。”说商人仗财欺人，公然大秤进，小秤出，盘剥百姓。岳西民歌《种茶辛苦深》说：“种茶辛苦深，祖辈受欺凌。官府捐税重，茶行盘剥紧……一年忙到头，累断脊梁骨。粮菜杈充饥，贫苦无了期。”

严苛的封建茶政的实施，充盈了政府银库，中饱了官吏私囊，给底层百姓带来的只有无尽的艰辛与苦难。

第二节　新中国成立后政府对茶产业的支持

1949 年前，生产凋敝，茶园荒芜，茶叶产量极低。新中国成立后，政府全面动员，在资金、农资、技术、种苗、销售等方面给予了有力支持。

1952 年，由县供销社牵头，拨稻谷 101.6 万斤，支持菖蒲、茅山、五河、桃李、虎厂、硃屋、店前、汤池等地改内销黄大茶为出口红、绿茶，从银行借贷款 19 万元，派员赴黄尾河、沈家桥、头陀河、河口寺、包家河等茶区，收购内销茶 10 万斤。同年，又在黄尾、沈桥、五河、硃屋各建一座红茶加工厂。

1953 年，根据“占领市场，控制奸商”的经营方针，县政府出台岳茶工字 1346 号文件，提出加强茶叶市场管理意见，付印安徽省商业厅《茶叶收购市场管理办法》《绿茶采制办法》和《茶农宣传手册》，并在头陀、河口两区成立以区长为主任委员，基层供销社、区银行、税务、财政负责人及有经验的茶农为成员的茶叶收购委员会。1954 年，县召开第一次茶农代表大会，动员发展茶叶生产，组建由县工商科、建设科、供销社、银行、税务局为成员单位的茶叶生产收购委员会。

1955 年，县投放茶叶预购定金 23.05 万元，扩大茶园面积 4480 亩，其中新建 3600 亩，垦复 600 亩，补种 280 亩，另投放资金 15000 元，供茶种 5 万斤。

1956 年，实行“茶叶预购，优待化肥”政策，按每交干茶 100 斤优待化肥 20 斤的标准，兑换优待化肥 15 万斤。此后若干年，执行“以粮为纲，综合经营”方针，茶园面积、产量逐渐增加。1956 年 8 月 3 日，县委发出通知，停止在 15 度以上林地毁林种茶。要求年冬发展茶园 1.5 万亩，其中汤池区 2000 亩，菖蒲区 1300 亩，五河区 1500 亩，店前区 1000 亩，河图区 1500 亩，来榜区 3000 亩，头陀区 3000 亩，主簿区 1500 亩，城关镇 200 亩。供销社收购茶籽 15.3 万斤，分配到上述各区。收购价为去壳纯种 8 分／斤。

1979 年，全县以公社为单位召开茶农代表大会，强调要扩大茶园面积，提高茶叶质量。1980 年冬，县定发展茶园 1 万亩，由县供销社和农业局负责，从福建和省内太湖县购买茶籽 29 万斤。同年，农业局、财政局安排茶园补助资金 6.3 万元。先签合同，验收付款。补助标准：1. 新开茶园，每亩 10 元，全部石坝，每亩 20 元；2. 改扩建低产茶园，一般每亩 5~10 元，全部改砌石坝，深挖施肥，每亩 20 元。合同手续，由各区农技站办理。

通过政府支持为主，社队出资为辅的办法，到 1983 年底，全县共建社队茶叶初制厂（炒青绿茶）126 座，平均每个公社有 2 座茶厂。茶厂大体有炒青锅（杀青、初干用）、揉捻机、焙干滚筒等机器设备。

1983—1985 年，由县农业部门主导，成功创制国家级名茶岳西翠兰，1987 年中央和省地（区）各投资 60 万元，支持岳西建设“全国名优茶生产基地”。

20 世纪 90 年代后，国家对贫困地区支持力度加大，扶贫资金、以工代赈资金及其他支农性资金增多，政府每年安排 150 万元以上，支持低产茶园改造，奖补新建茶园、茶厂。2004—2010 年，县财政整合林业项目资金，扩大对茶叶的投入，每年支持资金增加到 500 万 ~1000 万元，主要用于高标准茶园和中心茶厂建设。

2011 年后，重点实施现代农业生产发展项目和特色产业发展项目，中央投资，地方资金配套，用于茶园、茶厂、环境整理等基础建设。2011 年，使用现代农业生产发展项目资金 1555.5 万元（中央投资 500 万元，县级财政配套资金 100 万元，整合资金 781 万元，农民投入 174.5 万元），在姚河乡香炉村、五河镇妙道山村、菖蒲镇菖蒲村共新建连片无性系茶园 1063 亩，在店前镇杨胜村、河西村，冶溪镇石嘴村新建良种繁育基地 309 亩，在五河桃李村、菖蒲长岭村、姚河香炉村连片改造茶园 4000 亩；通过招投标方式在菖蒲镇菖蒲村、长岭村，姚河乡香炉冲、竹山和五河镇妙道山等地建立茶园道路、排水等基础设施，覆盖茶园 5000 亩。2012 年，投资 1501.50 万元（中央资金 500 万元，县级财政配套资金 100 万元，整合资金 787.84 万元，农民投入 113.66 万元），在姚河乡沈桥、田头乡方边两地新建无性系良种示范茶园 800 亩，整治茶园 3000 亩，在中关乡、冶溪镇、店前镇新建无性系茶树良种基地 200 亩。同时县出台政策，给企业作广告宣传茶叶，SC 认证，参与茶博会，推介会，三师（加工师、茶艺师、评茶师）培训等，均给予一定补贴。

据不完全统计，2016—2020 年，岳西县累计投入资金 2.58 亿元，用于产业扶贫、发展特色种养业，其中 50% 以上用于茶产业。

第三节　现代茶贸

新中国成立后，农村经历了土地改革、计划经济、市场经济 3 个不同时期，岳西县茶叶的经营贸易、流通方式也随之发生相应变化。1949 年到 20 世纪 80 年代初期，县境茶叶主要由县供销合作社经销，1984 年后，供销社逐渐退出，转由市场主导、多经济主体参与，自主营销。

计划派购

1950 年冬，全县实行土地改革，结束了沿袭千年的封建地主土地所有制，无土地和少土地的农民分得了土地、山场。20 世纪 50 年代，县供销合作社和基层供销社资金不足，在经营上采取代营为主、自营为辅的方式，粮、茶等大类商品分别给安庆总社和中粮公司、中茶公司代购，收购资金由对方垫付，按时结算，对方付给一定手续费。1954 年，岳西县供销合作总社委托省合作总社代销黄大茶 10 万斤（向山东推销）。1955 年为国营中茶公司代购茶叶 64 万斤。1957 年 8 月，国务院规定蚕茧、茶叶、生猪、羊等为国家统一收购物资。1961 年，《中共中央关于目前农产品收购工作中的几个政策问题的规定》出台，将农产品分为"统购""派购""自由购销"3 类。茶叶属二类派购物资，即通过合同方式确定供销关系。该文件还规定，二类物资在集中生产区，对派购有剩余的部分，除了应当留给农民的部分外，也可以由国家统一收购，并在价格上给予奖励。

20 世纪 60 年代，县供销体系形成，县社下设基层社，基层社下设双代店（代购代销），所有农副产品由统一渠道对外销售。这一时期，根据各区、社（公社）、大队、生产队茶园情况，由县自上而下层层下达征购任务，以队为基础，独立完成。1962 年 7 月 1 日，县委发布《关于茶叶收购问题的紧急通知》，要求各区当年茶叶收购任务必须完成。按上级规定，少收 1 万斤茶叶要拿 500 头猪顶替交售。鉴于岳西实际情况，拿猪顶替不可能，因此必须完成茶叶收购任务。要多采茶、多制茶，取缔投机倒把，教育茶农少留自用茶（当时，一般农户留 2~3 斤，多的也只有 5~6 斤），国家干部不得向社、队和私人买茶。1965 年，全县收购茶叶 51.06 万斤，其中外销绿茶 11.87 万斤，收购茶籽 14 万斤。

毛尖山公社四河大队有 4 个生产队，20 世纪六七十年代，每年每队干茶上交任务 400~600 斤，有米茶（炒青）和黄大茶 2 种。春茶时节，白天女人采茶，男人做田种地，夜晚分几个加工点，男女齐上阵，炒揉烘拣，加工制作，有时得通宵达旦，加工完成，肩挑 30 余里送到响肠街收购点交售。完成派购任务后的余茶，生产队按人口分配到户。

计划经济时期茶价维持低水平，一级一等炒青每斤 2.47 元。

岳西县 1982 年炒青收购价格表

单位：元 / 斤

等＼级	一级	二级	三级	四级	五级	六级
1	2.47	2.09	1.77	1.42	1.17	0.87
2	2.37	2.05	1.62	1.34	1.06	0.80
3	2.28	1.91	1.58	1.22	1.00	0.74
4	2.18	1.82	1.50	1.20	0.93	0.65

1980年起，农副产品实行“放开搞活”政策。1984年，全面取消“统购”“派购”，茶叶多渠道经营进程加快，供销社购销量减少。1982年，根据中央1号文件精神，县提出对茶园“宜统则统，宜分则分”，经营方式不作限制；对干茶，确保供销社一定收购基数，基数之外，允许农民在市场议价销售。基数确定依据是1979年、1980年、1981年三年上缴数的平均值减10%。当年县下达东风区收购基数871担，4月21日东风区发文件，将指标分配到所辖石关、黄羊、白果、巍岭、姚河、沈桥6个公社。

1980年、1985年、1992年三年全县茶叶总产量分别是365.3吨、499.2吨、868吨。1980年供销系统收茶273.5吨，付货款68.6万元，1985年收茶173.8吨，付货款37.1万元。1985年供销系统收购量和付款额分别为1980年的63.5%和54.3%。1992年，供销系统收购量降至72.9吨。

岳西县供销社1950—1992年茶叶收购情况表

年份	1950	1951	1952	1953	1954	1955	1956
数量（担）	1300	522	3310	4624	7213	6501	8083
年份	1957	1958	1959	1960	1961	1962	1963
数量（担）	53873	5875	8286	8443	3024	3379	3827
年份	1964	1965	1966	1967	1968	1969	1970
数量（担）	4029	5162	5106	5122	4593	5119	5584
年份	1971	1972	1973	1974	1975	1976	1977
数量（担）	6117	6117	6233	6417	6187	7765	5313
年份	1978	1979	1980	1981	1982	1983	1984
数量（担）	6906	5852	5430	7031	8583	7062	5679
年份	1985	1986	1987—1988	1989	1990	1991	1992
数量（担）	3476	4884		1188	562	1590	1458

担，非标准单位，每担50公斤；数据来源：《岳西县供销合作志（初稿）》（1988）。

1980年，东风区各购销点收茶情况：石关0.19万斤，白果1.47万斤，黄羊2.13万斤，沈桥2.11万斤，姚河0.51万斤，共计6.41万斤。1984年，石关0.4万斤，白果2.45万斤，黄羊3.1万斤，沈桥6.9万斤，姚河3.4万斤，共计16.25万斤。

20世纪90年代初，岳西翠兰生产全面展开，但数量上仍以黄大茶为主。生产茶品有翠兰、翠春（1芽2~3叶烘青，2000年前后纳入翠兰系列）、兰花（1芽2~3叶，轻揉型烘青）、炒青、黄大茶5种。1991年，县供销系统收购茶叶7.7万公斤，翠兰、翠春共3150公斤，占总量的4.1%，主产主簿区、来榜区；黄大茶5.87万公斤，占76.19%。详见下表。

岳西县 1991 年各区供销社茶叶收购统计表

单位：元、公斤

单位	茶叶		翠兰		翠春		兰花		炒青		黄大茶	
	金额	数量	金额	数量	金额	数量	金额	数量	金额	数量	金额	数量
汤池	566	8	566	8								
主簿	177155	34811	40348	900			5472	304			131335	33607
头陀	84863	18873									84863	18873
来榜	69369	5677	50312	1045			3082	199	327	35	15648	4398
白帽	42825	4815	399	11			3301	136	39125	4668		
店前	13189	495	6053	100	520	18	5607	297	1009	80		
五河	40791	5412	12581	268					24415	3352	3795	1792
菖蒲	4867	140	3112	46	392	14	420	21	943	59		
茶茧	101459	6771	23485	463	10411	277	7296	477	60267	5554		
合计	534904	77002	136856	2841	11323	309	25178	1434	126086	13748	235461	58670

收购单位中，茶茧指县茶畜茧公司，收购莲云、天堂、毛尖山、响肠、无愁等地茶叶，其他系区名。数据来源：《岳西县供销合作志（初稿）》（1988）。

1997 年后，集体性质的供销社完成改制，茶叶经营全部由个体商贩或私营公司承担，由政府主导的运行了近半个世纪的县级供销社退出茶叶经营业务。

从新中国成立到 20 世纪 90 年代，岳西黄大茶一直主销（调拨）山东，部分销往苏北、山西；1984 年前，炒青绿毛茶主销安庆精制厂，1985 年起改销舒城精制厂，精制外销，20 世纪 90 年代后，全以毛茶内销，2010 年后，无性系茶园成片投产，冶溪镇毛茶批量销往县内外出口茶精制厂，加工外销。红茶量少，1985—1990 年，一直销往贵池精制厂。岳西翠兰茶面市时，已是市场经济环境，茶叶全部入市场自由销售。

自主营销

从 1980 年开始，茶叶经济转型，自主生产、自由贸易逐渐成为主流，众多经营主体各显身手，渠道广开。干茶经营形式大体有 4 种：1. 坐商：包括茶厂经营和固定店面经营（属公司或个体从业者），茶厂、店面一般门头挂有醒目招牌（店名），内部有较好的装修，批发零售兼营，称茶厂、茶行、茶店、茶庄、公司等。店面多集中在县城、大集镇、旅游景点，部分开到县外城乡。2015 年，县城有茶店 50 余家。2. 行商：季节性行走经营。或于茶季收少量茶草自己加工销售，或在市场购买干茶倒卖。3. 摊贩：在流动人口较多的城镇或景区，摆摊设点销售，价格随行就市。4. 电商：2010 年后兴起，利用互联网推广营销。

据不完全统计，2020 年，县内外有岳西茶叶实体专营店 190 余家，岳西旅游馆、岳西馆等茶叶电商平台 4 个，入住商家 74 个。茶叶电商销售 156 吨，销售额 5897 万元。依托"一带一路"拓展国际市场，产品远销非洲、东南亚、欧盟和中东，当年出口 1980 吨。名气较大的公司或茶厂、合作社、家庭农场有翠兰、绿月、碧涛、振兴、云林、石佛寺、梯岭、竹山、香炉冲、林兰、三道河、长岭、花墩、雪山庵、土星、德三、绿然（含茶包装）、汇康、天峰、饴兰、苏家坪、山水间等。

第四节　交易市场

古时，县东南（旧属潜山）、西南（旧属太湖）茶叶，大抵沿皖水入长江，出黄冈、武汉，或南京、扬州，以及经扬州入大运河转运销山东、京畿；北部（旧属霍山、舒城）茶叶，大抵沿陆路出六安，再沿水路（京杭运河）北上出山东、河南、河北。民国时期部分茶叶沿津浦铁路运送北销。据《封氏闻见录》记载，唐时茶饮成俗，山东至长安城乡，茶店遍布，饮者不绝。"茶自江淮而来，舟车相继，所在山积。"宋时，江淮茶货外运格局没有太大改变。陈椽《茶业通志》说，北宋太平兴国二年（977）政府向西北推行榷茶易马政策，设榷茶场，官买商销。《宋史·食货志》载："天下茶皆榷……茶之为利甚博，商贾转至西北，利尝数倍。"

民国时期安徽合作历史资料记载：1940 年，岳西县销往外地的茶叶 400 担，总值 2.5 万元，1942 年，产春茶 624.5 担，夏茶 415.2 担，销往山东 400 担，河南商城 100 担，天津 100 担。

境内，衙前、汤池、店前河、来榜河、响肠河、腾云庙、河图铺、上五河、治溪河、黄尾河、头陀河、菖蒲河、主簿原等地，是岳西的传统商业街市，历史上这里多有专营或兼营茶叶的商铺店行，本地茶叶多在这些地方完成交易。黄尾河是过去霍山南乡商贸中心，20 世纪三四十年代，这里商业繁荣，茶季商贾云集，名响大别山区。（参见第七章）

新中国成立后很长时期，县供销合作社及其下属分社主销茶叶，以生产队为单位组织加工干茶，供销社根据计划安排，统一调拨到需要的地区，按统一价格供应给消费者，或交县外精制厂加工出口。1958 年，截至 5 月 24 日，全县供销社收购红、绿干毛茶 6.14 万斤。红茶经霍山精制厂加工出口，称"霍红"。1960 年，供销社经营茶品有舒绿、霍红、条茶、黄大茶、绿大茶、大兰花茶、茶朴、茶片、茶梗、茶末、大广片等，主要是霍红、舒绿、条茶。

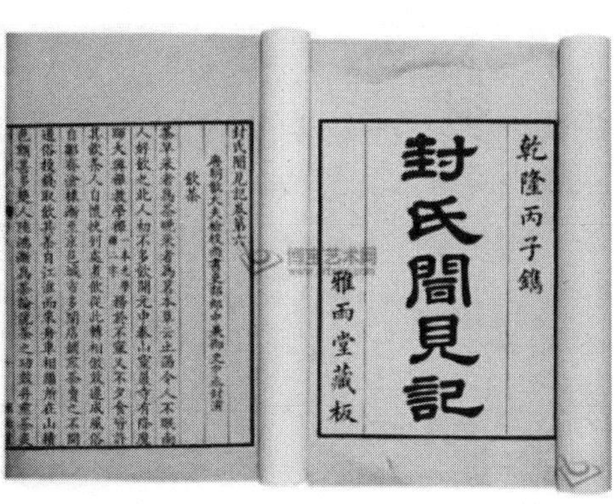

《封氏闻见记》

岳西县商业局 1960 年茶叶收购价格表

单位：元 / 担

等级	等别	霍红	舒绿	条茶	备注
一级	一等	177	158	146	
	二等	168	151	141	
	三等	159	144	136	
	四等	150	137	129	
	五等	142	130	122	
二级	一等	134	123	115	
	二等	126	116	109	
	三等	118	109	103	
	四等	110	103	98	
	五等	102	97	93	
三级	一等	95	91	88	
	二等	88	86	83	
	三等	83	82	78	
四级	一等	79	78	74	
	二等	75	74	70	
	三等	71	70	66	
五级	一等	67	66	62	
	二等	63	62	57	

据店前镇徐良村 82 岁（2021 年）的屠义老人介绍，1950 年前后，当地田头地边普遍种茶。1951—1955 年，县西南只有河图铺一个收茶点，店前、冶溪、河图、白帽片区茶叶统一交河图铺点。负责收茶的叫余十二，徐良人。1958 年后，增设徐良收茶点。

1984 年，废止农产品统购派购，茶叶市场全面放开。此后，县供销社组建茶畜茧公司（集体性质），县农牧渔业局组建神雁公司、名茶公司（事业性质），投入茶叶经营，个体从业者也纷纷加入销售队伍，茶叶市场很快活跃起来。1987—1992 年，个体从业者与集体性质的公司在茶叶购销上的竞争态势形成，并逐渐占上风（供销系统称之为“茶叶大战”时期）。1987 年，全县生产各类干毛茶 624 吨，其中，炒青绿茶 300 吨，黄大茶 279.25 吨，红茶 30 吨，翠兰 2.25 吨，翠春 2.5 吨，毛峰 5 吨，兰花 5 吨。各类毛茶吨均价约 4000 元。个体经营者购销茶叶约 123.5 吨，占了总量的 1/5 强。

毛茶市场 随着茶叶千家万户的分散加工和自由销售，毛茶市场应运而生。1986—1995 年，大部分区乡所在地都有一处相对固定的场所作为茶叶临时交易市场。农户自采自制，一般天亮开始交易，9 点前结束，茶叶以 8~9 成干为主，卖茶数量因季节和茶园多少有所不

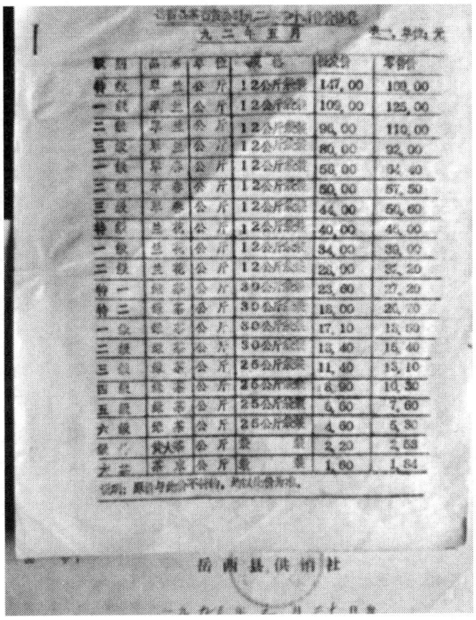

等级	品种	单位	[illegible]	[illegible]	零售价
特级	翠兰	公斤	12公斤[illegible]	147.00	[illegible]
一级	翠兰	公斤	12公斤[illegible]	109.00	125.00
二级	翠兰	公斤	12公斤[illegible]	96.00	110.00
三级	翠兰	公斤	12公斤[illegible]	80.00	92.00
一级	[illegible]	公斤	12公斤[illegible]	56.00	64.40
二级	[illegible]	公斤	12公斤[illegible]	50.00	57.50
三级	[illegible]	公斤	12公斤[illegible]	44.00	50.60
特级	兰花	公斤	12公斤[illegible]	40.00	46.00
一级	兰花	公斤	12公斤[illegible]	34.00	39.00
二级	兰花	公斤	12公斤[illegible]	[illegible]	35.20
特一	炒青	公斤	30公斤[illegible]	23.60	27.20
特二	炒青	公斤	30公斤[illegible]	18.00	[illegible]
一级	炒青	公斤	30公斤[illegible]	17.10	[illegible]
二级	炒青	公斤	30公斤[illegible]	13.40	15.40
三级	炒青	公斤	25公斤[illegible]	11.40	13.10
四级	炒青	公斤	25公斤[illegible]	[illegible]	10.30
五级	炒青	公斤	25公斤[illegible]	6.60	7.60
六级	炒青	公斤	25公斤[illegible]	4.60	5.30
[illegible]	黄大茶	公斤	[illegible]	2.20	2.53
[illegible]	[illegible]	公斤	[illegible]	1.60	1.84

岳西县供销社

县茶畜茧公司 1992 年茶叶购销价格表（王业恒 / 供图）

同，少则半斤八两，多则数十斤、百余斤。客商收购后再行烘焙至足干。这期间，交易量和影响力较大的市场有：城关临时交易市场，黄尾、头陀、来榜、白帽、五河、菖蒲市场等。黄尾、头陀为夜市，凌晨 2 点左右便开始交易。黄尾茶市交易旺期每天有 1500 人以上，多家早点摊高峰时一个早上能卖出稀饭 200 多碗，卖茶的是当地茶农，收茶客商主要来自霍山茶城、舒城、六安、合肥、岳西城关等地，交易茶叶为岳西翠兰和少量炒青、芽茶。

鲜叶市场　1995 年后，由于种植规模扩大，机械加工普及，本境茶叶行业内部分工细化，大部分农户只从事茶叶的种植、采摘，由茶厂、公司、大户收购鲜叶，加工干茶销售，形成鲜叶和干茶两个市场。到 2010 年前后，鲜叶（民间称“茶草”）市场已得到充分发展，乡镇干茶市场基本消失。进入采茶季节，农村一片繁忙，不仅全家男女老少要一齐上阵，多数人家还要雇人帮衬。雇人采茶付酬，或按日付给工资（80 元 / 天 ~150 元 / 天），或按当日所采鲜叶分成（采工得 5~7 成不等）。每个乡村又有若干个临时茶草市场（相对固定的地方），农户将采得的鲜叶送到该地，周边加工厂或加工大户前来选购。也有鲜叶商贩采购倒卖给茶厂，赚取差价。紧俏时，加工厂或茶贩直接到茶园收购。一般都是现款现货，随行就市，信用良好的加工茶厂，可赊收鲜叶，春茶后或年终付款。

县城茶市　1986 年后，县城茶叶交易逐渐活跃，各街道都有茶店分布，主要集中在建设桥东老车站一带，有临街茶店 20 余家。茶叶季节，城市管理部门划定专门路段作为临时茶叶交易市场。每到春茶上市季节，周边茶农，山里山外客商，云集县城，在方便茶叶销售的同时，也使县城更加拥挤与无序。2010 年，县政府通过招商，启动专业茶叶市场建设。2016 年，位于城西叶畈村的翠兰茶城建成，2017 年 4 月投入使用，市场设钢构玻璃顶大棚两座，其“茶叶一条街”有茶叶门面 100 余间，可同时容纳 5000 余人。门面茶庄经营的茶叶，有直接在市场采购的，也有自家茶山、茶厂生产的。每户年经营干茶在

0.5 万 ~5 万公斤。谷雨前后，交易旺季，市场日交易量超过万斤。

翠兰茶市场（翠兰公司 / 供图）

五河芽茶市场 1990 年后，市场完全放开，地方茶厂却很少，不能满足农户对茶叶加工的需求，家家户户的茶叶需自己手工制作，自行销售。五河一带开始没有固定的茶叶卖场，茶农多是把茶叶拧在手上，沿街、沿路叫卖，后来渐渐集中到五河大桥东头。2000 年，在政府引导下，这里正式成为茶叶临时交易市场，茶市形成。当地主产芽茶，市场也主销芽茶，成为大别山区特色茶市。交易时间为每年 4、5、6 三个月，高峰期一般在 4 月 10 日至 5 月 20 日，最多时有 3000 人左右，最高日交易量 2~3 吨，2010 年前后最高价达 1600 元 / 公斤，场面火爆。收购人有当地经纪人和外来客商。一般外来大客商不直接从农户手中购买，而是先由经纪人将市面零星分散的毛茶（一般每人只有 0.5~5 公斤）收购过来，再从经纪人手中选购，少则数十斤，多则几百斤不等。2010 年后，当地投产茶园增多，交通改善，中小型茶叶加工厂也随之增多，大多数农户不用再自己加工干茶销售，直接卖出鲜叶就行了，分散农户的干茶交易逐年减少。2015 年后，繁华一时的五河干茶市场演变成茶叶鲜叶交易市场。

第五节　茶叶出口

本境茶叶出口，新中国成立前情况不详。新中国成立初，中国茶叶进出口公司以代购方式从安徽茶叶主产区收购茶叶，在岳西以绿茶为主，也有少量红茶，1955 年县供销合作社为中茶公司代购茶叶 64 万斤。从新中国成立初到 1984 年，炒青绿茶（毛茶）主销安庆精制厂，1985 年起改销舒城精制厂，在安庆、舒城完成精制出口。1985—1987 年，贵池精制厂将岳西作为红茶生产基地，在冶溪、店前、五河、菖蒲、来榜、姚河建厂加工红茶，调贵池精制出口。2012 年 7 月，良奇公司在县莲云开发区投资创办出口茶生产企业——安徽天水茶业公司，首建精制厂，置眉茶、珠茶生产线各一条，主要针对非洲茶叶市场。2015 年，岳西徽宏茶业开发公司在菖蒲镇建出口红茶厂，5 月投产，首批生产 9 吨红茶销往东南亚国家。2017 年，全县生产出口茶企业有安徽天水茶业（即良奇）公司（绿毛茶生产、精制）、岳西徽宏茶业开发公司（红毛茶生产、精制）、岳西碧涛农林公司（红、绿毛茶生产），冶溪镇有绿毛茶生产厂 4 家。2018 年金翠兰茶业有限公司建出口茶精制厂 1 座，2019 年 10 月投产。本县出口茶生产基地主要集中在冶溪镇和菖蒲镇，冶溪镇有机械采摘茶园 5000 亩，产量 700 吨，全部出口。

第六节　茶叶企业

2010 年后，茶叶生产经营主体更趋多元化，有带动力的公司、茶厂、合作社、家庭农场增多。2015 年，全县茶叶生产经营单位 667 个，省级农业产业化龙头企业 3 家，市级龙头企业 11 家，县级龙头企业 10 家，茶叶合作社 330 家，家庭农场 79 家。他们成为引领和推动岳西县茶叶发展的主导力量。

安徽翠兰投资发展有限公司　公司在岳西县天仙河路金翠兰广场，2009 年崔栋梁创办，是安徽省级农业产业化龙头企业。2010 年 9 月，公司“百年翡冷翠”岳西翠兰茶入选国礼，由国家主席胡锦涛赠送俄罗斯总统梅德韦杰夫；2011 年入选“全国政协十一届四次会议用茶”。公司投资建茶叶专业市场（金翠兰广场）一座，有茶叶门面房 100 多个，大型钢构玻璃散茶交易大棚 2 个，面积 6000 多平方米，2017 年投入使用。2018 年，联合黄山和岳西企业，组建金翠兰茶业有限公司，在莲云开发区以 1122.5 万元拍得原沃德公司的土地厂房，建出口茶精制厂 1 座，生产能力 5000 吨，2019 年 10 月投产。2021 年，皖岳集团旗下岳西县农村发展投资有限公司（国有性质）注资 51%，成为岳西县唯一一家国有资本控股的茶叶企业。

安徽良奇生态农业科技有限公司　公司在岳西县莲云开发区，安徽省级农业产业化龙头企业，秦名祥创办。公司主要产品为良奇牌岳西翠兰系列绿茶和大宗出口茶。2012 年底，收购安徽飞旗创业园有限公司，启动“岳西良奇茶叶产业园”建设，添置设备，生产加工出口茶，为岳西县首家精制茶出口企业。2013 年 12 月，“良奇”商标被评为“中国驰名商标”。2017 年 8 月 19 日，良奇牌岳西翠兰参加在日本举行的 2017 世界绿茶评比大会，获世界绿茶金奖。

岳西县竹山古茶园茶业有限公司　前身为岳西县姚河黄树村竹山茶厂，1980 年刘会根创办，2011 年与安徽翠兰投资有限公司合作成立现公司，地址在姚河乡香炉村。2011 年公司投资 400 余万元，新建标准茶叶加工厂，配备岳西翠兰、岳西炒青自动生产线各 1 条，手工岳西翠兰灶 6 组。20 世纪 80 年代，是县名茶研创基地。1985 年在该厂试制的岳西翠兰样茶与包家石佛寺茶厂样茶的拼配样，获“中国新名茶”称号。2010 年 9 月，刘会根制作的手工岳西翠兰茶入选外交部国宾礼茶。2018 年，公司“惠根”牌岳西翠兰获第二届中国国际茶叶博览会金奖。

安徽礼宾茶业有限公司　前身是包家石佛寺冯立彬茶厂，2001 年冯立彬创办，地址在包家乡石佛寺村，产品有岳西翠兰、炒青、红茶、黄茶等。20 世纪 80 年代，是县名茶研创基地，1985 年在该厂试制岳西翠兰样茶与竹山茶厂样茶的拼配样，被评为“中国新名茶”。公司产品曾获“国家星火计划银质奖”“北京农业博览会金奖”“芜湖茶叶博览会金奖”“安徽省十大名茶”“安庆市茶叶博览会金奖”“岳西县茶王”等荣誉称号。

岳西县石佛翠茶叶种植有限公司 公司在岳西县中关乡秋千村，储诚华创办。20世纪90年代，为“石佛翠”“石佛香”等茶树品种的品比试验地和良种筛选培育地，配合省、市茶叶育种专家汪士杰、查道生工作多年。现有标准化茶叶加工厂1座，自营高标准无性系茶园300余亩，良种茶树母穗园100亩。每年有石佛翠、石佛香、舒茶早等无性茶苗出圃。

岳西县绿月茶业有限公司 前身为岳西县港河名茶厂，1985年宋根前承包村滑岭尖茶园时创办，现址在菖蒲镇，创办之初曾得到程东明先生的悉心指导。公司现有现代标准茶厂1座，生产岳西翠兰、岳西绿月、花草茶等。公司茶叶基地及茶产品获绿色认证，其“绿月”商标获“安庆市著名商标”称号。著名茶学家王镇恒点评港河岳西绿月：形似弦月，汤色碧绿，香气持久，口味醇厚。

岳西县香炉冲茶叶有限公司 姚河乡香炉村集体企业，地址在香炉村。2001年创办，刘同学、倪世刚先后任公司法人代表，主产“香炉冲”牌岳西翠兰。茶叶远销安庆、合肥、上海、山东、广东、北京、上海等地。产品获2004年国际（芜湖）茶博会金奖、2005年中国（安庆）茶博会金奖、2007年中国茶叶学会“中茶杯”一等奖。

岳西县梯岭茶厂 姚河乡梯岭村集体企业，1952年创办，最初生产红茶和黄大茶。20世纪七八十年代，主产炒青和黄大茶。1985年后，主产岳西翠兰。梯岭村是全国一村一品茶叶示范村（2013年），全村人均茶园1.2亩。茶厂年加工销售茶叶1.5万公斤以上，一直在全县茶厂前位。

岳西县花墩畔光茶厂 前身为来榜区花墩公社花墩大队集体茶厂，建于20世纪60年代。1975年建茶叶初制厂制作黄大茶，1977年制作炒青，1985年由王畔光承包经营。2006年更名为岳西县花墩畔光茶厂。茶厂主产品为岳西翠兰、炒青。法人代表王畔光1987年被评为岳西县“茶叶状元”。

岳西振兴茶业有限公司 储昭敏2014年3月创办，主营岳西翠兰、岳西炒青，销往

程东明（左一）在港河滑岭尖茶园（宋根前/供图）

安庆、合肥、沈阳、西安等省内外大中城市，年销茶5万公斤以上，多年稳居县内同行之首。其“鑫荣昌”牌岳西翠兰为“安徽十大品牌名茶”，储昭敏2015年、2016年连续被评为岳西县“双培双带”先进个人。

第七节　现代茶税

新中国成立后，对茶叶主要开征农业特产税、工商税和茶叶改进税。

新中国成立初期，将茶叶产量折算为标准亩产量，按粮田农业税标准征收。1952年征收茶叶改进税，凡属国有公司、合作社、公私联合社、私商，一律征收；所有红绿茶，不论内外销，一律征收。征收标准：毛茶实际收购价格的1%。1954年5月20日，省商业厅文件规定，私商贩运茶叶至销区出售视为非法，群众购买自饮，以5斤为限。

1958年6月3日，第一届全国人民代表大会常务委员会通过《中华人民共和国农业税条例》，1963年3月11日，安徽省颁发《安徽省农业税征收实施办法》，明确对茶叶、制茶用花等农林特产征收农业税，税率9%。在国家收购部门出售的茶叶、竹等农林特产，出售时由收购部门代征；不在国家收购部门出售的部分，由人民公社定期查账征收。

20世纪80年代，岳西县茶叶特产税实际征收标准是收购额的6%。1983年11月12日，国务院发布《关于对农林特产收入征收农业税的若干规定》，对农林特产收入单独征收农业税（简称特产税），茶叶属农林特产应税项目。岳西县茶叶特产税由县财政局及各乡镇财政所征收。1983年、1984年、1985年、1986年，全县茶叶特产税分别征收23.4万元、24.8万元、44.72万元、67.6万元。

1992年，茶叶市场完全放开，价格随行就市，允许多渠道竞争，鼓励长途贩运。当年岳西县税收征收任务100万元（产品税80万元，特产税20万元）。县政府将特产税任务分解到各乡镇，乡镇分解到村组、农户。由于各地茶叶的数据没有准确登记，大多乡镇先清点茶棵，再按茶棵数分摊税额，称为“以棵定亩，以亩定产，以产计收，依率征税，源头控管”模式，一次核定到种茶农户；也有极少数村组按人口分摊。县政府规定，乡镇可提取实收金额的5%作为征收业务费。

20世纪90年代，各乡镇农林特产税额有多次调整。例如，姚河乡农林特产税主要是茶叶特产税，征收任务1992年是1.35万元，1994年是4.9万元，1995年增至25万元。1994年1月30日，国务院发布《关于对农业特产收入征收农业税的规定》，对毛茶等农林特产品收入征收农业特产税：对生产者征收7%，收购者征收16%。

2000年，全国开始农村税费改革试点，下调农业特产税税率，合并有关应税项目。2003年4月1日起，安徽率先取消农业特产税，岳西县农业特产税也随之取消，统一改征农业税。2005年，国务院决定，自2006年1月1日起全面取消农业税，延续了一千多年的课征茶叶税制度至此终结。

在茶叶加工流通领域，国家征收工商税，先征收产品税，后改为增值税。茶叶按其加工程度不同分为“符合《农业产品征税范围注释》部分”和“超出注释范围部分”两种，在《农业产品征税范围注释》范围内的茶叶，一般纳税人销售的按13%的低税率征收。超出范围的一律按正常税率征收。国家规定，对农业生产者自行销售自产茶叶免征增值税。

针对有相当多的加工厂和个人，由于规模小，会计核算不健全，或根本没有会计账目的实际情况，税务部门往往采用核定税额的办法征收增值税，或根据企业开具的销售发票金额征收增值税。

（注：本节内容由宋必硕提供）

第八节　茶叶运输

民国期间，境内老霍山片茶货多利用津浦铁路运销山东，其他地区仍然依托水陆古道运往武汉、南京等地。

1950 年 7 月县供销合作社成立，到 1952 年春，按山区交通情况及乡村区划，相继成立 53 个农村基层供销社。当时绝大多数基层供销社都没有专用仓库，许多地方将祠堂、庙宇、谱馆、民房改为仓库。到 20 世纪 80 年代，供销社茶叶仓储条件得到根本改观。

1957 年前，本县境内物品运输全靠肩挑背驮，“一根扁担两条腿”是当时的真实写照。1950 年成立水吼转运站，1952 年在沈桥设立联运所，1953 年经省供销社批准，本县自制竹筏 3 张，雇工 9 人，成立运输小组，1957 年 8 月成立岳西县城关搬运站。1957 年 11 月，岳西通往境外的第一条公路“岳西—安庆”线通车，县境茶货外运逐步进入汽运时代。到 1960 年，县城到安庆由汽车运输，菖蒲、五河、店前至安庆由竹筏运，县内各茶区到城关依然依靠肩运。运输一般是运方与收方先签承运合同，1951 年价格是：1. 肩运，25 公里以内，每 50 公斤 0.24 元；25 公里以上，50 公里以内，每 50 公斤 0.27 元；50 公里以上，每 50 公斤 0.30 元。1953 年价格略有上调，如衙前到水吼岭单边肩运，每 50 公斤 1.00 元，来去挑每 50 公斤 1.90 元；2. 水运，溪沸—石牌，顺水每 50 公斤 1.00 元，逆水每 50 公斤 1.20 元。店前—石牌，顺水每 50 公斤 1.20 元，逆水每 50 公斤 1.40 元。

1985 年水运全部退出。2015 年后，高速公路、国省县道，四通八达，乡间水泥路到村到组、到户，运输大为便捷。

第八章　行业管理

新中国成立后，茶叶行业管理与服务有政府组织和社会组织两个层面的机构负责。政府组织有农业部门内设的多经站（茶叶局），计划经济时期还有供销社，承担的职能主要是行业管理、技术推广及产品收购；社会组织有协会、联合体等，职能是促进行业自律和提供产销服务。

第一节　茶叶局

岳西县茶叶局，2003年置，副科级建制，县茶叶业务主管机构，隶属县农业委员会。其前身为茶叶站、多种经济作物指导股（站），先前隶属县农牧渔业局、县农业局。2020年撤茶叶局，重置茶叶站，隶属县农业农村局。

新中国成立初期，县政府设置农建科，配备专人指导农业生产。1955年6月，成立县农业局（1955—1996年，曾先后撤并、改名为县农林局、农林水革命领导小组、农业服务站、农牧渔业局），下设农艺组、特产组（茶叶生产归此组）、畜牧兽医组，并在汤池、店前、头陀3区分别设农业科学技术推广站。1956年7月，增建来榜、五河、菖蒲、河图、主簿5个区农技站，配备茶叶技干4人。1960年技术干部下放到队，1962年恢复区农技站，配备茶叶技干5人。1975年，县农林局设多种经济作物指导股，负责全县茶、桑、果、药生产技术推广。县下设汤池、来榜、五河、菖蒲、店前、白帽、头陀、主簿（1971年6月改为东风，1983年2月恢复原名）8个区农业技术推广站，三权（人财物）归县农林局。每站根据区片产业特点，设茶叶、蚕桑、农作、畜牧等技术岗位，配备相应专业技术人员。1986年，全县配备茶叶技干24人，其中农牧渔业局系统19人，县供销社4人，县科委1人，聘农民茶叶辅导员1人。1992年，撤8区并乡，新设11个镇、17个乡，原区农技站撤销，设乡镇农技站，技术干部同步到乡镇站。2003年7月县农业局、县农业经济工作委员会合并，成立县农业委员会。县农业委员会内设茶叶局（行政副科级建制），财编5人，全县有茶叶技干12人。2007年8月，县农技推广体制改革，撤28个乡镇农业技术推广站，成立温泉、石关、头陀、来榜、中关、菖蒲、店前、白帽8个农业中心综合服务站，在石关、头陀、来榜、中关、菖蒲5站同时挂“茶叶服务站”牌。2010年6月，县茶叶局改为事业单位，隶属县农委。2017年8月，撤销中心站，乡镇农业、林业、水利三站合并，分乡镇组建“农业综合服务中心”，三权归乡镇。区站、乡（镇）站茶叶技术业务归县局（站）指导管理，一直未变。

计划经济时期，主要任务是通过试验、示范、推广方式，从技术层面对社队茶叶生产提供指导，如茶园规划建设、茶厂设计施工、制茶指导、茶机研发等。主推梯式茶园建设和“黄”改“绿”技术，主导加工创新，探索新茶品类生产，20世纪60年代创“天堂云雾”新茶。1980年，程东明总结斑竹公社公山大队西湾生产队经验，推广茶树修剪、按标准及时分批采摘、改黄大茶为炒青绿茶配套技术。1980—1985 年，推广密植茶园，推动茶叶机械加工。1983 年，全县建成炒青茶初制厂 126 座，从厂房到机械，全部由县区茶叶技术人员设计安装。

20 世纪 80 年代后，政府工作重心转移，农业经济进入转型期。县政府利用有限的财力，扩大茶园面积，茶叶主管部门在着力扶持、引导农民发展茶园的同时，集中主要力量投入新茶创制。1980 年，从福建省和本省太湖县调茶籽 29 万斤，分发到主簿、头陀、来榜、五河等区，新建茶园 1 万亩。1985 年，自主创制岳西翠兰，被评为全国名茶。20 世纪最后十多年，侧重普及岳西翠兰名茶加工技术，改造低产茶园。

2003 年开始，县委、县政府实施茶叶“二次创业”。茶叶局在县委、县政府及县农委领导下，精心组织指导乡村、企业，大规模发展高标准茶园，提高良种化水平，加快茶叶机械化进程，提高翠兰茶机制率，培育做大龙头，重视茶叶文化建设和品牌宣传推广。

经过几十年努力，岳西有机茶和无公害茶叶生产、茶树无性系良种繁育、茶树机械修剪与采摘、高标准生态茶园建设、翠兰名茶清洁化加工以及夏秋茶生产等技术，得到了广泛推广，形成较为完备的产品系列，内贸外贸全覆盖。与安徽省茶叶研究所、安庆市农业局合作选育出国家级良种“石佛翠”“梦茗”。在茶叶生产、加工、包装、茶机制造等诸多领域，获得了一批国家级技术成果与专利。同时，挖掘出一批有价值的茶叶文化遗存，编纂出版了茶书《印象 · 岳西翠兰》，制定了安徽省地方标准“岳西翠兰茶和生产、加工技术规程”“山地茶园机械采摘技术规程”等一系列技术文件，每年都组织数场大型茶事活动，在北京、上海、杭州、武汉、合肥等城市推介宣传岳西茶叶。

第二节　供销社

供销合作社是由农民筹集股金国家扶持起来的合作经济组织，计划经济时期，主要职能有运销、消费、信用 3 个方面。岳西供销社经营产品有茶叶、蚕茧、方铁、铁锅、粮食、油脂、药材、食用菌、皮张、竹木、草袋、羽毛等。20 世纪 50 年代到 1985 年前后，供销合作社一直是县境茶叶销售主渠道。1957 年，茶叶、蚕茧、生猪等列为统（派）购统销物资，由国家统一收购，并规定“这些物资都由国家委托国有公司和供销社统一收购，不是国家委托的商店和商贩，一律不准收购”。由于资金不足，在 20 世纪 50 年代，县供销社采取“代营为主，自营为辅”的方法，对大宗商品粮食和茶叶，分别给中粮公司和中茶公司代购，从中获取一定手续费。1980 年，全县产茶 365.3 吨，除群众自饮，全部由供销社收购销售。

供销社对农副产品的购销模式是，依靠基层供销社及其下设的收购点、双代店（代购代销）的零星收购，交县土产公司统一对外销售。茶叶是“二类”物资，按计划统一销售（调拨）。茶叶种苗、茶机，也由县土产公司统一购进，调往各基层社销售。

供销社在行使茶叶主渠道收购职能的同时，还承担了部分支持生产发展的工作。1952 年，在历史产茶地区菖蒲、茅山、五河、桃李、虎厂、朱屋、店前、汤池，拨专项资金、粮食，组织试制绿茶、红茶出口，在黄尾、沈桥、五河、朱屋四处，各建一座茶叶加工厂。1982

年县供销社出资，在老街建花茶厂试制花茶，茶厂设计生产能力 1500 担 / 年，从外地购进茉莉花 6.12 万盆，1983 年又购进茉莉花 7.12 万盆，白兰花苗 759 株，珠兰花苗 10 盆，后因岳西气温低，花苗不能越冬而失败。1985 年，先在温泉应冲试制红茶，进而将红茶试制点扩大到 22 个，从贵池茶厂请来红茶师傅，分派各点传授技术。

1984 年，全面取消“统购”“派购”“统销”。1997 年，供销合作社改制，解散基层社，茶叶流通市场化，供销社茶叶销售退出主渠道，相应行业管理服务也同时停止。

第三节　行业协会　联合体

县茶叶行业协会　2002 年 10 月，县农委、县农技推广中心发起成立岳西县茶叶行业协会，会员有茶叶技术干部、各农技站推选的茶厂负责人、种植销售大户、县内外知名主销岳西翠兰的茶店负责人，共 120 余人。创会宗旨是：凝聚社会力量，打造翠兰品牌。对内抓基地发展、品质提升、挖掘文化，对外宣传推介、扩大影响。11 月，协会名誉理事长胡颂扬带队前往皖南及浙江茶区考察，协会秘书长钱子华执笔写成《新昌、休宁、石台三县茶产业考察报告》，提出岳西实施茶业“二次创业”，得到县委采纳。2002—2010 年，每年召开一次会员代表大会，会员 400 余人。协会经常开展茶叶评比，组织考察交流。2006 年 1 月 7 日，国家工商行政管理局商标局核准“翠兰”商标由县茶业协会持有。2008 年 2 月，“岳西翠兰证明商标”由国家工商行政管理总局商标局核准注册；2013 年 12 月，国家质检总局发布第 175 号公告，批准对岳西翠兰实施地理标志产品保护。商标持有人均为县茶业协会，协会按规定授权有条件的企业使用。2021 年，全县有 49 家企业获得授权。

茶农协会　2000 年后，县内出现由茶厂、茶农自发组成的合作组织——茶农协会。2003 年后，县委、县政府积极引导支持茶产业发展，并列入对乡镇的目标考核，茶农协会迅速发展。2005 年，全县 110 个村成立茶农协会。协会多由村委会或村支部牵头，以加工销售企业（茶厂）为骨干，以茶叶农户为成员，制定规约，规范茶园管理、茶叶采摘行为，其治理结构大体是“四统（统一技术指导、统一加工、统一包装、统一销售）两分（分户管理、分户采摘）”，茶农鲜叶卖给茶厂，按质论价。后因这种运行机制过于松散，多数自行解体。

茶农合作社　2006 年《中华人民共和国农民专业合作社法》颁布，茶农专业合作社兴起，多以茶厂为核心，周边茶农为成员，有管理公共事务职能的单位不能加入。

联合体　2015 年 1 月，良奇公司、翠兰公司率先组建茶叶产业化联合体。2017 年 8 月，碧涛茶叶产业化联合体组建，同年，石翠生态农业公司组建石翠有机茶联合体。茶叶产业化联合体是一种新型农业经营主体，由核心企业、合作社和家庭农场（大户）组成。通过公约约定茶园基地管理规程、茶厂加工工艺，规范生产加工行为；通过协议确定核心企业与合作社、家庭农场（大户）间的产品购销关系和双方权利义务。

第四节　公用品牌管理

茶叶品牌现象由来已久。历史上，通过生产者、消费者口口相传，或者通过商贩自己悬挂招牌，使得岳西许多茶叶“品牌”（茶地名、茶店名），如包家河、石佛寺、香炉冲、闵山、同茂合、恒兴等，盛传于世。20 世纪 80 年代后，市场经济取代计划经济，“认牌购物”蔚然成风，政府与企业顺势而为，共同扛起打造与维护本县茶叶品牌的重任。

岳西茶叶的公用品牌是经国家注册的“岳西翠兰”，委托县茶业协会维护管理。品牌意义上的岳西翠兰茶叶，是指经县茶业协会授权经营的企业、采用岳西当地茶叶鲜叶为原料、按照岳西翠兰加工工艺生产出的茶品。

1991 年，岳西县名茶公司完成注册“翠蘭”商标；2000 年，事业性质的名茶公司改制，“翠蘭”商标由县名茶公司转让到岳西县神雁公司；2005 年 3 月，县政府与神雁公司达成协议，“翠蘭”商标由神雁公司转让于县茶业协会，2006 年 1 月，国家工商行政管理局商标局核准“翠兰”商标转让于县茶业协会。2008 年 2 月，“岳西翠兰证明商标”由国家工商行政管理总局商标局核准注册；2013 年 12 月，国家质检总局发布第 175 号公告，批准对岳西翠兰实施地理标志产品保护。“岳西翠兰证明商标”和“岳西翠兰地理标志保护产品”商标，都是岳西县茶叶公用品牌，其法定持有人均为岳西县茶业协会，县茶业协会承担商标维护管理职责，按条件授权岳西茶叶企业使用。经中国茶叶区域公用品牌价值评估课题组评估，2021 年，岳西茶叶公用品牌“岳西翠兰”的品牌价值 19.65 亿元。

除“岳西翠兰证明商标”“岳西翠兰地理标志保护产品”商标外，自 2005 年起，以县茶业协会为主体，陆续对全县茶园进行“无公害农产品（茶叶）产地认证”申报，并获准通过。

岳西翠兰获地理标志保持产品商标、商标注册证、无公害产品标识

第九章 科技教育

科技进步与人才培养，是产业发展的根本引擎。在漫长的历史进程中，岳西茶叶在众多农产品中脱颖而出，成为造福一方的支柱产业，其中最重要的动力，就是一代又一代的岳西人，孜孜不倦，不断探索，不断创新与传播技术，引领茶业发展。

第一节 科技成果

新中国成立后，党和政府十分重视农业科技工作。岳西县成立了相应机构，配备专业人员，服务生产，研究推广新技术、新品种，取得了诸多成就。20世纪50—70年代，持续推进的黄（黄大茶）改绿（炒青绿茶）、丛（茶粮间作，散种丛植）改条（专业条植）、坡（旧式顺坡种植）改梯（新式梯地）、手工（做茶）改机制（机械制茶），使本县茶叶面貌得到了根本改观。1980年后，国家经济体制进行改革，茶叶生产潜能得到进一步释发，岳西茶叶在新茶创造、良种选育、茶园建设、茶叶加工、茶机生产等多方面、多领域，均取得了前所未有的成果。

新茶创制

20世纪60—80年代，重点引进推广炒青绿茶加工技术，减少黄大茶生产，史称“黄改绿”。程东明创《炒青绿茶感观分级标准口诀》，易记易行。到1985年，实现8个区62个乡镇炒青绿茶初制厂的全覆盖，岳西炒青成为大别山区出口“舒绿”拼配骨干。

1958年，以一芽二叶初展鲜叶，通过杀青、揉捻、烘焙而创制的“天堂云雾”，入选岳西县“国庆十周年献礼产品”，1980年前后，该茶还有少量生产。

1983年起，以一芽二叶初展鲜叶，创制岳西翠兰，1985年获得成功，获“优质农产品”称号，被评为中国新名茶，1986年获安徽省农业厅科技进步奖。在市场和政府共同推动下，茶区纷纷变革，由过去加工普通炒青及黄大茶，改为生产岳西翠兰名茶，岳西翠兰加工技术迅速推广开来，翠兰茶也成为本县最大特色农产品。这就是岳西茶叶史上著名的“普”（普通茶）改“优”（名优茶）。

1992年，县农牧渔业局多经站与安庆市农业局经作站合作，又以一芽一叶初展鲜叶，通过改进制作工艺，创制出岳西翠尖，在同年的安徽省名茶评审会上，获“省优质农产品”称号，1995年获全国第二届农博会金奖。2002年在石佛冯立彬茶厂以单芽为原料创制出岳西翠芽。至此，岳西翠兰系列产品形成。

20世纪90年代后，一些茶厂、企业自主创制的茶叶，如绿月、兰芽、翠螺、岳西老枞、岳西红茶、白茶、乌龙茶等，也具有其独特风格。

详情参见第五章第三节《名优茶加工》。

良种选育

1989 年，省科技厅实施《安徽省特早生茶树新品种选繁及其应用配套技术研究》课题。安徽省农科院茶叶研究所、安庆市经济作物工作站、岳西县农牧渔业局联合，在岳西选育茶树良种，方向是“优质、高产、多抗、适制岳西翠兰”。江济和、汪士杰、查道生、荣光明等，从调查资源、筛选单株入手，在来榜、包家选出单株 4 棵，挂牌标记，称 8901、8902、8903、8904。1990 年，汪士杰、查道生在包家石佛大坪组老茶园又选出 5 个单株，分别标号 901、902、903、904、905。1990 年秋在包家石佛寺、来榜花墩两地扦插初繁，每品系 3000~5000 株。1991 年淘汰 4 个，保留 8902（来榜花墩村）、8903（包家石佛村）、8904、901、905（包家石佛村）共 5 个品系。

1992—1999 年，省农科院茶叶研究所汪士杰与安庆市农业局查道生在关键季节驻点中关土星茶场（现岳西县石佛翠茶叶有限公司），与岳西县农业局多经站荣光明等，布置品比试验园，建母本园，在东至县茶树良种场建区试园，开展产量、品质、抗性测定、种苗繁育等一系列研究工作。

1996 年 9 月，经省科技厅论证列入安徽省“九五”期间农业科技攻关项目，继续试验观察。2000 年，安徽省农作物品种审定委员会定石佛翠（原标号 8903）、石佛香（原标号 905）两个品种，为省级茶树良种。2003 年，石佛翠、石佛香、901 三个品种参加全国区域试验。2010 年，经全国茶树品种鉴定委员会审定，石佛翠为国家品种。2014 年，标号 8902 茶树品种通过鉴定，成为国家级茶树良种，定名梦茗。

详情参见第三章第四节《良种繁育》。

茶树栽培

高标准茶园

高标准茶园概念由县农业部门提出，2003 年县茶叶局制定技术细则，要求选地、建园、品种、种植、管理等都坚持高标准，最后实现高效益，并在全县大规模推广。

2004 年底到翌年春，全县按高标准要求新建茶园 1.28 万亩，其中无性系茶园 1.01 万亩，栽植无性系茶苗 3715.4 万株；茶籽直播茶园 0.27 万亩，播茶籽 8.39 万公斤。2005 年 7 月份抽查验收，茶苗成活率、茶籽出苗率均在 90% 以上。2006 年 7 月份抽查验收，成园率达 95%。岳西高标准茶园建设做法得到省市业务主管部门充分肯定，并在全省茶业会议上做经验交流。

有机茶

包家乡石佛村石佛寺茶园是我国首个按欧盟标准建立的有机食品生产基地。1996 年，头陀水保开发公司部分茶园获有机（天然）食品转换认证。2001 年，县神雁公司获有机认证茶园 5500 亩。2016 年，石佛寺茶园由安徽省石佛寺生态农业开发有限公司完成有机食品持续认证。

1995 年我县有机茶生产开始起步，县环保局内设项目办主导推进。1996 年 5 月 9 日，国际有机农业运动联盟首席咨询师特戴尔 · 卡尔达斯，到石佛寺茶园考察评估有机茶园发展工作，1997 年岳西县被列为中德 GTZ 合作项目“中国有机农业发展”试点县（1998—

2002），开发有机茶和有机猕猴桃等，包家乡石佛寺茶园被环保部有机食品发展中心与德国国际合作机构 GTZ 项目组定为“有机农业发展试点示范基地”（1997—2003）。1998 年 1 月 6 日，受德国政府委托，GTZ 公司派遣以裴兰芝博士为首席代表的专家组抵达岳西，对中德合作有机农业开发项目启动情况进行考察。1998 年 2 月，国家环保局有机食品发展中心和德国 GTZ 公司合作执行 3 年，石佛、石关和鹞落坪 3 地开始实施中国贫困地区有机农业开发项目。

在中德 GTZ 合作项目专家的指导下，1999 年石佛村茶园组 154 亩茶园通过有机转换，2001 年获正式认证。2011 年，石佛村茶园组茶园由安徽省石佛寺生态农业开发有限公司流转经营，该公司坚持有机农业理念，严格按照有机茶要求从事生产加工。2016 年 5 月，完成有机食品持续认证。

2017 年，正值岳西有机茶发展 20 周年之际，环保部有机食品发展中心主任肖兴基重返岳西考察，感触良多，称岳西县是当之无愧的“中国有机农业的摇篮”。

第二节　培训教育

农村培训

茶叶产业发展的主体是农民。开展农民培训，不断提高农民茶叶技术运用水平，一直是政府推动农业工作的重要抓手。

民国时期，政府腐败，战乱频仍，茶叶产业凋敝，当局在技术培训推广上无所作为。新中国成立至 20 世纪 80 年代前期，本县茶叶作为农村“多种经济”中的一种，受到重视。1958 年毛泽东主席发出“以后山坡上要多多开辟茶园”的号召，全县茶叶生产出现蓬勃发展的态势，茶园的新建与改造，茶叶的“黄”改“绿”，“绿”改“红”，手工改机械等方方面面的生产需求，使得新的技术培训推广被提上日程。这时的培训工作责任主体，是农业技术部门所属相应股站（如多种经济作物指导股，简称“多经股”）和区农技站。由组织安排，在县级由农业局负责，县级以下由公社或大队负责，技术人员于课堂或茶山茶场示范讲解。

20 世纪 80 年代中后期，尤其是全国名茶岳西翠兰诞生初期，以及 2000 年初全县茶叶“二次创业”期间，为适应名茶生产和大规模高标准茶园建设需要，培训场次更为密集，范围更加广泛。全县每年由县（区）乡茶叶技术人员主讲的培训班超过百场次，参训人员数千人次。

2003 年 7 月，县农业局与县农村经济工作委员会合并成立县农业委员会，2019 年组建农业农村局。农业委员会、农业农村局设科教科（科教与信息中心）和农业广播学校，茶叶培训工作逐步转由科教科及农广校承担。20 年间，结合国家项目，先后组织“阳光工程培训”“新型农民培训”“脱贫致富带头人培训”“特色种养业自种自养贫困户培训”“贫困人口技能培训”等，培训对象由过去的单一农民扩大到企业员工、在校学生及干部等。培训内容也由过去的单纯技术培训，扩展为包括茶叶的生产加工创新、营销、电商、标准、质量认证、检测、品牌、文化、政策法规等在内的全面素质培训。与此同时，县党校、工会、妇联、共青团等组织团体，非政府就业技能培训学校等社会机构，也不时组织相关人员，加入全县茶叶培训“大合唱”之中。

2012 年，中央一号文件首次提出大力培育新型职业农民。之后，中央连发 5 个“一号文件”，对新型职业农民培育工作做出部署。2014 年，农业部联合财政部启动实施新型职业农民培育工程，在全国遴选 2 个示范省、4 个示范市和 300 个示范县，岳西县入选 300 个示范县之列。2016 年安徽省将新型农民职业培训纳入民生工程，2018 年列入《安徽省乡村振兴战略规划》。县农业部门于 2014 年开设 2 个茶叶专业班，培训 100 人，2015 年、2017 年、2018 年、2020 年、2021 年，各开设 1 个茶叶专业班，每班培训 7~10 天，50~60 人。从 2017 年起，岳西县开展自种自养贫困户特色种养业培训，2017 年培训贫困户 100 人，2018 年培训 120 人，2019 年培训 137 人，2020 年培训 120 人。

职业教育

早在 20 世纪 60 年代，岳西县农业部门就通过举办茶叶栽培与加工技术短训班，培养茶叶技术人才。真正的职业教育，开始于 20 世纪 80 年代末。

20 世纪 80 年代后期，岳西县农业多种经营快速发展，茶叶和桑叶种植面积扩大，涌现出许多种植大户，生产发展急需大量专业人才。顺应形势需要，岳西县来榜高级职业中学、岳西县菖蒲高级职业中学于 1988 年和 1989 年，分别开办茶桑专业中专班，培养茶叶和蚕桑专业人才。此时，茶叶专业和蚕桑专业合并授课，属于多种经营类。2007 年，来榜高级职业中学、菖蒲高级职业中学、岳西县高级职业中学合并成立岳西县职教中心（2016 年更名为安庆大别山科技学校）。2010 年，学校与安徽翠兰投资发展有限公司联合创办“徽畅茶叶班”（后更名“翠兰茶叶班”），茶叶专业开始独立办班，年均招生 50 人。安庆大别山科技学校有茶叶专业教师 12 人，学校实训大楼内建有茶叶生产与加工专业校内实训基地（2014 年确定为安徽省重点实训基地）1 个，建筑面积 1000 平方米，设施设备价值 500 万元，包括生物实验室、农化实验室、种子检验实训室、茶艺实训表演室、手工制茶室、茶叶评审室等实训室；通过校企合作建有校外实训基地 4 个。茶叶专业、茶叶实训基地、茶叶专业名师工作坊、手工制茶赛点，在 2016 年立项成为安徽省重点示范建设项目。

岳西县职教中心首届徽畅茶叶班合影（三排左起第四为职教中心胡天旷校长，三排左起第五为翠兰公司崔栋梁董事长）（翠兰公司 / 供图）

2010—2021 年，学校累计培养全日制茶叶专业毕业生 1000 余人，对口升入本科院校 150 余人（其中 6 人通过技能大赛免试升入本科院校）。安庆大别山科技学校茶叶班学生多次参加各类技能大赛，截至 2018 年，累计获得全国中职学校学生手工制茶技能大赛二等奖 3 个、三等奖 5 个；获得安徽省中职学校学生制茶技能大赛一等奖 7 个、二等奖 12 个、三等奖 16 个。2013 年协助岳西县农委成功承办第三届大别山区名优茶传统工艺制作大赛暨第五届岳西翠兰茶王大赛；成功承办 2014 年安庆市第十届中职学校技能大赛手工制茶赛项竞赛；2016 年协助县农委成功举办第九届大别山映山红文化月（安徽·岳西）手工制茶大赛；2016 年与县文物局、文化馆共同举办“体验非遗文化，品味翠兰茶香”弘扬岳西优秀文化遗产主题活动；2017 年与县农委共同举办岳西县第三届中职学校手工制茶技能大赛。

（注：本节资料由县农业农村局吴传发、安庆大别山科技学校程冬青提供）

第十章　茶业扶贫

1978 年，按国家确定的贫困标准，岳西县有贫困人口 31.3 万人，占全县农业总人口的 95%，农民年人均纯收入 63 元，为全国平均水平的 47.2%。1985 年，岳西被列入全国和全省重点贫困县。1986—2014 年，全县进行多次大规模贫困人口建档。1986 年，建档贫困人口 60752 户、247020 人，占农业人口的 75.8%。1993 年，建档贫困人口 36675 户、162110 人。1999 年，建档贫困人口 23673 户、103618 人。2002 年底，全县贫困人口为 17.56 万人，占农业总人口的 48.9%，其中绝对贫困人口 4.5 万人，低收入人口 13.06 万人，农民年人均纯收入 1448 元，为全国平均水平的 58.5%。2014 年，建档立卡贫困户 36367 户、110473 人，贫困村 65 个。

岳西县贫困的原因主要有四点：一是在战争年代捐躯的革命烈士及战争死难者约占当时总人口的四分之一，导致青壮年劳力严重匮乏，造成发展基础弱；二是岳西是纯山区县，交通不便，信息闭塞，各种生产要素难以高效地融入市场；三是自然灾害频发，农业基础薄弱，传统粮油作物抵御自然灾害能力差，适应性较好的茶叶等项目规模小，造成农村经济发展缓慢，农民收入增长不明显；四是岳西贫困人口主要分布在生产、生活条件差的村落，且劳动力素质偏低，农户家底薄弱。刚刚越过温饱线的低收入家庭遇到家人生病，孩子上高中、大学，往往陷入贫困或出现返贫，有的贫上加贫。

第一节　茶业扶贫措施

茶叶是岳西山区最具优势的项目。开展扶贫以来，县委、县政府一直把茶业发展当作重点工作，强力推进。1986 年，县委决定茶、桑、牛为“优先发展的扶贫项目”，1991 年，作出“一切为了脱贫致富”的决定，着重打造茶、桑、药三大支柱产业。进入 21 世纪，以脱贫攻坚为主调，茶叶作为“农民增收第一渠道”，多措并举，推动发展。

组织保障

1986 年，县委成立革命老区、贫困山区工作领导小组。1988 年，县政府成立县革命老区、贫困山区工作领导小组办公室，挂靠县政府办公室，为科级机构，编制 5 名。1991 年，县革命老区、贫困山区工作领导小组办公室更名为县革命老区、贫困山区经济开发办公室，1993 年，更名为县扶贫开发领导小组办公室。

2002 年，县成立茶叶产业化建设指挥部，分管副县长为指挥长，下设办公室（在农牧渔业局）。2004 年，县委成立岳西县茶叶产业化建设工作协调领导小组，县委书记任第一组长，县长任组长，县委副书记、县政府副县长任副组长，县农委主任任办公室主任。2017 年，调整县脱贫攻坚指挥部产业扶贫工作组，县政府分管副县长为组长，县农委主任任副组长，下设办公室和 8 个工作组，其中茶叶产业扶贫工作组设在茶叶局，县农委分管副主任为组长。2021 年，实行茶叶产业链长制，县委副书记任链长。

制定规划

“七五”期间制定《岳西县扶贫规划》，“八五”期间制定《岳西县扶贫攻坚计划》，“九五”期间制定《岳西县扶贫攻坚一次性计划》，“十五”期间制定《岳西县扶贫开发“十五”规划》，“十一五”至“十四五”期间，每个五年计划都围绕扶贫攻坚展开。在各个五年规划框架内，均有相应的茶产业五年扶贫规划。2004年，根据县主要领导指示，县茶叶局制定《安徽省岳西县2004—2015年茶产业发展总体规划》。2015年，岳西县扶贫开发办公室发布《关于印发岳西县十大产业扶贫规划（2015—2018年）的通知》，明确至2018年全县新建茶园1.5万亩，改造低产茶园6万亩，新扩建标准化茶叶加工厂20座，带动贫困户1.48万户脱贫的目标任务。

建立责任制度

1999年，县委、县政府制定扶贫开发五大责任制，即党政“一把手”负责制、县干联系乡镇责任制、县直单位包村帮扶责任制、党员干部与贫困户结对帮扶责任制、检查监督考核制。2004年，县委强化乡镇茶叶发展主体责任，年度综合考核权分提高到25分（总分100分）。2016年，县委、县政府实施三级包保制，县干包乡镇、县直单位和企业包村、干部包户，确保精力聚集精准。2018年，实施科技扶贫包村联户指导制度，安排农技人员188名联系188个村（社区），每人最低联系2户贫困户，确保每个村茶产业扶贫均有技术干部联系，实现科技示范包村联户全覆盖。

落实扶贫措施

强化财力支持　资金来源有中央财政发展资金、以工代赈资金、国家扶贫贴息贷款、省现代农业项目资金、省特色种养业资金、社会帮扶资金，以及国家、省、市、县其他可用资金。自2003年起，县政府整合各种资金，集中支持茶产业发展。对贫困户新发展茶园和改造低产茶园分别按照800元／亩~2000元／亩和100元／亩~500元／亩的标准给予补助；优先支持贫困村建标准化茶厂；培育壮大新型农业经营主体，支持企业到村实施项目，增加村集体经济收入，带动农户获得土地流转、股金分红、劳务、订单等收入；将茶园、茶厂纳入保险范围，实施特色种养业扶贫建档立卡贫困户保险费全部由财政承担；对带动5户以上的新型农业经营主体，包括价格保险在内的新型农业经营主体保险费，县财政补贴80%，主体承担20%。2017年，现代农业项目支持建茶园6889.5亩，安排贫困村和面上贫困户共建5245.8亩，占当年总建面积的76%。据统计，2016—2020年，岳西县累计投入资金2.58亿元，用于产业扶贫、发展特色种养业，其中50%以上用于茶产业。

依靠技术支撑　长期与中茶所、安徽农业大学、安徽省茶叶研究所、国家茶产业技术体系安庆试验站合作，依托上述院校站所和县茶叶局技术人员，组成专家组，为茶业扶贫提供技术支撑；印发茶叶技术手册，开展茶叶培训，提供菜单式服务。2015—2020年，共印发茶叶技术资料5万余份，培训贫困户6.59万人次。在全县重点产茶乡镇、村组建茶叶专业化服务队，2015—2018年，组建41支茶叶专业化服务队，对每个服务队开展扶贫服务活动，购置必需设备给予10万元补助。服务队优先吸纳贫困户为队员，降低收费标准或免费为贫困户开展茶园机械化管理、收购和帮助销售产品。

创新扶贫模式　1986年，县委、县政府支持县罐头厂、县丝绸厂、县名茶公司，明确以“企业＋农户”方式带动农村脱贫。1989年，省市41个单位入驻岳西乡村帮扶。2017年起推进“四带一自”产业扶贫，即引导园区、龙头企业、农民合作社和能人大户带动脱贫，激发内生动力，促进贫困村、贫困户自我发展。2018年，全县创省级以上茶叶示范乡镇2个（菖蒲、姚河），建立茶叶扶贫示范基地182个，发展省级现代农业（茶叶）示范区1个（菖蒲），创建市级以上茶叶产业化龙头企业21家，茶叶合作社404家，其中县级以上示范社55家（国家级2、省级7、市级29、县级17）；茶叶家庭农场339家，县级以上茶叶示范家庭农场46家（省级12、市级10、县级24），园区和龙头企业、合作社结对帮扶65个贫困村，通过务工、订单、入股等方式直接带动贫困户约2.5万户，户均增收4200余元。1990年，中国石化开始对口扶贫岳西，2002年后，每年派干部挂任副县长，累计投入帮扶资金4200多万元，先后建茶园基地2400亩，茶叶加工厂10座，带动一批农户增收。

探索茶旅融合　利用岳西自然及人文资源优势，探索茶产业与旅游休闲、健康养生有机结合，发展茶乡旅游。2020年，全县创有妙道山、石佛寺、香炉冲、司空山、大别山彩虹瀑布、明堂山、天峡、大别山自行车骑行基地、天仙河等茶旅结合景点，创建国家AAAA级旅游景区5个、省优秀旅游乡镇10个、乡村旅游示范村18个。2014年，农业部首批茶叶标准园区水畈村成为美丽茶叶庄园，被评为“中国十大最美乡村”；2016年，包家石佛寺有机茶园入选“全国三十座最美茶园”；2017年，岳西“茶叶＋休闲农业”模式入选全国18个“一县一业”农产品加工发展典型，同年，岳西列入全国茶乡旅游特色区；2021年，岳西“亲山茶路·云上之旅”评为中国百条红色茶乡旅游精品路线，姚河乡梯岭村集体茶园被评为中国茶产业T20最美生态茶园，来榜镇、石佛村入选首届安徽美丽茶镇、茶村。

靓化茶叶品牌　1985年起，岳西县锲而不舍地靓化岳西翠兰品牌，扩大其影响。连续以开展旅游文化月活动为抓手，以“好山好水好翠兰”为主题，在省内外大中城市开展宣传推介；在北京发布岳西翠兰歌曲《翠兰说》，出版茶书《印象·岳西翠兰》，在中央电视台第七套节目做《巍巍大别山　岳西翠兰茶》专题广告，在高速路竖立翠兰广告牌；参加中国国际茶博会和全国或世界茶叶评比活动；不断组织企业参加合肥、上海、济南、青岛、北京、西安等茶博会，开展宣传推介；县主要领导开视频直播，参加国际茶咖对话，支持重点乡镇开展茶文化宣传月活动。这让以岳西翠兰为代表的岳西茶品牌，进一步深入人心。

第二节　扶贫成效

经济成效

1985年，岳西被列入全国和全省重点贫困县，2018年8月10日，安徽省政府正式批准岳西县退出贫困县行列，岳西成为全省首个“摘帽”的国家级贫困县，实现了3.6万多户贫困户脱贫，65个贫困村出列，贫困发生率降至0.98%，实现村村有产业、家家住新房、人人有保障的目标。这其中，茶产业发挥了巨大的作用。1983年，全县茶叶加工厂126座，1985年，全县茶园5.34万亩，茶叶总产量499.2吨，产值172万元。2020年，全县茶园面积18.29万亩，开采面积16.28万亩，中小型清洁化茶叶加工厂500余家，茶叶产量6100吨，产值7.32亿元，出口1980吨，综合产值20.43亿元，岳西翠兰品牌价值19.63亿元，进入全国40强。三品（有机、绿色、无公害）认证总面积16.2万亩，占总面积的93%。茶叶线上销售、休闲观光、体验、品鉴、茶文化等新业态发展迅速。“十三五”期间，全县茶产业扶贫新建茶园1.8万亩，改造茶园9万亩，新建标准化茶厂74座，新建茶叶保鲜库15座。全县约2.9万户贫困户、8.7万贫困人口从事茶叶生产，户均茶叶增收2670元。

2020年底，全县65个贫困村中有51个贫困村人均茶园面积超0.5亩，占贫困村比例的78.5%，达到省级贫困村发展标准。全县发展县级以上“一村一品”茶叶示范村43个，其中13个贫困村达到省级“一村一品”发展标准。

社会影响

岳西县茶业扶贫成效显著，得到各级充分肯定，社会影响广泛。

2006—2020年，岳西成为全国茶业百强县、中国名茶之乡、全国重点产茶县、全国茶乡旅游特色区、中国十大生态产茶县、国家绿色发展先行区，安徽茶业十强县、安徽省首批特色农产品优势区。2019年，县农业农村局、茶业协会获安徽产业扶贫先进集体称号。岳西翠兰成为国宾礼茶、全国“两会”用茶，获“国家地理标志保护产品”、中国茶叶区域公用品牌“最具经营力品牌”荣誉称号，多次获中国名茶（中茶杯、国饮杯等）评比、茶业博览会金奖、特等奖。

2017年，岳西茶叶发展被评为全国“一县一业”扶贫典型。2018年10月，岳西县菖蒲现代农业示范区（茶叶），被评为2017年安徽省产业扶贫先进典型，入选全省产业扶贫十大园区之一。“岳西翠兰：大别山茶叶助‘断穷根’”入选2016年全国产业扶贫范例。《多措并举齐发力，求实效促脱贫——岳西县“六抓六促”推进特色产业扶贫》《一片叶子一份情，扶贫路上献真心——岳西县仲春家庭农场有限公司产业扶贫纪实》，作为典型经验分别在2017年《安庆市特色种养业扶贫简报》第3期、第4期发表。岳西县山水间农民

冶溪镇琥珀村茶叶人家（来源：岳西网）

专业合作社选送的《奉献家乡的带头人——王世遐》入选《安徽省百家农民合作社产业扶贫典型汇编》。2019 年 5 月，岳西茶业扶贫事迹被“第三届当代中国茶文化发展论坛”作为“全国县域茶产业创新发展案例”印发。2020 年 11 月，《茶树长出“金叶子”——茶叶扶贫》入选由国务院扶贫办组织编写、中宣部 2020 年重点出版物《中国脱贫攻坚：岳西故事》。

在全省县级脱贫攻坚年度责任目标考核中，岳西县脱贫攻坚工作 2017—2020 年连续 4 年进入“好”的等次。2021 年 2 月，中共岳西县委获“全国脱贫攻坚先进集体”称号。

第二篇

茶文化

岳西产茶历史悠久，茶文化自古繁荣。茶诗、茶联、茶戏、茶歌，唐宋即有，清后更多，到了当代，更是无以数计，许多佳作早已脍炙人口；历史留下的物态遗存，记录了本地大量珍贵茶文化“密码”，有宋代古茶场、明清古茶园，有涉茶地名 50 多处，有交错纵横的山间古道，古道沿途有古茶亭 60 多座。它们在近 2400 平方公里的岳西大地上，缀珠散玉，熠熠生辉。

第十一章　诗词　楹联　书画

第一节　诗词

1. 李绅

废虎坑有序

霍山多虎，每岁采茶为患，择肉于人。至春常修陷阱数十，所勒猎者，采其皮睛，余悉除罢之。是岁，虎不复为害。

匪将履尾求兢惕，那效探雏所患争。
当路绝群尝诫暴，为猫驱狝亦先迎。
每推至化宣余力，岂用潜机害尔生。
休逐豺狼止贪戾，好为仁寿答皇明。

虎不食人有序

霍山县多猛兽，顷常择肉于人。每至采茶及樵苏，常遭啖食，人不堪命。自太和四年至六年，遂无侵暴，鸡犬不鸣，深山穷谷，夜行不止。得摄令和篆状称，潜行县乡，村正赵珍夜归，中路与虎同行，至家竟无伤害之意。

南山白额同驯扰，亦变仁心去杀机。
不禁牛令甘买患，逸遭狐假妄凭威。
渡河岂适他邦害，据谷终无暴物非。
尔效驺虞护生草，岂徒柔伏在淮淝。

注：李绅，生卒不详，唐代寿春守。诗见清光绪《霍山县志》。

2. 薛能

谢刘相寄天柱茶

两串春团敌夜光，名题天柱印维扬。
偷嫌曼倩桃无味，捣觉嫦娥药不香。
惜恐被分缘利市，尽应难觅为供堂。
粗官寄与真抛却，赖有诗情合得尝。

注：薛能（817—880），字太拙，河东汾州（山西汾阳县）人。晚唐大臣，著名诗人。会昌六年（846）进士及第，历任三镇从事，累迁嘉州刺史、各部郎中、同州刺史、工部尚书，先后担任感化军、武宁军和忠武军节度使。广明元年（880），为许州大将周岌所逐，全家遇害。癖于作诗，著有《薛能诗集》十卷、《繁城集》一卷。本诗见于《全唐诗》。

3. 秦韬玉

寄谢天柱山茶

天柱香芽露香发，烂研瑟瑟穿荻篾。
太守怜才寄野人，山童碾破团团月。
倚云便酌泉声煮，兽炭潜然虬珠吐。
看著晴天早日明，鼎中飒飒筛风雨。
老翠香尘下才熟，搅时绕箸天云绿。
耽书病酒两多情，坐对闽瓯睡先足。
洗我胸中幽思清，鬼神应愁歌欲成。

注：秦韬玉，唐代诗人，生卒年不详，字中明，京兆长安（今陕西西安）人，或云郃阳（今陕西合阳）人，出生于尚武世家，父为左军军将。少有辞藻，工歌吟，却累举不第，后谄附当时有权势的宦官田令孜，充当幕僚，官丞郎，判盐铁。黄巢起义军攻占长安后，韬玉从僖宗入蜀，中和二年（882）特赐进士及第，编入春榜。田令孜又擢其为工部侍郎、神策军判官。时人戏之为“巧宦”，后不知所终。作品见《全唐诗》。

4. 王毗翁

焙　茗

露蕊千千才吐碧，即防叶老采须忙。
家家篝火山窗下，每到春来一县香。

注：王毗翁，明万历年霍山县令。诗见《中国茶诗》，霍山旧志亦有录。

5. 朱襄

采茶词

谷雨后十日，贡茶装载已催毕。谷雨前十日，采茶奔驰敢偷逸？采茶上山争唱歌，歌声欢少愁较多，一枪一旗有几何？

注：朱襄，生卒年及生平不详，诗见清嘉庆《霍山县志》。

6. 陈燕兰

霍山竹枝词十三首（录其四）

（一）
春雷昨夜报新芽，雀舌银针尽上衙。
柳外龙旗喧吹鼓，香风一路贡新茶。
（二）
近城百里画茶山，贾客腰缠到此间。
新谷新丝权子母，露芽摘尽泪潸潸。
（三）
布谷声声唤插秧，映山红夹蕙兰芳。
小姑采茶下山去，携赠东邻新嫁娘。
（四）
娘在檐下自擘麻，爷常出外贩新茶。
大儿担柴街头卖，小女荷锄学种瓜。

注：陈燕兰，生卒年及生平不详。诗见嘉庆《霍山县志》。

7. 郭维祺

竹枝词步前韵（选）

一路如拳长蕨芽，乱红影里散蜂衙。
白茅紫笋寻常者，怎似银针雀舌茶。

注：郭维祺，清人。诗录清《霍山县志》。

8. 王士禛

霍山新茗

几日轻车路，新茶到广陵。
芳生江北味，蕊摘雨前针。
烹藉寒山雪，尝招野寺僧。
别炊香饭熟，幽兴一时增。

注：王士禛，又名王士祯，号渔阳山人，世称王渔阳。清初著名文学家、诗人、诗词理论家，长七绝，其《渔阳绝句十二法》尤为后世推崇。本诗见清光绪《霍山县志》。

9. 潘际云

春山采茶歌

霍山之峰三十六，仙草时时长空谷。
东风昨夜雨初收，遥山一片春云绿。
五花七宝钟精英，碧玉紫笋多嘉名。
中有琼浆煮不竭，水仙著录留茶经。
上巳才过叶初吐，渐渐抽芽当谷雨。
绿窗人比养蚕忙，摘满筠篮日未午。
松风吹处闻茶歌，山山相应清且和。
一半带云半带雨，归来摊向庭前多。
我闻《尔雅》无茶字，荈与之名起后世。
《周礼》成书缺此官，不然掌茗何难置。
又闻龙团制作工，头纲驿递加黄封。
佳名顾渚齐阳羡，风味于今渐不同。
孰若仙芽产衡霍，银针兰蕊时抽萼。
一瓯应笑武彝浓，七碗咸嗤龙井薄。
春山初霁烟光明，无数晴峰绕县城。
讼庭花落吏无事，摘来试汲廉泉清。
宰官方物例入贡，朝服亲题标上用。
尚有官衔达圣聪，蓬莱小谪真如梦。

到霍任事二首

（一）

高下茶畦傍涧滨，淠河如带绕城闉。
忆他馆阁如春梦，来与云山作主人。
薄俗冀从今日改，好官须似旧时贫。
一峰南岳初相识，喜对琴堂翠色新。

（二）

前年蛟水祸苍生，司牧求刍任不轻。
敢以文章为吏治，岂徒口舌与民争。
放衙山色青连郭，行县茶枪绿到城。
为语朝廷恩泽遍，借将籽种劝春耕。

注：潘际云，字人龙，号春洲，博通经史，尤擅诗文，清嘉庆十三年（1808）霍山知县，十八年（1813）调灵壁县。诗见清《霍山县志》。

10. 关世恩

采茶词十五首

（一）

抛却春花簇簇红，全家忙向白云中。
小姑寻到岭前去，浅步山腰又几弓。

（二）

朝云笼树翠重重，一径夭斜雾露浓。
鬓上并无花草饰，避他狂蝶与游蜂。

（三）

卓午炊烟绕碧窗，筠篮带露贮双双。
红腔饭后翻新调，间答疏钟古寺撞。

（四）

才过三日雨如丝，欲拣银针趁此时。
湿透红襦容易曝，放开绿叶已嫌迟。

（五）

半天阴雨半晴晖，有约携筐上翠微。
骑火工夫能几日，莫教心思逐花飞。

（六）

云鬓付与清风梳，习习清风吹我裾。
不是山偏东面好，晓寒爱对日红初。

（七）

红裙小队唱喁于，摘到山南第几株。
此外别无香草思，泽中空自长蘼芜。

（八）

雨前雨后叶俱齐，宛转歌声隔岭西。
山色迷人行不得，斜阳渐共翠眉低。

（九）

朝随鸽去暮猿偕，荆作金钗笋作鞋。
勤俭定从生小学，一芽一蘖费安排。

（十）

绿阴引我过山隈，欲摘低枝又放回。
旧树长成新树小，寸心怜惜是亲栽。

（十一）

如此年华如此春，看花多少恋红尘。
若非甘苦亲尝过，也向东风学笑颦。

（十二）
风生两袖挹清芬，未饮先教远俗氛。
往日不知香损肺，瓶偶罂杂百花熏。

（十三）
嘱咐儿童莫离门，门前散放有鸡豚。
上山不是求灵药，只是人间苦渴烦。

（十四）
龙团搏就风团搏，不管花残与柳残。
十指生香香彻骨，令人那复望梅酸。

（十五）
溪水门前弯复弯，家家笑语入柴关。
明朝拟上芙蓉顶，五色云中任往还。

注：关世恩，生卒不详，嘉庆乙亥科考录取第一名，清同治《六安州志》称其“廉臣”。本诗见《六安州志·艺文志》。

11. 黄俞

试　茶

紫笋抽芽傍女墙，清芬肯教俗先尝。
生成雀舌和云翦，制就龙鳞趁月藏。
碧玉烹时飞雪色，素涛沸处起兰香。
连宵酒症消除尽，七碗卢仝未许狂。

注：黄俞，生卒年不详。诗见清同治《六安州志·艺文志》。

12. 刘正邦

咏长岭云茶

长岭山川育瑞珍，仙家遗泽播灵根。
银毫翠叶春光泛，玉盏清泉晓雾蒸。
味助逸情三界远，香浮书案一身轻。
茶园依旧神何在，饭后人谈观世音。

注：刘正邦，清末太湖古坊人（今岳西），诗人。长岭云茶，系清时古坊茶区所产，长岭一带品质最佳，故名。

13. 王浣溪

甘露寺茶亭

空有庵名在，曾无露可茹。
石溪泉不绝，一滴渴时如。

注：王浣溪（1869—1929），名造五，字风楼，清同治八年（1869）生，潜山县（今岳西五河桃李）人。少时就读于族叔王曰修门下，年未弱冠中邑文庠生，补廪生。新学兴起，受聘粹新高小、潜山初中任教。有《爱山光阁》诗词集传世。参与民国时期纂修方志工作，先后被聘为《潜山县志》采访员、《安徽通志》编辑员。甘露寺在岳西县包家锁山。

14. 张恨水

潜山竹枝词

村前正唱采茶歌，百副花灯未算多。
狮子蚌精相对舞，一班刚到一班过。

注：张恨水（1895—1967），原名张心远，安徽潜山市人，鸳鸯蝴蝶派代表作家，现代章回小说大家。作品有《春明外史》《金粉世家》《啼笑因缘》等。

15. 梁东

赠《岳西翠兰》二首

（一）

岳眺司空影，西天秀可餐。
卿云含翡翠，淑气润芝兰。
春雪轻风舞，新芽细雨寒。
侬家桑柘外，隔岸酒旗边。

（二）

云深花不落，十里绿杨烟。
翠叠南风里，兰薰谷雨前。
司空山外雾，鹞落岭中田。
万绿皆知己，我为天下先。

浣溪沙·采茶

一路清泉一路花，山程水驿两三家，翠峰顶上贮烟霞。缥缈轻纱天上挂，攀缘只向素枝丫，红衣纤手拣灵芽。

天净沙·煎茶

溪山何处为家，青葱难掩芳华，鹞落坪前接驾。翠宫兰榭，和烟带露煎茶。

鹧鸪天·呼唤岳西翠兰

浓雾彤云未雪天，京城无处不生烟。胸多滞墨枯肠尽，盏少甘津赤舌干。思翠黛，念幽兰。梦中喉吻已生涎。新茶七碗生双翼，醉向诗仙漫比肩。

注：梁东，安庆人，著名诗人，书法家，原中华诗词学会常务副会长。此诗词作于2005年。

16. 钱江

题竹山翠兰茶

春来满目杜鹃红，碧玉清泉绿不同。
行迹深山寻陆羽，茶香尽在翠兰中。

注：钱江，《人民日报》海外版副总编。

17. 高昌

飞旗山人赠翠兰新茶

飞旗山人千里寄翠兰新茶，味永情浓，赋此为谢。

清澄真似碧，鲜嫩最关情。
香自舌尖聚，春从心底萌。
提壶涌甘洌，著碗泛晶莹。
一饮红尘远，陶然坐月明。

注：高昌，中国作协诗词委员会委员，《中国诗词》执行主编。飞旗山人，储诚根，曾任岳西县人大常委会主任。

18. 方志义

咏翠兰二首

（一）

玉叶金枝细选挑，摘青采翠尽优苗。
翠兰不负登金榜，碧水苍山分外娇。

（二）

吐雾吞云养素心，赴汤蹈火溢芳馨。
三朋四友品依旧，万盏千杯绿满春。

注：方志义，岳西县头陀中学退休教师。诗见《中国当代诗词》第五集（新疆人民出版社，1998 年版）。

19. 胡颂扬

咏岳西翠兰二首

（一）

层峦古岳誉天堂，兰蕙春山雀舌香。
国茗新添十姊妹，翠兰天下美名扬。

（二）

欲饮名茶品翠兰，须知极品出深山。
香凝泡罢兰花现，形似仙姑飘下凡。

贺安徽省茶业学会 2007 年年会在岳西县明堂山风景区举行

绿色天堂茶异香，专家学者聚明堂。
清风似酒熏人醉，霜叶如丹照影忙。
一盏翠兰沁肺腑，卅篇论著闪光芒。
隆中对策三分定，山谷运筹夺冠王。

贺钱子华被评为安徽省茶产业十大杰出人物

欣闻岳西县茶叶局局长钱子华在中国（安徽）第四届茶产业博览会上被评为安徽省茶产业十大杰出人物，感佩之余，成七律一首以贺。

英才造就黄山下，誓结茶缘赴岳西。
卅载征程风挟雨，千重绿浪岗披衣。
魂牵梦绕翠兰事，竭虑殚精论著奇。
有幸香茗声远播，金杯耀日灿虹霓。

注：胡颂扬，岳西人，曾任岳西县委宣传部部长，县人大副主任。

20. 刘梦芙

赠友林贤侄二首

（一）

活火清泉试一杯，凌波仙子散花来。
怡神翠绿疑琼液，沁齿馨香胜玉醅。
远邑曾闻夸妙品，深山今喜出英才。
愿君早向春风采，莫待诗人笔底催。

（二）

心血凝成产品优，一枝拔萃占鳌头。
怀才共羡长才展，砺志终教壮志酬。
馥馥幽馨生宝鼎，霏霏绿雪散琼瓯。
龙团畅饮为君贺，更上层楼放远眸。

注：刘友林，岳西林兰茶厂厂长。其研制的“长岭兰芽”获“中茶杯”特等奖。

21. 刘友林

七律·咏茶（六首）

探　茶

沿路风轻送异香，曙光流翠照山乡。
青枝满岭云中出，嫩叶千丛雾里藏。
隐逸林泉心素洁，扎根沙石意坚强。
今移良种栽庭院，伴我吟诗引兴长。

赞　茶

不与鲜花斗艳妆，姗姗清影映山庄。
云间高卧情何逸，雨后新生性自凉。
对月谈诗邀雅士，延年祛病胜仙方。
赴汤蹈火终无悔，奉献人间一盏香。

种　茶

银锄铁剪舞轻烟，沐雨栉风年复年。
拂晓频惊青嶂梦，黄昏常伴白云边。
抚君岭上丛丛茂，爱尔枝头朵朵鲜。
汗水溪泉流韵律，心章任蝶谱花笺。

采　茶

红妆倩影映花鲜，香泛枝头绿染肩。
婉转金莺穿碧野，争先玉指采芳妍。
彩云绕岭风摹画，响曲飘空水伴弦。
篮满归途传笑语，融融春色尽诗篇。

制　茶

物贵清奇意贵诚，先求品德后求精。
新机旺火烘春色，满室深灯伴月明。
自是汗浆磨壮志，全凭心血化芬馨。
科研探讨无穷趣，竭力双修别有情。

咏翠兰茶

嫩绿苗条叶叶鲜，玉杯缭绕起云烟。
翩翩仙女空中舞，朵朵兰花水底妍。
可口清香如桂露，润喉滋味赛珠泉。
名茶细品精神爽，喜赋新诗上锦笺。

22. 吴清霖

咏　茶

黄泥烂石自营生，拥雾栖霞不染尘。
曾历风霜兰做伴，更同梅雪竹为邻。
笔端诗客文添韵，腕底春山露带馨。
闲酌碧汤消百虑，炎凉人世亦平均！

西江月·咏岳西名茶

岭表岚光似画，园间翠色如绸。
清明时节雨酥酥，枝上兰芽新透。

树里春衫隐现，村边点钞增收。
城中攒动万人头，佳茗畅销时候。

23. 刘梦龙

采茶诗二首

（一）

呼姑邀妹上山岗，最爱新枝雀舌长。
玉手穿梭齐竞赛，满篮春色满篮香。

（二）

姊妹邀来淡淡妆，茶山今属女儿乡。
舌如掷柳金莺啭，手似穿花粉蝶忙。
小摘暖烟青满把，细分春雨绿盈筐。
农家劳动真堪尚，愧煞轻歌曼舞场。

24. 王业记

咏名茶翠兰

雀舌原来住岭头，满山晴日焙春柔。
坡公作赋佳人比，陆子谈经逸品流。
汤嫩绿涛浮玉碗，香温碧雪上层楼。
莺哥处处催新韵，我为兰芽一放讴。

茶乡吟

山原雨罢特鲜新，春到茶乡采摘勤。
风动翠云生馥郁，日烘绿舌吐氤氲。
冈南冈北人传语，溪后溪前鸟和鸣。
向夕归来趋贾市，一朝还盼一朝晴。

25. 汪宜龙

响肠镇·茶亭古道

酒肆茶亭接古城，板桥灯火伴箫笙。
泠泠青石屐痕旧，远去浮梁骡马声。

咏岳西茶

皖岳群山萃物华，江淮分水白云遮。
三株半谓神仙种，一盏香承陆羽夸。
敢与毛峰争色味，已凭微信走天涯。
当年名动凌烟阁，出使沙俄总统家。

注：①大别山有三棵半神茶，岳西有一棵半，谓神仙所种。②岳西翠兰曾赠俄国总统梅德韦杰夫。

26. 韩厚松

临江仙·贺林兰诗社成立

沁人心脾馨四座，林兰千里飘香。云中馥郁雾中藏。葱茏铺画卷，佳茗创辉煌。
流水高山欣结社，古坊吟帜高扬。诗风茶韵满庭芳。茶奇诗出彩，诗秀茶增光。

27. 胡国勋

延年益寿饮翠兰

八十高龄饮翠兰，单车代步任回还。
茶中极品弥珍贵，芽叶云蒸雾里眠。

28. 张泽润

岳西茶趣

六尺焦桐九曲幽，茗香一盏紫金瓯。
云蒸石佛三春雨，雪煎花灯八月秋。
二叶单芽来远黛，五光十色去他州。
深山四顾仙茶树，七女思凡次第游。

29. 储昭时

岳西翠兰赞

烟峦百级翠千行，裹雾含风饱雪霜。
玉露霏微敷嫩色，山花弥漫吻幽香。
云芽未展精华蕴，国礼初成使命将。
改写茶经凭圣手，笑他陆羽只寻常。

岳西翠兰茶

大别钟灵气，仙娥遗瑞株。
万年甘露湿，重岭绿云铺。
雾锁神犹爽，花萦梦不孤。
玉芽纤指撷，妍状蕙兰摹。
晾草元无异，杀青功特殊。

幽香盈巷陌，盛誉满江湖。
出塞邻邦馈，登堂礼节需。
名茶千百种，问孰可超逾。

注：翠兰茶曾入选“国宾礼茶”。

30. 刘圣银

念奴娇·岳西茶叶

大别山下，尽朝晖，都是人间城郭。云雾缭绕二千里，放目高山茶叶。幽兰飘香，惠风和畅，采茶歌不绝。南商北贾，竞相争与评说。

辽阔青山绿水，物产丰饶，地灵人杰。更有翠兰名天下，引得多少豪客。香炉毛尖，古坊兰芽，层层梯岭呈碧色。塞北江南，处处把盏共斟酌。

31. 钱子华

翠兰茶

灵草生三皖，芳名冠八荒。
涵英春报早，葆色绿舒长。
把盏香喉吻，兴农助梓桑。
物华应梦喜，万里逐兰香。

采茶愁雨

暮色山前碧蕊连，须从未老采芽鲜。
茶姑已恨晴光短，镇日晴光让雨烟。

公山村第三届采茶节

枝枝叶叶总关情，又遇群贤高路行。
岭上古丛连宋雨，云间纤蕊绽新晴。
红衣撷得天香满，巧手烹馀国色生。
莫羡三春桃李艳，公山茶意写纵横。

32. 柯万英

宝茶千咏

紫气东来莲花峰，烟波浩荡驾六龙。仙鹤翩翩前引路，神鹿盈盈殿后尘。圣人鹤氅摇羽扇，纶巾覆额压眉鬓。不求琼浆玉露液，但闻仙山有香茗。

好仙山，产香茗。月华并日精，云育雾中生。多少工夫采摘下，古坊街中焙制成。若兰若雪若剑毫，若冰若玉若霜云。高人雅士求一饮，九州通衢传茶经。

上品茶，曰玉兰。老君播下种，彭祖勤照看。巨蟒盘根高崖上，灵猿守护在山巅。千年宝树几枝香，碧叶重重枝纤纤。四月采茶云霄去，蟠桃会上献神仙。

中品茶，曰绿雪。扎根高岗上，枝杆与天接。倚石眠崖云雾侵，熊咆虎啸獐羚捷。冬来茶花胜雪花，似茶似雾映明月。三月采茶花正红，茶客如云走阡陌。

大众茶，曰碧缕。层层丘陵地，潺潺溪水绿。腊月仔细剪枯枝，正月耘垄舞银锄。二月新苗小姑摘，如燕穿梭挥巧手。茶姐唱歌茶妹和，十里茶歌随风流。

茶叶香气飘云端，仙驾按落云头来观看。陆羽先生驾临古坊东曲地，竹林七贤联袂出廓相迎迓。古松如盖擎天立，松下罗列有青石。石上依序列仙班，长衫博带挂环璧。童子取水承玉泉，玉泉崖高三千尺。雀衔香榧来，燃火借山风。垒石煮茶三刻整，茶香满林气芳芬。各路高人名宿齐聚到林中。紫砂壶，白玉盅。青娥濯素手，黄童拂纤尘，太白弃杯端巨碗，刘伶抢得玉石盅，商山四皓尚从容，扬州八怪鹄立不敢动。青娥素手斟香茗，碧汤如缕入盏中。盏中碧玉影，杯中琥珀光，明月青天上，姮娥舞霓裳。翠叶如仙杯中游，袅袅雾中现法相。初饮沁心润肺腑，三饮齿颊留余香。一时仙乐林中响，鸾鸣凤舞百鸟翔。雾淡淡时箫管细，月溶溶处花影移。

曲罢不知何处去，从朝至暮又清晨，仙驾长风迎旭日，瑞霭祥云满天空。

第二节　楹联　匾额

生活中，以茶为题材的楹联匾额，既可美化环境、增加文化气息，又能促进品茗情趣。在岳西县，古往今来，文人以联匾形式留题甚多。

1. 楞顶庵联

清代潜山文士陈国园作。楞顶庵在田头乡四望山，建于宋。

畅好层山，杉径停云侵袂冷
愁阴拄颊，竹笼煴火焙茶香

2. 戏台联

作者胡则安，晚清廪贡生，岳西人。

远听锣鼓乒乓，咦，唱戏
近看儿女歌舞，哦，采茶

3. 戏台联

作者王姓秀才，民国年间为在珠屋演戏的菖蒲良友班撰。

班子大，不是采茶，听说文角好，武角高，惹许多女女男男，早起欢迎携手伴
锣鼓响，都来看戏，瞥见红脸进，白脸出，想那些姑姑姐姐，晚归路遇画眉人

4. 九老茶亭联

作者失考。

谈笑讴歌，坐亭中无非乐地
栖迟偃仰，看槛外都是闲人

作者失考。

九如天献瑞
老成人俱尊

作者清陶晋川

花鸟无名，胜景天然皆活泼
风云作纸，丹青不着自鲜明

5. 陶家坊茶亭联

作者失考，亭在岳西古坊乡与湖北英山县陶家河交界处。

三楚远来肩且歇
六安前去味先尝

6. 沙岭头茶亭联

作者失考，亭在响肠老街南。

歇歇肩，乘乘凉，安心休憩
停停步，喝喝水，再走不迟

7. 青峰岭茶亭联

清代汪严永作，亭在响肠镇青峰岭头。

青峰岭上青峰冻
白水湾中白水流

8. 桃岭头茶亭联
作者失考。

为名忙，为利忙，忙里偷闲，且放宽怀坐坐
劳心苦，劳力苦，苦中作乐，权将笑话谈谈

9. 万寿庵茶亭联
作者失考，亭在响肠镇请水寨村。

步步行来，茅屋几椽溪流转
青青未了，香茶一盏石径斜

10. 西水岭茶亭联
作者失考。亭在莲云西水岭上。
岭水西去人西去，歇歇肩，喝碗茶再走
道路北行我北行，擦擦汗，抽袋烟莫忙

作者失考。

济人以客待，消渴攘烦七分香茗三分水
修善于旅者，享共和气一度春风二度秋

11. 踮脚岭茶亭
作者失考。亭在五河、中关交界处的踮脚岭上。

野鸟有声，开口劝君暂歇息
山花无语，点头笑客不须忙

12. 王婆岭茶亭联
作者失考。茶亭在毛尖山乡曙光村王婆岭上。

四面皆山，坐条凳，何分南北
两头是路，喝碗茶，各自东西

13. 响肠月茶号联

作者吴德林，晚清毛尖山鹤林塾师。

月茶美，爱茶香，售茶普全球，东亚西欧无不悦
来号春，去号夏，开号只数月，母金子利尽收囊

14. 长岭茶亭联

作者失考。亭在古坊乡长岭村。

风味不嫌老龙井
凡山无此好毛尖

15. 水口茶亭联

作者失考。亭在五河镇河南村。狮座，指“石狮啸月”石。

绿水自东来，绕二潭泛泛莲花向西去
卿云争北渡，围一岫巍巍狮座作南朝

16. 惜冤亭联

作者失考。惜冤亭在主簿余畈七里冲山岗坪上。明崇宗年间，农民起义军张献忠部与当地团练在此激战，双方死亡过千。后人建此亭以慰亡灵，兼施茶。联有二。

泡沫乾坤，百战功劳皆幻影
色香世界，十分名利尽浮云

此地铸成当日错
斯亭留于后人看

17. 大关亭联

作者储理阳，清末廪贡生，安庆府著名书法家，潜山砵屋庙（今岳西莲云乡）人，亭在潜山、岳西两县交界处。

从天堂来，过关何须羡老子
向余井去，止渴不必望梅城

18. 捐训导联

作者储理阳，祖业殷实，广有田产。储父见子数次乡试落选，为其捐了一个贡生，授

候选训导，遂作此联以明志。

愿望有何奇，祇期教学明伦，守先王道，近圣人居，花县当年留宦绩
宾朋无别敬，试与衔杯把盏，烹雀舌茶，饮鹅黄酒，草堂今日话乡情

19. 余河花桥亭联

作者朱里，1936年生，本县人。亭在本县白帽镇余河村花桥组，清乾隆三十五年（1770）始建。

驻足息尘劳，两面清风消溽暑
凭栏忘俗事，一泓碧水涤凡心

20. 马玉坳茶亭匾清代学者王大枢题

作者王大枢，太湖县百里墩人，清乾隆三十六年（1771）举人。

观瀑

第三节　书　画

1. 岳西翠兰

中国书法家协会会长沈鹏2005年12月题。

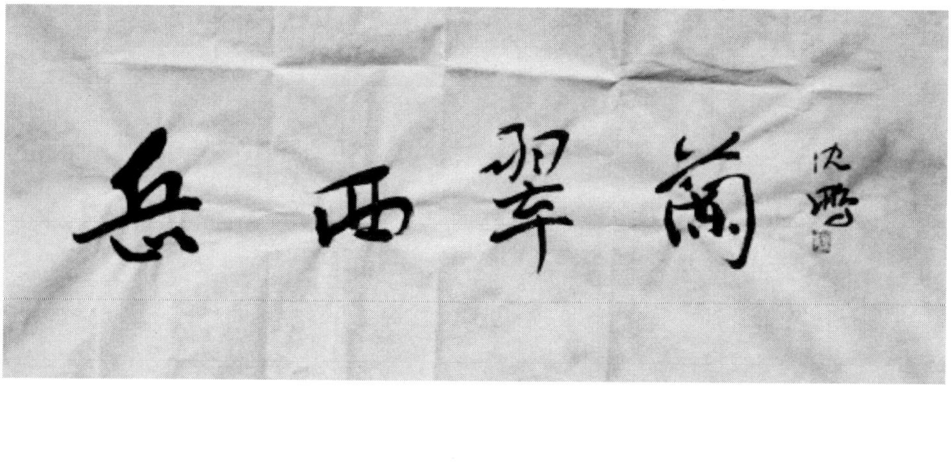

2. 岳西翠兰，茶中上品

安徽农业大学教授、著名茶学家王镇恒 2008 年 4 月题。

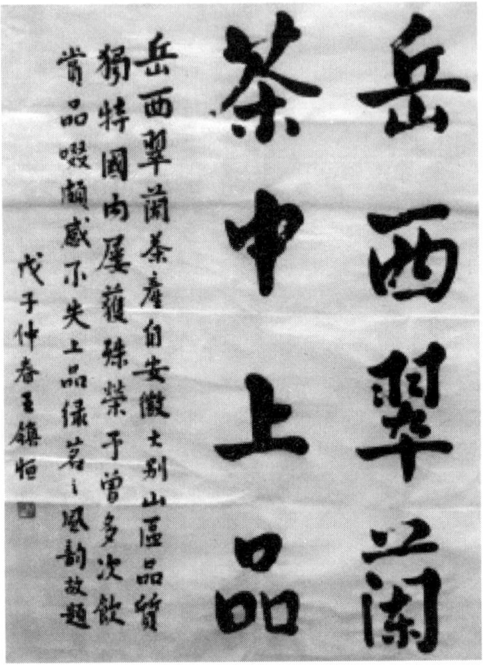

3. 千里大别山，百年翡冷翠

王镇恒教授 2011 年为岳西翡冷翠茶业有限公司题。

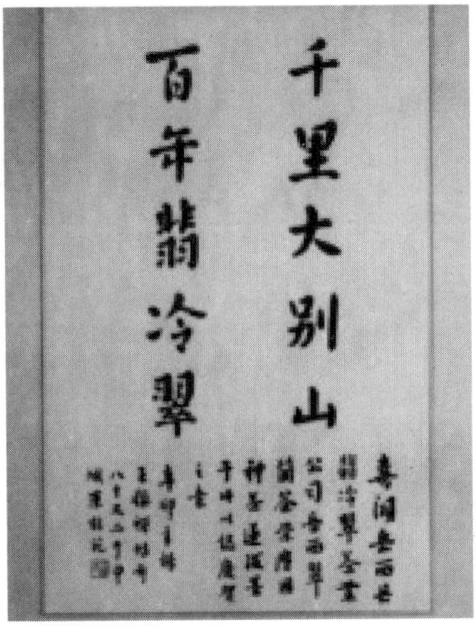

4. 老秦家茶

王镇恒教授为安徽良奇生态农业有限公司题。

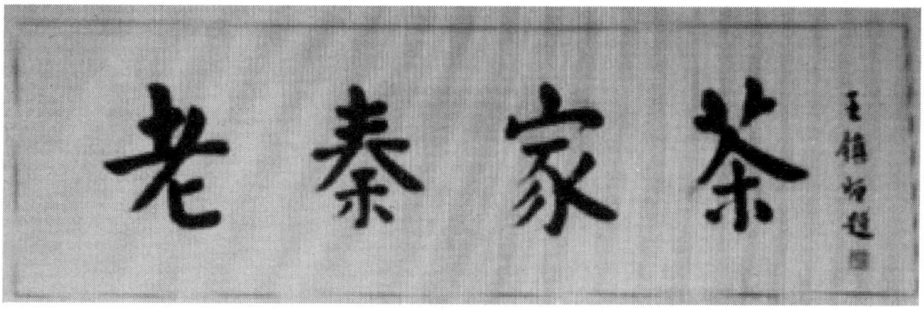

5. 岳西翠兰

中国书法家、诗人，原中国诗词协会常务副会长梁东 2005 年 12 月题。

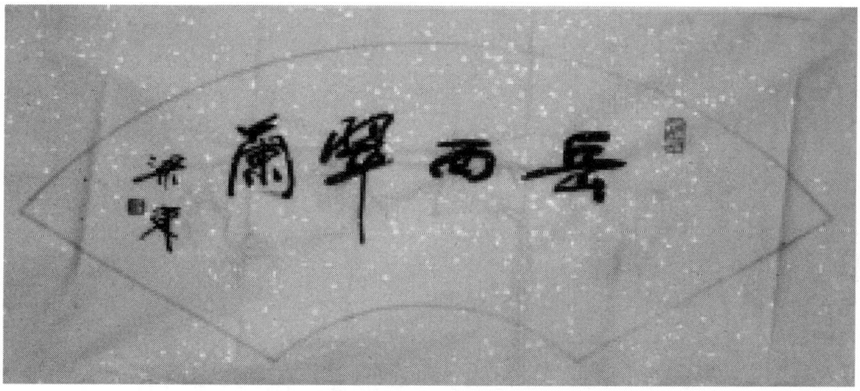

6. 天净沙 · 煎茶

梁东 2005 年 12 月题书。

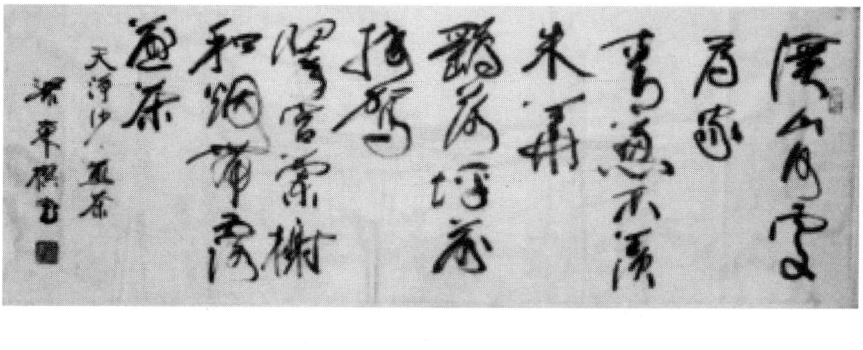

7. 茶香尽在翠兰中

《人民日报》海外版副总编钱江题书。

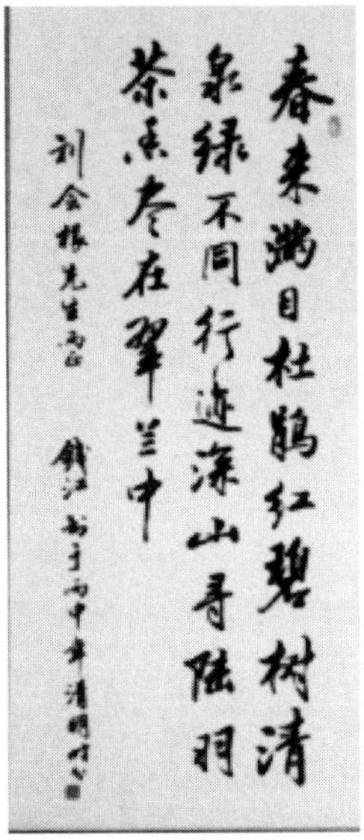

刘会根 / 摄

8. 岳西去煮三江水，绿月来沏一壶茶

李智平书。

宋根前 / 供图

9. 神茶

龙开胜书。

汪涌泉 / 供图

10. 翠兰制作（国画）

刘文才绘。

第十二章　茶歌　茶戏

第一节　茶　歌

艺术源于生活。由茶叶生产、品饮活动滋养出的茶歌茶戏，总是与人民的生活相伴相随。古时岳西，茶歌甚多，组歌《采茶》《倒采茶》《盘茶》《贩茶》生活气息浓郁，唱腔清丽，是其中的代表作，久传不衰。

1. 采茶

正月采茶是新年，奴在家中点茶园。点起茶园十二亩，当官写纸交茶钱。

二月采茶茶发芽，奴在家中采茶芽。郎采多来姐采少，见郎一面抓芽茶。抓了四两尤似可，抓了半斤赊本钱。抓你茶来付你钱，从何说了许多言？！

三月采茶茶叶青，奴在家中绣手巾。两头绣起茶花朵，中间绣起采茶人。

四月采茶茶叶长，奴在家中两头忙。家里忙忙蚕又老，外面忙忙麦又黄。家里请个蚕丝姐，外面请个打麦郎。打了大麦归酒店，打了小麦归面坊。

五月采茶茶叶团，茶棵树下小龙盘。多办银钱并纸马，茶棵树上保平安。

六月采茶热洋洋，多栽杨柳少栽桑。多栽黄桑无人采，多栽杨柳姐乘凉。

七月采茶秋风凉，风吹茶花满园香。大姐回头问二姐，头茶不贴子茶香？头茶摘了卖银子，子茶摘了养爹娘。

八月采茶茶叶稀，奴在家中扳高低。多织绫罗少织绢，多多置些采茶衣。

九月采茶是重阳，重阳做酒满缸香。家家都做重阳酒，留缸好酒奉茶郎。

十月采茶过大江，脚踏船板手把仓。过了大江忙忙走，过了小江走茫茫。

十一月采茶苦怜兮，雪子飘飘洒郎衣，洒郎身上犹似可，洒郎脸上受苦凄。

十二月采茶苦连冬，十担茶篮九担空，茶篮留到春三月，茶棵树下又相逢。

2. 倒采茶

十二月里来倒采茶，（呀儿牡丹花）苦连冬。（水仙花儿开，水长叶儿飘，飘飘好，飘飘好，飘飘荡荡，呀哟，海棠花儿香着）（以下衬字同，略）

十一月里来倒采茶，苦连兮。

十月里……过大江。

九月里……是重阳。

八月里……茶叶稀。

七月里……秋风凉。

六月里……热洋洋。

五月里……茶叶团。

四月里……茶叶长。
三月里……茶叶青。
二月里……茶发芽。
正月里……是新年。（每月唱词与《采茶》同）

3. 盘茶

正月盘茶正月梭，正月梭，拜年的哥哥（金钱花儿开）来得多（呀）来得多。拜年的哥哥你请坐，你请坐，倒盏香茶（金钱花儿开）奉情哥（呀）奉情哥。

二月盘茶二月梭，二月梭，二月阳气（金钱花儿开）往上呵（呀）往上呵。山中老树齐发嘴，齐发嘴，隔年陈茶（金钱花儿开）也发棵。

（以下衬字同，略）

三月盘茶三月梭，燕子衔泥满树拖。大姐回头问二姐，燕子双双两相和。
四月盘茶四月梭，妹在堂前劝哥哥。不冷不热你不做，十冬腊月靠哪个？
五月盘茶五月梭，五只龙船下江河。郎玩头来妹玩尾，二人玩耍笑呵呵。
六月盘茶六月梭，六月炎天热得多。堂上公婆摇打扇，热坏厨房女娇娥。
七月盘茶七月梭，七月早稻黄得多。十把镰刀齐动手，忙坏多少小情哥。
八月盘茶八月梭，八月桂花开得多。左手摘花头上戴，右手摘花奉哥哥。
九月盘茶九月梭，九月菊花开得多。菊花开到重阳止，做缸美酒奉哥哥。
十月盘茶十月梭，霜打树叶下江河。落了树叶根还在，留到来年又发棵。
十一月盘茶十一月梭，十一月雪花飞得多。不怕雪花高万丈，太阳一出化成河。
十二月盘茶十二月梭，家家户户办年货。三十晚上齐守岁，大家玩耍笑呵呵。

4. 贩茶

正月贩茶走浙江，浙江有个丝绸行。十样人事都不带，只带包头送茶娘。
二月贩茶走湖广，湖广有个玻璃行。十样人事都不带，只带明镜送茶娘。
三月贩茶走陕西，陕西有个算命的。单把茶娘命来算，时辰八字不差移。
四月贩茶走四川，四川有个峨眉山。春冬四季还嫌冷，单见日头不见天。
五月贩茶走河南，河南一省正中间。河南有个包文拯，日断阴来夜断阳。
六月贩茶走福建，福建城里好捻烟。郎吃三筒晕晕醉，姐吃三筒要郎牵。
七月贩茶走徽州，徽州本是大山头。山高也有人行路，水深也有渡船舟。

八月贩茶走江西，江西白米好浆衣。我爱江西好白米，江西怜我好孤凄。小郎本是单身汉，讨个茶娘浆洗衣。

九月贩茶走山东，山东人事大不同，山东牛儿不系桩，扬州女子不穿裙。
十月贩茶走海边，海龙海马与神仙，海龙海马风吹倒，海里波浪大似天。
十一月贩茶走南京，南京有个聚宝盆，南京不打五更鼓，打了五更就要沉。
十二月贩茶走北京，北京城里闹沉沉，城里也有高官做，城外也有做官人。

注：1~4 见于岳西黄羊胡祥顺高腔抄本《采茶》，汪同元录校。

5. 采茶歌

姐在房里包手巾，肩驮挂箩①出大门，唱它二三声。哎哎哟，唱它二三声。（每段五句，第四句“哎哎哟”，衬词，第五句重复第三句，后同）。

想起旧年茶春事，一班伙计热闹人，过一个好茶春。

年轻不过十八岁，年大不过二十春，一班好年轻。

头上戴着细草帽，腰上系着花手巾，丝线扎辫根。

上山采茶同处走，下山帮奴背回程，奴家空手行。

山上跟奴共茶棵，唱的歌儿童子音②，越听越好听。

回来拿秤称茶草，他比旁人多几斤，他也不逞能。

回来帮着拿饭碗，吹着火③来点着灯，地下扫干净。

塞火翻炕搬茶草，倒茶装烟带剔灯，把子④换得勤。

晚上炒茶同凳坐，挨脚挨手又挨身，正合奴的心。

汪同元注：①挂箩，长方形竹箩。挂，读“款”。②童子音，形容嗓音好听如童子。③吹着火，旧时农村以火炭埋于灶灰，用时将炭火吹明。④把子，揩汗手巾把子。

编者注：此系大别山民歌，汪同元搜集。

6. 盘茶

正月盘茶正月花，家家户户红灯挂，点起灯笼迎新春，姑娘们头上戴红花。

二月盘茶二月花，门前喜鹊叫喳喳，喜鹊到来春来到，口中又衔望春花。

三月盘茶三月花，后园笋子齐发芽，十八岁大姐去扳笋，头上戴起蔷薇花。

四月盘茶四月花，十八岁大姐去采茶，左手拎着茶篮子，右手摘朵牡丹花。

五月盘茶五月花，五只龙船江上划，郎划头来妹划尾，二人划得水翻花。

六月盘茶六月花，六月炎天热得抓，大路上热坏推车汉，厨房里热坏女儿家。

七月盘茶七月花，黄澄澄稻子收到家，家家场上日夜忙，稻子甩得冒金花。

八月盘茶八月花，十八岁大姐捡棉花，前庄捡到西山洼，捡得头昏眼又花。

九月盘茶九月花，家家姑娘纺棉花，纱线子纺得团团转，车盘子摇成绣球花。

十月盘茶十月花，十月立冬小雪花，十八岁大姐去扫雪，头上又戴芙蓉花。

十一月盘茶十一花，风吹树叶叫嘎嘎，雁鹅阵阵大山过，屋后开出蜡梅花。

十二月盘茶十二月花，弟弟送我去婆家，只要我郎真正好，哪要地上（万）字花。

汪同元注：此歌为茶姑边仿拣茶（岳西方言，称拣茶为“盘茶”），边唱边舞。记录时无曲谱。汪同元搜集。

7. 摘细茶（开门场花腔）

初三十三二十（勿）三，接交干妹上茶山（哪），心想去玩玩（一么呀多儿为多儿为），心想去玩玩。人说无钱不能（勿）去，怀里摸出一串三（哪），上街去买办（一么呀多儿为多儿为），上街去买办。买了六尺红（哦）绫子，买了七尺毕毛兰（哪），七六一丈三（一么呀多儿为多儿为），七六一丈三。不觉走来不（勿）行，不觉来到茶山林（哪），山中好风景（一么呀多儿为多儿为），山中好风景。也有兔子满（哪）山跑，也有蜜蜂采花心（哪），实在爱坏人（一么呀多儿为多儿为），实在爱坏人。忙叫妹子快（也）坐下，忙把茶花放他下（啦），快快摘细茶（一么呀多儿为多儿为），快快摘细茶，（唱完开门场，接《摘细茶》）。

8. 摘细茶（花腔）

正（哪）月采（哟）茶正（那）月连（哎嘿），家家（么）户户闹（勿哎）新年（罗嗬罗呀嗬嘿）。家（啦）家（哎哎）新（那）年，多（勿）欢乐（哟嗬），保佑（么）儿孙点（那哎）状（哟嗬）元（呀嗬嘿）。摘的摘细茶（哟嗬），牡的牡丹花（哟嗬）。姑（勿）嫂（嗬）二（勿）人，十指（么）尖尖摘（哟嗬）细（哟嗬儿）茶（啦呀嗬嘿）。摘下（啦）嫩枝（也）往篮（那哎嘿）丢（呀嗬嘿喂喂喂—哟哟嗬），轻轻（么）放下茶（啦哎哎）树（勿哎哎）桠（啦呀嗬嘿）。

（以下腔版同上）

二月采茶二月连，报子报到府门前。一报大哥为宰相，二报二哥点状元。

三月采茶三月连，清明还在谷雨前。家家户户来祭祖，状元跪在祖坟前。

四月采茶四月连，蚕儿吃叶起头眠。起了三眠做蚕茧，织起绫罗送状元。

五月采茶五月连，五月端阳划龙船。家家都喝雄黄酒，龙船坐是新状元。

六月采茶六月连，六月有个三伏天。高梁大厦还叫热，买把白扇送状元。

七月采茶七月连，牛郎织女在河边。牛郎织女桥上过，望见凡间好状元。

八月采茶八月连，十八大姐进花园。左手摘花头上戴，右手摘花送状元。

九月采茶九月连，九月菊花开满园。家家都做重阳酒，做缸好酒送状元。

十月采茶十月连，金盆打水在堂前。高叫三声来洗脸，打湿手巾送状元。

冬月采茶冬月连，冬月有个三九天。屋有暖茶还叫冷，海湖皮袄送状元。

腊月采茶腊月连，十二状元大团圆。十二状元齐相会，荣华富贵万万年。

9. 十二月采茶

正月采茶祝英台，十树梅花九树开。就算今年开得好，由于蜜蜂采下来呀哎哎哟。

二月采茶祝英台，燕子双双过江来。燕子含泥高梁做，一重做起两重来呀哎哎哟。

三月采茶祝英台，蚕蛾生子绿埃埃。我家有个勤大嫂，手执鹅毛扫下来呀哎哎哟。

四月采茶祝英台，田里秧苗正好栽。我家有个勤大汉，身背犁儿下田来呀哎哎哟。

五月采茶祝英台，五只老船下江来，二十四把花容伞，水面不见祝英台呀哎哎哟。

六月采茶祝英台，六月太阳似火来。我家有把花容扇，页页绣起祝英台呀哎哎哟。

七月采茶祝英台，瓦窑烧出好瓦来。好瓦盖的头上屋，屋下住是祝英台呀哎哎哟。
八月采茶祝英台，八月初一雁门开。十字头上加一撇，千里路上送子来也哎哎哟。
九月采茶祝英台，重阳做酒绿埃埃。山伯不喝重阳酒，杯杯相劝祝英台也哎哎哟。
十月采茶祝英台，先生放出学生来。学生提笔写文章，百般文章作出来也哎哎哟。
冬月采茶祝英台，大船放出小船来，大船坐是梁山伯，小船坐是祝英台也哎哎哟。
腊月采茶祝英台，鸟为食亡人为财。蜜蜂只为贪花死，山伯只为祝英台也哎哎哟。

注：7~9 余元豪口述，徐松华采录。流传于店前、白帽一带。

10. 妹在园里锄茶棵

妹在园里锄茶棵，郎在同岗上唱山歌。听着小郎唱得好，丢下锄头往家挪。回家告诉二公婆，小郎唱歌调戏我。婆骂媳妇小剥皮，事情不做听唱歌。山歌不离郎和姐，无郎无姐不成歌。

注：柯万英搜集。

11. 十二月贩茶

正月贩茶走浙江，三千七百路茫茫。别的人事都不买，买把镜子送茶娘。
二月贩茶走湖广，湖广有个绸缎行。多买几匹绸和缎，送给茶娘做衣裳。
三月贩茶到江西，江西白米真好吃。芝麻好做包心果，茶娘好做脚头妻。
四月贩茶走四川，四川有个峨眉山。峨眉山上出美女，心想带回左右难。
五月贩茶到山东，山东与家不相同。名境山水看不尽，端阳开花别样红。
六月贩茶走福建，福建城里好香烟。就把香烟买几盒，买了香烟过新年。
七月贩茶走广西，广西离家四千里。自从家里出门起，年年都做茶生意。
八月贩茶到苏州，苏州锣鼓摆城头。胡琴笛子都买到，买个花鼓带回家。
九月贩茶到镇江，镇江是个好地方。别的东西都不买，买个包子送茶娘。
十月贩茶到广东，广东地方暖烘烘。广东棉花长成树，大椒茄子四季红。
冬月贩茶到上海，上海人多万条街。条条街上做买卖，买个金钻带回来。
腊月贩茶到下江，收拾行李转家乡。全国各地都不走，走过东西南北方。

12. 贩茶调

正月贩茶走浙江，三千七百路茫茫。这里买个青铜镜，买个镜子照茶娘。
二月贩茶走湖广，丝线杂货摆成行。我买几只青丝线，送与茶娘做衣裳。
三月贩茶走江西，江西都是算命的。就把茶娘命来算，时辰八字不差移。
四月贩茶走四川，四川有个峨眉山。各路菩萨都还在，佛在名山万万年。
五月贩茶走河南，河南古迹不一般。此间有棵天心树，日月偏来影不偏。
六月贩茶走陕西，陕西白米好浆衣。芝麻好做包饼子，茶娘好做脚头妻。

七月贩茶走山东，山东有个浪子空。子空娘子不穿裙，动郎心来恨娘心。
八月贩茶走广东，广东人穷水也穷。十字街上无人走，无个亲人伴一行。
九月贩茶走南京，南京景致果是真。南门叫卖有歌调，北门叫卖虎行青。
十月贩茶走洛阳，洛阳虽好茶更香。要将细茶早早卖，卖了细茶早回乡。
冬月贩茶走福建，福建烟儿活神仙。郎吸烟儿昏沉月，姐吸烟来抽绒线。
腊月贩茶雪纷纷，收拾行李转回程。难舍茶娘情意好，来年又登姐家门。

13. 采茶曲（唱词与《采茶》同，略）

14. 盘茶曲

正月盘茶正月唆喂，呀，少年的姐唷家，拜年的哥哥来得多喂，呀嗬嘿呀哟，海棠花儿开唷。端张椅子哥请坐喂，呀，少年的姐唷家，端碗香茶奉情哥喂，呀嗬嘿呀哟，海棠花儿香唷。

二月盘茶二月唆喂，呀，少年的姐唷家，燕子衔泥满梁拖喂，呀嗬嘿呀哟，海棠花儿香唷。大姐回头问二姐喂，呀，少年的姐唷家，燕子双双结伴着喂，呀嗬嘿呀哟，海棠花儿香唷。

三月盘茶三月唆喂，呀，少年的姐唷家，姐在房里劝情哥喂，呀嗬嘿呀哟，海棠花儿开唷。旁人家犁头都下水喂，呀，少年的姐唷家，我家犁头高挂着喂，呀嗬嘿呀哟，海棠花儿香唷。春天不把生活做喂，呀，少年的姐唷家，十冬腊月靠哪个喂，呀嗬嘿呀哟，海棠花儿香唷。

四月盘茶四月唆喂，呀，少年的姐唷家，四月黄秧插得多喂，呀嗬嘿呀哟，海棠花儿开唷。大田插得团团转喂，呀，少年的姐唷家，小田插得发青棵喂，呀嗬嘿呀哟，海棠花儿香唷。

五月盘茶五月唆喂，呀，少年的姐唷家，五只龙船下江河喂，呀嗬嘿呀哟，海棠花儿开唷。郎玩头来姐玩尾唷，呀，少年的姐唷家，二人玩耍笑呵呵喂，呀嗬嘿呀哟，海棠花儿香唷。

六月盘茶六月唆喂，呀，少年的姐唷家，六月炎天热得多喂，呀嗬嘿呀哟，海棠花儿开唷。爹在堂前交打扇喂，呀，少年的姐唷家，热坏厨房女姣娥喂，呀嗬嘿呀哟，海棠花儿香唷。

七月盘茶七月唆喂，呀，少年的姐唷家，南边早稻黄得多喂，呀嗬嘿呀哟，海棠花儿开唷。十二把镰刀齐下地喂，呀，少年的姐唷家，单把钝刀磨情哥喂，呀嗬嘿呀哟，海棠花儿香唷。

八月盘茶八月唆喂，呀，少年的姐唷家，八月桂花开得多喂，呀嗬嘿呀哟，海棠花儿开唷。左手摘得头上戴唷，呀，少年的姐唷家，右手摘只奉情哥喂，呀嗬嘿呀哟，海棠花儿香唷。

九月盘茶九月唆喂，呀，少年的姐唷家，九月菊花开得多喂，呀嗬嘿呀哟，海棠花儿开唷。家家都做菊花酒喂，呀，少年的姐唷家，做坛好酒奉情哥喂，呀嗬嘿呀哟，海棠花儿香啃。

十月盘茶十月唆喂，呀，少年的姐啃家，十月严霜下得多喂，呀嗬嘿呀哟，海棠花儿开啃。霜打树头心不死喂，呀，少年的姐啃家，留到来年发青棵喂，呀嗬嘿呀哟，海棠花儿香啃。

十一月盘茶十一月唆喂，呀，少年的姐啃家，十一月大雪下得多喂，呀嗬嘿呀哟，海棠花儿开啃。姐在家里烤大火喂，呀，少年的姐啃家，郎在外面受冰波喂，呀嗬嘿呀哟，海棠花儿香啃。

十二月盘茶十二月唆喂，呀，少年的姐啃家，贤媳妇堂轩拜公婆喂，呀嗬嘿呀哟，海棠花儿开啃。大红袄子绿卷袖喂，呀，少年的姐啃家，百幅罗裙扫地拖喂，呀嗬嘿呀哟，海棠花儿香啃。

15. 贩茶曲

正月贩茶走浙江，三千七百路途长。十样人事都不带，带把明镜送茶娘。
二月贩茶走江西，江西有个算命的。就把茶娘算一命，算来算去贵人妻。
三月贩茶走湖广，湖广的丝绵摆成行。多多买些丝棉布，送给茶娘做衣裳。
四月贩茶走四川，四川有个峨眉山。峨眉山上绿颜色，生在青山万万年。
五月贩茶走河南，河南一省在中间。河南有个包文正，日断阴来夜断阳。
六月贩茶走贵州，贵州城里沙子路。十字街上穿一过，好比一省上三州。
七月贩茶走山东，山东人穷水也穷。山高也有人行路，水深也有渡船人。
八月贩茶走陕西，陕西白米好浆衣。茶娘爱我烧茶饭，我爱茶娘接口七（吃）。
九月贩茶走福建，福建城里好名烟。郎吃三口昏昏醉，姐吃三口醉昏昏。
十月贩茶走广东，广东茄子结三春。杭州牛儿不扎圈，苏州女子不穿裙。
十一月贩茶走麻城，麻城有个打卦人。就把茶娘打一卦，今年财喜有十分。
十二月贩茶走南京，南京有个聚宝盆。一十三省都走过，收拾衣帽转回程。

注：11~15 张燕飞搜集。流传于主簿、巍岭、头陀一带。

16. 十二月采茶

正月采茶是新春，小郎拜年到家中。新茶无芽没法采，只有陈茶奉亲人（情哥），味儿香甜可合郎心？

二月采茶茶发芽，奴在家中采芽茶。郎采多来妹采少，见郎一面抓芽茶。抓了四两犹似可，抓了半斤赊本钱。抓你茶来付你钱，何必说了许多言？

三月采茶茶叶青，奴在家中绣手巾。两头绣起茶花朵，中间绣起采茶人，留给情郎意中人。

四月采茶日夜忙，哥姐心里着了慌。采了香茶蚕欠叶，割了麦子老了秧，郎姐无暇表衷肠。

五月采茶茶叶圆，茶棵树下小龙盘。多办银钱并纸马，茶棵树上保平安，年年香茶好价钱。

六月采茶热洋洋，多栽杨柳少栽桑。多栽黄桑妹来采，多栽杨柳姐乘凉，杨柳树下诉衷肠。

七月采茶秋风凉，风吹茶花满园香。大姐回头问二姐，头茶没有子茶香，头茶摘了卖银子，子茶摘了送爹娘。

八月采茶是中秋，中秋月朗照九州。茶姐对月深深拜，早结情侣伴尔游，张生不再爬墙头。

九月采茶菊花黄，菊花酿酒分外香。郎喝三盅熏熏醉，姐喝三盅醉牙床，二人双双入梦乡。

十月采茶天气凉，寒衣做好送情郎。汉关路远人影单，身着棉衣暖心房，望郎留心莫着凉。

十一月采茶苦怜兮，雪花飘飘洒郎衣。洒在身上犹似可，洒郎脸上受苦凄，遮风挡雨买件衣。

十二月采茶要过年，情郎早早动身还。老人倚门常相望，小妹灯下等郎君，合家团聚过新年。

17. 十月贩茶

正月贩茶到南京，南京天子坐龙厅。皇帝百官把茶饮，圣治官清国太平。

二月贩茶走广东，广东有个玻璃行。十样人事都不带，只带明镜送茶娘。

三月贩茶走湖广，湖广有个丝绸行。五彩绸缎买一捆，送给茶娘做衣裳。

四月贩茶走广西，广西有个打卦的。就把茶娘打一卦，时辰八字合庚期。

五月贩茶走河南，河南一省在中间。河南有个包丞相，日断阴来夜断阳。

六月贩茶走四川，四川有个哦嵋山。峨眉大佛拜一拜，保佑你我结良缘。

七月贩茶走徽州，徽州本是大山头。山高也有人行路，水深也有渡人舟。

八月贩茶走江西，江西白米好浆衣。我爱江西好白米，江西怜我好孤凄。小郎本是单身汉，讨个茶娘浆洗衣。

九月贩茶走山东，山东人事大不同。山东牛儿不系粧，扬州女子不穿裙。

十月贩茶走海边，海龙海马和神仙。海龙海马风吹倒，海里波浪大似天。香茶装在船舱里，乘风踏浪保平安。

注：16~17 王统一搜集。流传于岳西主簿原、姚河一带。

18. 十月采茶

正月采茶祝英台，十树梅花九树开。梅花开的白如雪，只怕蜜蜂采下来。

二月采茶祝英台，燕子衔泥过江来。燕子衔泥高梁做，做起前重后重来。

三月采茶祝英台，蚕蛾生子绿埃埃。我家有个贤大嫂，手拿鹅毛扫下来。

四月采茶祝英台，我家黄秧有人栽。我家有个勤大汉，手拿黄秧下田来。

五月采茶祝英台，五只老船下江来。大船装的梁山伯，小船装的祝英台。
六月采茶祝英台，六月炎天热哀哀。我家有把穿银伞，撑开遮住祝英台。
七月采茶祝英台，阎王放出小鬼来。家家户户烧钱纸，保佑儿孙中秀才。
八月采茶祝英台，八月秋凉雁南来。雁飞成行能排字，字字排是祝英台。
九月采茶祝英台，重阳做酒菊花开。山伯不饮重阳酒，举杯想起祝英台。
十月采茶祝英台，先生放出学生来。学生挨打无人救，做起文章中秀才。

19. 十二月千家诗

正月采茶是新春，花有清香月有阴。歌管楼台声细细，秋千院落夜沉沉。
二月采茶是春风，绿柳才黄半未匀。若待上林花似锦，出门俱是看花人。
三月采茶是清明，路上行人欲断魂。借问酒家何处有，牧童遥指杏花村。
四月采茶是夏天，蚕儿吃叶起头眠。乡村四月闲人少，才了蚕桑又插田。
五月采茶是长沙，西望长安不见家。黄鹤楼中吹玉笛，江城五月落梅花。
六月采茶是炎天，傍花随柳过前川。时人不识余心乐，将谓偷闲学少年。
七月采茶过大江，须邀织女弄金梭。年年乞与人间巧，不道人间巧几多。
八月采茶大科场，月中丹桂下天堂。读书分中情趣好，笔尖一点状元郎。
九月采茶是重阳，仙风吹下御炉香。侍臣鹄立通明殿，一朵红云捧玉皇。
十月采茶正立冬，春夏秋冬四季同。万物静观皆自得，四时佳兴与人同。
冬月采茶是冬天，翦翦轻风阵阵寒。春色恼人眠不得，月移花影上栏杆。
腊月采茶雪压梅，正是男儿立志时。一举首登龙虎榜，十年身到凤凰池。

20. 十月采茶·绣古人

正月采茶绣古人，地下黄河水也清。天边绣到地边转，又绣日月满天星（哪哎哎哟）。
二月采茶绣古人，上绣关索一个人。手拿金弓银弹子，打下日月定乾坤（哪哎哎哟）。
三月采茶绣古人，上绣杨宗保一人。带了多少人和马，同到三关定太平（哪哎哎哟）。
四月采茶绣古人，上绣观音净水瓶。十八罗汉分左右，又绣童子拜观音（哪哎哎哟）。
五月采茶绣古人，上绣朝中帝王君。太子有日登龙位，三呼九叩转家门（哪哎哎哟）。
六月采茶绣古人，上绣彭祖老一人。彭祖八百还嫌少，果老二万七千春（哪哎哎哟）。
七月采茶绣古人，上绣天空太白星。每日天边走三遍时时刻刻度凡人（哪哎哎哟）。
八月采茶绣古人，上绣神仙八个人。八个神仙来上寿，一个神姑度凡人（哪哎哎哟）。
九月采茶绣古人，上绣朝中二皇亲。看经念佛黄氏女，开天辟地李老君（哪哎哎哟）。
十月采茶绣古人，上绣包文正一人。断了七十二件事，鹰叼老鼠断不清（哪哎哎哟）。

注：18~20 徐松华搜集。

21. 十二年贩茶

二十岁情哥去贩茶，主仆妻子并当家。隔壁有个雀薄鬼，莫把笑脸对着他。奴的夫啊，天天等着郎回家。

心肝哥哥舌不饶，未曾出门说唠叨。青天白日不下雨，不怕浮云昼夜跑。不怕浮云昼夜跑，真金不怕火来烧！

心肝妹妹我的人，未曾出门讲一高（遍），青天白日也下雨，也怕浮云昼夜跑。也怕浮云昼夜跑，真金也怕火来烧。

一年贩茶到苏杭，苏杭货物摆成行。十样人事都不带，带个包头谢茶娘。

二年贩茶到山东，三天七百路忙忙。十样人事都不带，带个明镜谢茶娘。

三年贩茶到陕西，陕西有个算命的。就把茶娘时辰报，算着点点不差分。

四年贩茶到四川，四川有个峨眉山。春冬四季不下雨，不见日头不见天。

五年贩茶到凤阳，凤阳本是好地方。那年出了个朱太祖，十年就有九年荒。

六年贩茶到广东，广东时事大不同。耕田牛儿不把□，厨房吹火系□□。

七年贩茶到江西，江西吃的好白米。贩茶哥哥单身汉，请个茶娘来洗洗。

八年贩茶到福建，福建吃的是香烟。郎吃一口昏昏醉，妹吃三口昏半天。

九年贩茶到九州，九州有个高山头。山高也有人行路，水深也有渡人舟。

十年贩茶到海西，海西有个海神仙。海人海马沿路倒，海仙留我住半年。

十一年贩茶到北京，北京有个警衙门。文官城里做买卖，武官城里算官银。

十二年贩茶到南京，南京有个水西门。南京不打五更鼓，莫非到了自家门。

注：响肠镇李先兰唱。

22. 催茶歌

四月里，四更人，四更上山算迟人。家里蚕老要起架，地里麦黄赶收成。秧苗青青要赶插，嫩茶飘香不等人。

23. 种茶辛苦深

种茶辛苦深，祖辈受欺凌；官府赋税重，茶行盘剥紧；财主要租课，乡绅送礼情。干茶挑上市，价贱行欺秤。哀叹粮布涨，所剩没几文。一年忙到头，累断脊梁骨。糠菜常充饥，贫苦无了期。

注：流传头陀包家一带。

24. 小小茶棵矮墩墩

小小茶棵矮墩墩，山上竹子根连根。手扶茶棵叹一声，我和情郎心连心。白天摘茶摘到晚，晚上炒茶到五更。白天摘茶我送茶饭，晚上炒茶我伴夜深。有谁知，帮工汉子受辛苦，我似蜜蜂恋花心。

注：流传县北包家河、黄尾河一带。

25. 姐妹采茶歌

小小茶棵矮蹬蹬，青枝绿叶爱坏人，姐姐拉起妹妹手，我俩一起（呐）山上行。哎害哎咳吆，我俩一起（呐）山上行。

姐姐采茶茶四两，妹妹采茶茶半斤，姐不服气也不行，姐妹二人（呐）上秤称。哎害哎咳吆，姐妹二人（呐）上秤称。

26. 贩子茶

正哪月里是新年，忙把皇历翻几翻，哥儿（哟）！看个好日子上茶山。毛毛雨儿多，多几多，多得雨儿青棵儿数，哥儿（哟）！有什么事情说得与我。想出什么门、贩什么茶，就在我家做庄（呵）稼儿（哟），外做庄稼里当家！

27. 摘茶

二十岁小郎去摘茶（来哎），交代贤妻（哎），你在（哎）家，大路沿上要少（哎）坐（哎哎），少梳油头少戴花。少跟那光棍（呐）乱讲话。

注：21~27 柯万英搜集。

28. 张打铁李打铁

张打铁，李打铁，打一把剪子送姐姐。姐姐留我歇，我不歇，我要气嘎（回家）打夜铁。打铁打到正月正，我要气嘎（回家）摇花灯。花灯摇到清明后，我要气嘎（回家）点黄豆。黄豆开花绿豆芽，哥罕（锄）草，妹送茶。妹呀妹，你莫哭，我把你搭个好花屋。妹呀妹，你莫哑，我把你寻个好婆家。堂轩吃饭婆捡碗，房里梳头郎插花。左一插，右一插，中甘（间）插朵牡丹花。牡丹花上一对蛾，一肩飞到冶溪河。冶溪河里姊妹多，丢脱生呼（产）气（去）唱歌。走到场，脚又酸，坐到场，几（嘴）又干。倒一碗茶，茶又涩，倒一碗酒，酒又酸。难为隔壁奶奶，倒一碗开水泡心肝。

注：二八佳人搜集。

29. 你替妹去试郎心

歌声飞去山重山，笑声拐过九道弯。满山新绿飘茶香，腾云驾雾下山岗。
郎妹齐把茶山绣，笑声醉来歌声甜。迎来一片好风光，山又山来弯又弯。
笑声醉来歌声甜，雾中荷花难看清。阿妹心中已生情，隔岸有个好知音。
妹想过河怕水深，情丝好比云里月。找根竹篙把水探，隐隐约约闷沉沉。
你替妹去试郎心，试郎心……

注：苦人儿搜集。

30. 吃起茶来就唱茶

（一）

吃起茶来就唱茶，茶是山中百草芽。景德镇上莲花碗，盐是东海浪里沙，浪里沙，珍鲜美味不离它。

（二）

吃起茶来就唱茶，茶是山中百草芽。景德镇上莲花碗，香茗一盏待客家，待客家，三餐茶饭不离它。

注：陈为中搜集。

31. 采茶对歌

男：桐子树上开白花，采茶的哥哥要回家，手捉茶树叹一声，心爱的妹妹可知音？一叹家中老父母，二叹回家无盘银。

女：心爱的哥哥你莫焦，你的盘银我办了，乾隆大钱几十吊，谷雨尖子几十包，郎挑担子前头走，妹驮包袱随后跑。

注：钱子华录于《中国民间文学集成·安徽卷·潜山县分卷》

32. 茶树开花

茶树开花大雨筛，红军走后磨难来。亲人北上打日本，狗摇尾巴老财来。

注：汪同元收集。流传于岳西凉亭坳一带。

33. 茶歌声声赞翠兰

（一）

阳春三月好风光，采茶姑娘满山岗。一路欢歌一路笑，茶歌阵阵传四方。
名茶出在高山上，茶园叠翠雾中藏。兰花香芸长相伴，翠兰更比兰花香。
巧手如飞采摘忙，枝头留下汗珠香。片片春茶情意厚，老天不负一春忙。
翠兰本是天滋养，含华纳英自有香。素手纤纤细工艺，果然上品倍精良。
朵朵兰花杯中放，入口醇浓味绵长。心清气爽添雅兴，香韵不散久回肠。
金奖翠兰把名扬，引来客商竞购忙。千车万担出山外，香飘四海越重洋。
茶乡面貌大变样，撩得仙人恋春芳。七女不再回天去，留在茶乡伴茶郎。

（二）

茶山高来茶山青，姹紫嫣红景色新。采茶姑娘云中走，好似绿海飘彩云。
种茶要种高山岭，采茶要采嫩芽心。泡茶要用山泉水，好茶献与识茶人。
春山隐隐雾蒙蒙，百花相伴沐芳芬。翠兰好比花仙子，从来佳茗似佳人。
远方客人茶乡行，献上春茶洗风尘。新成翠兰敬一盏，茶不醉人情醉人。

妹唱茶歌似银铃，引来百鸟竞争春。声声赞的茶乡美，句句唱与有情人。

注：汪同元作，县政府组织 2006 年首演。

34. 翠兰说

词：吴剑中　王锦麟　曲：王锦麟　唱：黄堃

流云遮半，谁闻一抹天香。翡翠绿气如兰草芳，山岚水雾霜露浸染，巧手采遍世外清裳。沏一壶翠兰，品一朵姑娘，想象你的模样含笑彷徨；饮一杯翠兰，如烟雨婉转，胜饮美酒千般醉了天堂。

巷子弯弯，人间春色回荡。我提笔邀明月对赏，芳香悠然泼墨文章，几番眷恋不与寻常。沏一壶翠兰，品一朵姑娘，想象你的模样含笑彷徨；饮一杯翠兰，如烟雨婉转，胜饮美酒千般醉了天堂。

沏一壶翠兰，故事如何讲，牵你手走天涯尤思故乡。饮千杯翠兰，飘零在远方，寂寞常伴轻叹染尽沧桑。

35. 翠色兰香

叶是翡翠绿，气如兰草芳。高山云雾里，浸染雨露霜。煮一壶人间春色，饮一杯口齿噙香。浅斟慢品均会意，云淡天高风轻扬。

壶里乾坤大，杯中日月长。枯荣寻常事，唯有茶留香。邀一轮春秋明月，吟几句古今文章。清茶一盏酬知己，人生追梦梦悠长。

岳西翠兰，翠色兰香，香在梦里，香在心上；岳西翠兰，翠色兰香，香在人间，香醉天堂。

注：本词获 2014 年“岳西翠兰歌词征集”一等奖。作者袁晨光（广东佛山）。

36. 岳西翠兰走天下

千里路，万句话，最念家中老妈妈。两片叶，一枝芽，最爱家乡翠兰茶。杯中藏着知心语，茶中泡着贴心话。浓浓乡情冲泡着我，哪里都是我的家。风里来，雨里去，梦里总是把你牵挂，我要滚烫地冲泡着你，牵手走天涯。

云中生，雾中长，云雾之上是茶乡。走千村，过万户，户户端上翠兰茶。热情好客山里人，绿水青山美如画。阳光雨露滋润着你，这里就是你的家。风里来，雨里去，梦里总是把你牵挂，我要滚烫地冲泡着你，牵手走天涯。

重复：

风里来雨里去，梦里总是把你牵挂，我要滚烫地冲泡着你，牵手走天涯。风里来雨里去，梦里总是把你牵挂，我要滚烫地冲泡着你，牵手走天涯。

啦，啦，啦，最爱翠兰茶。啦，啦，啦，相伴走天下。

注：金小明作。本词获 2014 年“岳西翠兰歌词征集”二等奖。

37. 翠兰四季歌

春雷滚过大别山，白云如带绕山间，云树高低碧崖暖，吴山青青皖水蓝。
春雨洒过麒麟岗，老树新芽初睁眼。春分暗结珠蓓蕾，清明时节舞旗枪。
桃花岭上翠兰香，红衣村姑指爪长。穿云越涧采茶去，黄莺流歌声声长。
香炉小火焙茶忙，粒粒金绿比莲香。黄金竹匾堆绿雪，玉盏茗茶客先尝。
新月透过紫薇房，素弦叮叮奏春光。窗前流是春江水，紫砂一壶赓续忙。
远人赠我翠兰叶，踏歌欲邀云外客。良宵正逢梅花绽，楼头又添湘江月。

注：柯万英作。

38. 采茶调词曲

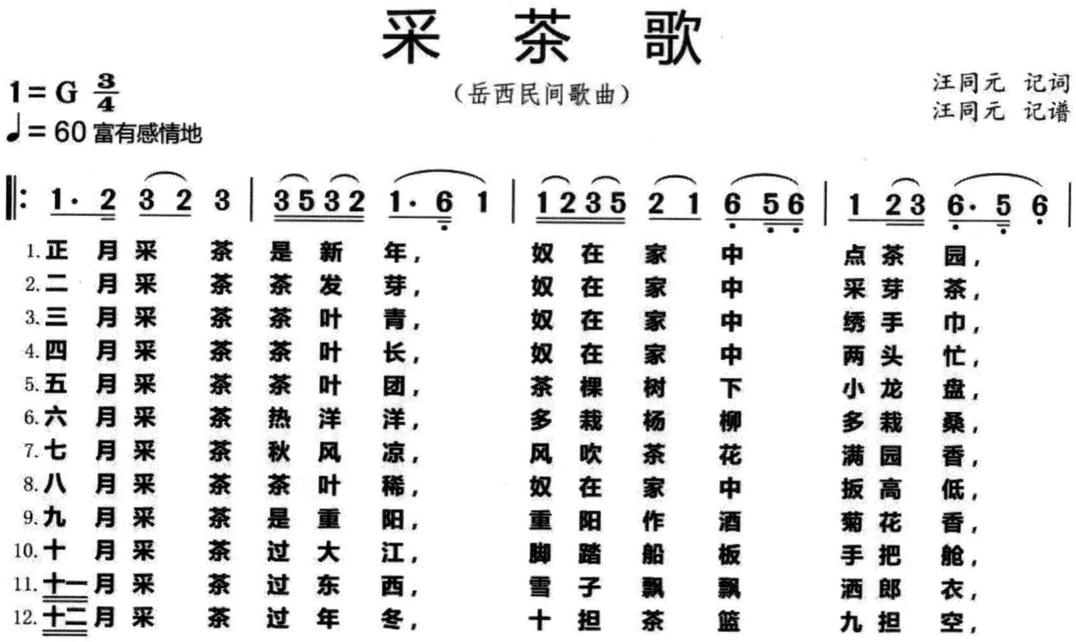

1·2 3 2 3 | 3532 1·6 1 | 1235 2 1 6 56 | 1 23 6·5 6 :‖

点起茶园十二亩，当官写纸交茶钱。（啫）
郎采多来姐采少，见郎一面抓一把。（啫）
两边绣起茶花朵，中间绣起采茶人。（啫）
采了茶叶蚕又老，收了蚕茧麦又黄。（啫）
多把银钱买纸马，山神土地保平安。（啫）
多栽黄桑无人采，多栽杨柳姐乘凉。（啫）
大姐回头问二姐，头茶不比子茶香。（啫）
多织绫罗少织绢，多多织些贩茶衣。（啫）
劝郎多吃重阳酒，贩茶哥哥早回乡。（啫）
过了大江忙忙走，过了小江走忙忙。（啫）
洒到身上尤似可，洒到脸上受苦凄。（啫）
留到来年春二月，茶棵树下又相逢。（啫）

说明：

此歌共12段，歌词抄自一民间高腔曲本，一般唱过十二段后接唱《十二月倒采茶》，再边舞边唱。舞时，茶婆擎茶棵（青枝扎成）领舞，茶姑挑篮边舞边唱（近民间挑花篮舞），是大别山民间灯会中必演节目。

倒采茶

（岳西民间歌曲）

汪同元 记词
汪同元 记谱

1=G 2/4 3/4
♩=60 富有感情地

‖: 2/4 1 12 3·2 | 3/4 353 3213 2 | 2/4 3·2 3 3 | 3213 2 | 3/4 353 2 1·6 1 |

1.十二月里来倒采（哟）茶（呀，牡丹啫花）过年（子）冬（哦），
2.十一月里来倒采（哟）茶（呀，牡丹啫花）苦怜（子）兮（哦），
3.十月里来倒采（哟）茶（呀，牡丹啫花）过大（子）江（哦），
4.九月里来倒采（哟）茶（呀，牡丹啫花）是重（子）阳（哦），
5.八月里来倒采（哟）茶（呀，牡丹啫花）茶叶（子）稀（哦），
6.七月里来倒采（哟）茶（呀，牡丹啫花）秋风（子）凉（哦），
7.六月里来倒采（哟）茶（呀，牡丹啫花）热洋（子）洋（哦），
8.五月里来倒采（哟）茶（呀，牡丹啫花）茶叶（子）团（哦），
9.四月里来倒采（哟）茶（呀，牡丹啫花）茶叶（子）长（哦），
10.三月里来倒采（哟）茶（呀，牡丹啫花）茶叶（子）青（哦），
11.二月里来倒采（哟）茶（呀，牡丹啫花）茶发（子）芽（哦），
12.正月里来倒采（哟）茶（呀，牡丹啫花）是新（子）年（哦），

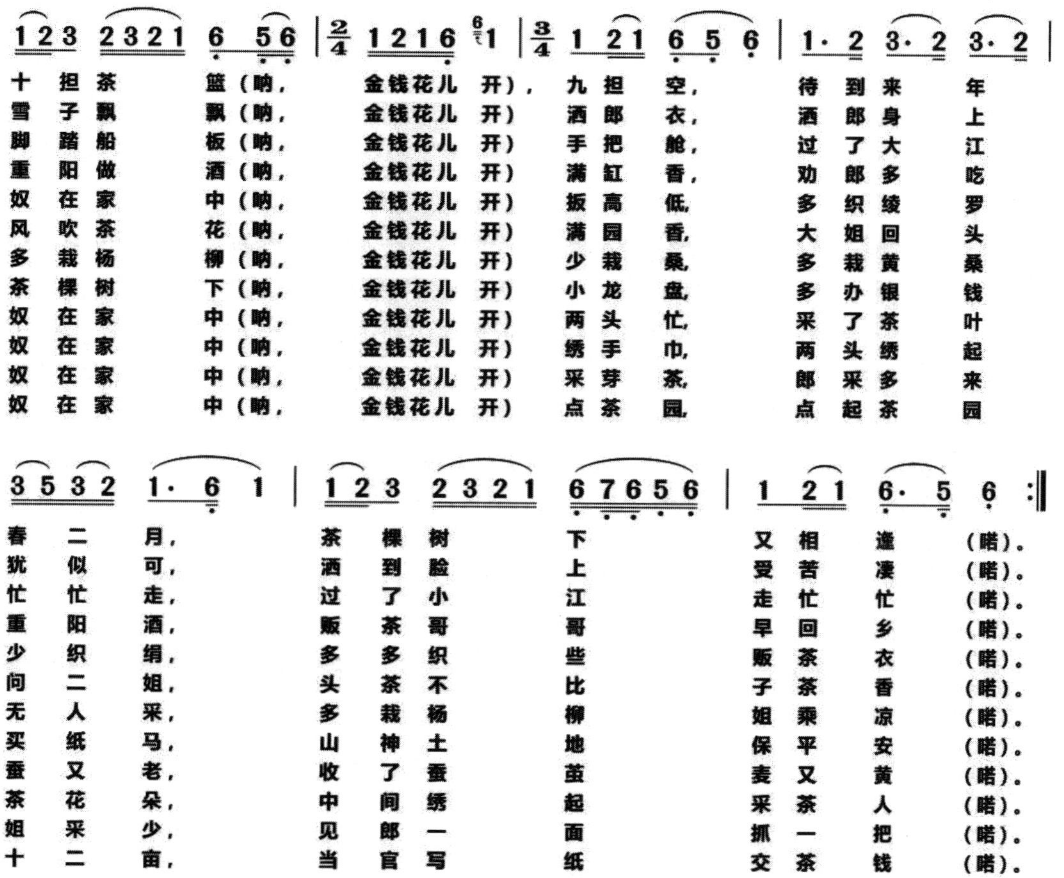

第二节　茶　戏

以茶叶为题材的戏剧作品鲜见于世。令人欣喜的是，一部约形成于300多年前、反映岳西县境茶事的岳西高腔剧目《采茶戏》，至今仍在民间流传。岳西高腔是地方古老稀有剧种，为明万历年间风靡全国的青阳腔遗脉，有“中国戏剧活化石”之称，2006年入选首批国家级非物质文化遗产名录。过去，岳西民间高腔班子多，唱者众，因而《采茶戏》也有多个版本，现选录两个，以飨读者。

采茶记（一）

小生：富成万

末：李平一

正生：尤里滑

丑旦：王婆
小旦：采茶女
丑：万利
旦：万妻沈氏

起程别家

（小生扮富成万上，引）欲想陶朱富，做贾买山茗，有耕须当勤，不耕读书文，士农工商业，各尽各的心。（白）小生，姓富名成万，祖系扬州人氏，欲往六安贩卖山茗，怎奈缺少一名担夫。我想万利，乃是惯走六安，不免前去雇他，就此走走。（唱）【驻云飞】趱步前行，特请担夫一道行，别却家乡井，要往六安郡。前去买山茗。远登程，只为经营。哪惜多劳顿，做个争名夺利人。（白）来此已是，万利开门来。

（丑内白）不在家。（小白）明明在家答话，怎说不在家中？（丑内白）人不在家，丢了一张嘴在家里，你叫他有什么事？（小白）请他给我往六安去担担子。（丑内白）那我不去。（小白）怎么不去？（丑内白）六安有十大。（小白）怎么有十大？（丑内白）天上雪大，地下水大，日间风大，夜里霜大，江河浪大，万山岭大，远路担子，要力大，我肚子饭量大，上岭嘴大，下岭腿大。（小白）怎么嘴大？（丑内白）上了岭，用了力，鼓了气，岂不是嘴大？（小白）怎么腿大？（丑内白）一担担了七八天，肿了腿，岂不是腿大？

（小白）不必多言，多给你的工钱就是了，快来罢！

（丑上白）来着，来着——【金钱花】哼哼！正月本是大新春，扬州城内放花灯，锣又响，鼓又鸣，中间又吹喇叭唢呐胡琴笛子声。相府走出小千金，鬓似乌云黑盈盈，脸似面粉白清清，唇点胭脂红似火，三寸金莲慢慢行；两个丫鬟扶着慢慢走，一扭扭到玉池门。嘿！陡然来了一光棍，吆喝一声要抢亲，吓得娇娥战兢兢，妈妈老娘喊几声。个个丢着等不看，单单要看这新闻。胖子挤的汗淋淋，瘦子挤成一把筋，唯有我万利真有幸，一遛遛出后宅门。

（小白）看你还在发酒疯！（丑白）知道的说我要戏文，不知道的说我是发酒疯。

（小白）更妙了，你会要戏文，一路之上，要些戏文又热闹些。（丑白）请问几时起程？（小白）事不宜迟，就此起程。

（丑白）去不成。（小白）怎见得？（丑白）未办银两安家。（小白）这有纹银五十两，给你安家口。（丑白）嘿！挑担之人，见不得钞，见钞就要跳。喂，把戏货，把我的担子收拾出来。

（丑旦扮万妻上，白）忽听儿夫要远行，腹中多少别离情。夫呀！妻子还有几句言词，嘱咐于你。（丑白）我知道你又是一套啰唆经。

（丑旦唱）未晚先投宿，鸡鸣早看天，逢桥须仔细，过渡莫争先，一路闲花休要采，家中冷落一支梅；儿夫一去早回归，免得妻子常挂怀。（丑白）我知道，在家要小心些，要把笤帚抵着后门喏。客人走罢！

（小唱）买卖生财，终日奔波天涯外，两足如梭快，要往六安界。（下）

寻师找友

（小、丑同上，丑挑担，唱）

（丑唱）【驻云飞】有话难提，足似流星肩去皮。离却家乡里，要往六安地，喘喘不停止。难吐气。日落西山，众鸟投向山林里，快找旅店宿一夕。（白）客人，天晚了，投宿吧？（小白）问问那前面，可有旅店。

（丑白）此处可是饭店？（内白）是呀。（丑白）可宿客？（内白）常言道：挂着是芒棰，开着是打店，一行几人？（丑白）城隍庙里的桅杆——（内白）给你两间判官房。（丑白）房间可好？（内白）怎么不好？宽床大高铺，滚烫热馒头，后面大猪圈，解手又方便。（丑白）客人，这个旅店真好，你如果拉肚子，一天二十次都可以。（小白）转至后面。（丑白）晓得，豆腐不用得嚼，干鱼不把盐。（下）

（末扮尤里滑上，念）平生好玩好要，惯作杓模生涯；两足奔波不归家，不是买茶，就是卖茶。（白）老汉，姓尤名里滑。旧岁办有几担茶，未曾出售。今日天气晴和，不免出外找寻客官。行行去去，去去行行，来此已是凉亭，打坐一时。一人冷淡，不免唱个曲儿消遣，后面的人与我接个腔。

（内白）是，晓得！（末唱）【驻云飞】上告亲邻：我未从学戏文，腔口唱不稳，鼓板打不准，喉咙不成音，不中听。若还不唱，恐怕忘却尊姓名，胡言几句过长亭。

（小、丑同上，小唱）【金钱花】君早起，臣早起，登殿轩拜天未晓。（丑唱）【金钱花】父起早，子起早，来在田中天未晓。（小唱）婆起早，媳起早，来到厨房天未晓。（丑唱）客起早，我起早，行了一程天未晓。（白）迷失了路途。

（小白）前去看看，可有人？（丑白）敢则有个漏吊神？（小白）敢责有个人，你去问来！

（丑白）待我问来了，请问长者，这到六安走哪条路而去？（末白）你往六安作些什么？（丑白）去六安买茶吓！（生白）老汉家有几担茶，你便买去。（丑白）要，咦，不要。

（末白）你这个人说话没有定性，要就要，说什么“咦，不要”（丑白）长者，我好有一比。（生）好比何来？（丑白）好比灯草做拐棍——做不得主！（末白）还有什么人？（丑白）还有铜钱那么大的一个大鳖人。（生白）敢则是大客人？好请客人相见。（丑白）那长者请你相见。

（小白）长者请了。（末白）请了。（两人落座介）

（末白）请问客官，家往哪里，上姓尊名？

（小白）听到。（唱）【驻云飞】听诉原因，小生家往扬州城，姓富名成万，特来买山茗。来此迷途径，问路程。前程生疏故而来相问，望乞长者相指引，望乞长者相指引。（白）敢问长者上姓？

（末唱）听诉原因，老汉本是和县人，姓尤名里滑，亦是买卖人，专门贩山茗，度光阴，异日相逢是故人。（白）客人可知茶的好歹。（小白）我却不知，还望指教。

（末唱）客人听我报茶名：徽州茶，六安茶，霍山茶；云山茶，雾山茶；徽州叶子稀，霍山叶子密，云山杆子粗，雾山叶子细，还要不粗不细，不稀不密，龙眼叶，雀舌枝，沾水草，露浓时。须购雨前草，莫买夏后枝，货真有好歹，价实有高低。

（小白）六安可有茶行？（末唱）行有一十二。（小白）那家行最好？（末唱）唯有姓吴名二哥，他家开行真不错：一杆秤有四个砣，铜砣三十两，铁砣一十二，石嵌砣儿十六两，铜饼砣儿九两多。知道的便把铜砣来放过；若有不知的，弄的混有讹。（小白）哪家行好？

（末唱）只有姓李名平一，公平交易多正直，不为差户不为客，双方童叟不相欺，客人若往他家去，休得狐疑，休得狐疑。

（小唱）我今蒙你多引指，看来你我是友谊，此番回来拜故知，带些人事送与你，紫檀算盘垂缨扇，广铜烟袋鼠毛笔，但愿相逢日可期，感情不及，感情不及。

（末白）客人休说感情二字。（唱）我与你同道遇着同道人，不是亲来也是戚。（小唱）我今多蒙长者引，贩茶回头感盛情。辞别长者往前行。（三人分下）

（正生扮李平一上，唱）打扫店门开，四方八面人都来，我将招牌挂起，挂起招牌。四面八方广招财。（白）家下人！（内白）有！（生白）今日晴和，恐有客官到此，与我烧茶伺候！（内白）是，晓得。（下）

（小、丑同上，小念）一去二三里，（丑白）出门不带米；（小白）烟村四五家，（丑白）肥肉抄冬瓜。（小白）楼台六七座，（丑白）吃着就不饿。（小白）八九十枝花，（丑白）糯米揣糍粑。糯米做盖粑，一口一个缺，一口一个叉，转过嘴，是他家，咦咦，迷失了路。（小白）万利，你去问来。

（丑白）这个大猪院，叫我哪里去问？列位请了，这行驴子放屁老牛行，在哪条街上？（内白）他家住在东街，牌楼前。（丑白）客人，他住在东牌楼前。（小白）万利带路。（唱）转过东街，找请行师李平一。（白）李平一老师可在家中？

（正生上，唱）【驻云飞】忽听声音，未知何人到我门，忙把衣衫整，近前来相迎，莫非买山茗，果是客人。（白）客人请——（小唱）请转升东，受我一礼来相敬。（正生白）客官请坐，（唱）敢问客官尊姓？（白）敢问客官上姓尊名？

（小唱【前腔】）再听原因：小生家住扬州城，姓富字成万，特来贾山茗，久闻行师名，是老诚。在家只中靠父母，出外方知靠友人。（白）请问行师上姓尊名？

（正生唱）家住山村，多蒙客官到小庭，不买别家物，单买我山茗，是老诚。（白）客人听我报茶名：雨前茶、雨后茶、雨左雨右茶、二四八月兰花茶、苦丁零，叶子包得盐，杆子撑得船，名字叫作“老飞天”。茶名甚多，不知客官喜的是哪样茶？

（小白）久闻皖山云雾茶好！（末白）如此好矣！皖山我有一亲家母，他家茶好，你我一同前去。（小白）行师请。（末白）客人请。（三人下）

挂牌训姑

（丑旦扮茶婆姐上，唱）王婆生的丑又丑，胭脂花粉要半斗，驴见嘶，马见吼，骆驼见我抖三抖。黄牛见我哞哞叫，狮子见我大张口。王大娘，脚有扁担长，上山踩死虎，下山踩死羊，有人问我名和姓，我是贩茶的老干娘，老干娘。（白）有人叫我茶婆姐，我想，我娘家不姓茶，婆家不姓茶，为何叫我茶婆姐？只因我种的是茶，兴的是茶，穿吃都靠着茶。今日闲暇无事，唤出众姐妹，教训一番，众妹妹在哪里？

（贴旦率众采茶女上，白）来矣。见过大姐姐，这厢有礼，不知大姐唤我等有何吩咐？（旦白）听我道来（唱）：春日莫贪眠，各人勤俭要上前。（众白）勤俭，勤俭，终日贫贱。（旦白）哎，众妹妹！（唱）你道勤俭，勤俭，终日贫贱。你看多少风流浪子，朝朝闲游戏要，后来卖尽田园，当尽产业，老来衣食无靠，妻埋子怨。真是少壮不努力，白鬓反来怨苍天。怨苍天了，众妹妹，只悔当初不勤俭。（众白）勤俭人家可好？

（旦唱）勤俭人家好，听我从头说根苗：一年之计在于春，一日之计在于晨，一家之计在于和，一生之计在于勤。春来早起莫贪眠，夏日行耕要上前，秋来田园多收拾，冬来自然有衣穿。有衣穿了，众妹妹，大家个个要勤俭。（众唱）自从今日训教后，勤勤俭俭兴茶园。（众下）

（旦唱）今日天晴，手捧招牌出店门。（挂牌介）挂在栏杆上，字字精悍得清：上面写的王婆店，下面写得茶夫人。大小官员都不落，专落扬州小客人。年年有个三月三，扬州客人上茶山。老者出门三五载，少者出门三五年。非是我来把他夸，上穿绫罗下穿纱，买卖公平人品好，扬州客人真不差。喜鹊团团叫喳喳，莫不是贵客到我家。我今转到厨房去，烧茶煮饭等待他。（旦下）

买茶采茶

（小、丑、生同上，唱）一重山叠一重山，山连云雾雾连天；白云深处人家有，鸡鸣犬吠在耳边。

（小唱）三人来在太平桥，太平桥下水滔滔，手扶栏杆桥上过，要往皖山走一遭。

（丑唱）三人来在皖山尖，又听茶婆拜新年，十指尖尖牵郎起，姊妹相交拜什么年。

（小白）万利，你怎么知道他在家中拜年？（丑白）常言道：拿刀去割麦，遇到拜年客，青草盖牛蹄，正是拜年时。他家一定在拜年。（末白）待我叫门，亲家母，可在家中？

（旦唱）我在家中正纺棉，忽听黄犬闹声喧，双手开开门两扇，行师，客人到此间。（丑白）一见亲母就要拜，亲母赏我两大块；一见亲母就叩头，亲母看猪大似牛。三百斤横身四百斤头，还有八百斤盘肠油。炒得菜，摸不到得头。亲母牙齿稀又稀，带得九十九个老母鸡，大鸡和毛转，小鸡扯的屁嘶嘶，养个儿子做皇帝。

（旦白）好着，好着！行师客人到我家有何事情？（丑白）到你家来买茶叶。（旦唱）客人来的不凑巧，我家茶叶卖完了。（丑白）新的？

（旦唱）新的还在茶园里，未曾摘来未曾炒，客人可住得两三日，等我摘下卖于你。（小白）那倒可以，我有几句言词，先要说实。（旦白）生意之中，但说无妨。

（小唱）茶婆听我诉因依，千山万水到此地；久闻你家茶叶好，特来相买莫相欺。（旦唱）客人不必苦叮咛，我家茶叶有名声，粗的作出毛尖子，细的作出冻绿青。今年竹子来年笋，货真价实不欺人。

（丑唱）茶婆不必夸口言，我担担子非一年，不怕装头与盖面，咱的眼儿生的尖。上一套，下一套，纵然作，乖和巧，要你当面现白袍。（小白）万利，你不必多言。（丑白）是的，我万利讲不得话，讲话得人嫌。（旦白）行师客人，一同转至后面，待我采来就是。（三人至后面）

（旦白）众妹妹走来！（贴率众茶女上，白）见过大姐姐，这厢有礼。不知大姐呼唤，有何吩咐？（旦白）非为别事，我家茶以卖完，客人来到我家，要买我家茶，大家努力采些新茶。（众白）如此行矣！

（旦念）众妹妹采茶要用心，（众念）大家齐唱【采茶令】。

（旦，贴率众采茶女，采茶歌舞介，万利参舞）

（众唱）【采茶令】正月采茶是新年，奴在家中点茶园，点起茶园十二亩，当官写纸交茶钱。（采茶正月采花，乌云整整，十指尖尖摘细茶。）（咚咚｜仓｜咚咚｜仓｜咚咚｜仓｜打打｜一打｜仓｜一仓｜一仓｜仓｜打打仓｜仓｜）。（后唱词见本书“茶歌”《采茶》，此略。）

（旦白）茶已采齐备，请二位客官来看茶。（丑白）来着，请二位鳖官来看茶。

（生白）来矣。茶倒采得好，可惜老了。杆子撑得船，叶子包得盐。（丑白）干亲母，客官说，茶倒采得好，杆子撑得船，叶子包得盐，此茶要盘。（旦白）要盘？妹妹们盘茶呀！

（旦、贴率众采茶女盘茶歌舞介，万利参与舞）

（众唱）【盘茶歌】

正月盘茶正月梭（那么，哎嗨），拜年（小）大姐来得多（嘛）；大红衫子绿手袖（那么，哎嗨），八幅（小）罗裙扫地拖（嘛）。（以下衬字同）。（后唱词见本书“茶歌”《盘茶》，此略。）

（众茶女盘茶毕）

（旦白）茶已盘齐备，干亲家，请客官来看茶。（丑白）客官，干亲母请你们看茶。

（生白）来矣。茶倒也盘得好，索性难为干亲母，将茶倒下篓子。（丑白）干亲母，我客官要就你的嫩手，将茶倒下篓子。他是客人，不把你倒茶。

（旦白）哦。众妹妹，大家倒茶！

（众倒茶歌舞介）

（唱）【倒采茶歌】

十三月里来倒采茶，（牡丹花，摘花戴；什么花儿开？）针线花儿开，望郎来。

十二月里来倒采茶（衬字相同）金线花儿开，望郎来。（后唱词见本书“茶歌”《倒采茶》，此略。）

（众茶女倒茶毕）

（旦白）茶已倒齐备，干亲家，请二位客官说个价。（生白）请价。

（旦白）三十两一担。（生白）二十两一担。（旦白）巧了，我不卖。（生白）贵了，我不买。（末白）不必争吵，听我茶行评来：十五两一担。（唱）世间买卖交易，两下公道正直。茶婆姐，你今卖了，莫道价低；小客官，你今买了，休言货亏。我茶行出口，不必争移，两下公平成交易。（旦白）本来巧了！

（小白）不必争价，听我贸易人道来。（唱）世间生涯交易，两下公平才是。（末唱）物有好歹，价有高低，论你宝货凭行入市，正直公道不相欺。（旦、小白）就依行师评价。（末白）客官拿银子交账。

（丑止介，白）慢着，慢着。干亲母，你这就要发客？（唱）茶婆姐，你请听：听我

岳西县汪氏宗祠古戏台（钱子华／摄）

担茶的哥哥道真情。酒一壶，肉一斤，生意发，是人情。这点人事你都不懂，别怪我抽身就走人。

（旦白）好，好，这点人情我认账。（丑白）这才像我干亲母。干亲母为人真爽快，不由万利哭哀哀。（旦白）什么哭哀哀，笑颜开！（丑白）不错，笑颜开。

（末白）客人拿银子过来。（唱）天平响，生意成，今岁已过又来春。等到来年茶园开，我同客人一路来；你把茶价先讲定，我把算盘细打开，细打开，那场生意又开怀。（丑白）开怀不开怀，明年我又来，一年十二个月，月月有花开。

采茶记（二）

找　友

（正生扮余品极上白）开是茶行，开是茶行，日夜最奔忙，有人来买卖，行钱并不让，一毫都不让。吾乃余品极，老茶行是也。今乃上元佳节，大放花灯，我虽开设山村，也须将招牌挂起。后面人，（内白）有。（正生白）你与我将招牌挂起。

（丑扮万利上白）来着来着。油煎豆腐未翻身，焦了焦了。忽听行师叫，双脚往外跳，踩个火柴蔸，烫个燎心泡，哎哟！哎哟！哭也不能哭，笑也不能笑。行师在上，小子丢个揖儿。（正生白）见礼见礼，说什么丢个揖儿。（丑白）我昨日在九字街头。（正生白）十字街头。（丑白）不错，不错，在十字街头，见了他一礼，他还我一礼。我今见你一礼，你昂昂而不起，岂不是丢了个揖儿乎哉！敢问行师，叫我出来，有何屁放？（正生白）有何话讲。（丑白）不错，不错，有何话讲。

（正生白）今乃上元佳节，（丑白）唔。（正生白）大放花灯，（丑白）唔。（正生白）良辰吉时，（丑白）唔。（茶行白）你与我将招牌挂起，（丑白）唔。（茶行白）倘有贵客临门，（丑白）唔。（正生白）你与我烹茶侍候，（丑白）唔。（正生白）我今一日吩咐你，（丑白）唔。（正生白）不敢误迟延，（丑白）唔，晓得，晓得，干鱼不把盐。是的，待我将招牌挂起，挂起招牌，四面八方人都来。新年新年，大家发财。大家老爷奶奶，个个添喜又添财。一人在此冷淡，不免唱个小调儿玩玩。后面人，（内白）有。（丑白）你把我打起孤龙冬。（内白）鼓龙冬。（丑白）不错，不错，你把我班好了匡郎子。（内白）帮好腔。（丑白）不错，不错，帮好了腔。（唱）禀告尊亲，未曾从师学戏文，鼓打全不听，腔口拿不稳，粗粗喉咙唱几声，不中听，有板听板，无板听音，无板无音闹升平。我若不唱，回不起亲朋命，胡言几句过长亭。（白）行师叫烹茶侍候，我一人在此七搗八夹的。哦，想起一桩事来了，旧年三十晚夜，来了一个客人，手拿一个纽丝灯笼，邀我一起做生意，他说在三岔路上等我，我不免去找那个客人啱。（下）。

（客唱上）买卖生涯，两足奔波只为财，两足如梭快，来在长亭外，到处做买卖。买些生涯，买些生涯，急早回来，免得双亲常挂怀，一本万利转回来，一本万利转回来。（白）来在长亭之上，待我打坐一时。

（丑上唱）趱步前行，惯作挑担贸易人，离了家乡郡，奔走六安城，提起来好伤心，珠泪淋。趱个客人，去担山茗，卖了山茗，及早回程，免得双亲常挂心。每天只想一百文。（白）来在长亭之上，打坐一时，好天热。

（客白）好天热。（丑白）不错，不错，好天热。你原来是一位鳖官。（客白）客官。（丑白）不错，不错，是客官。你可是旧年三十上，找我去一路做生意的？（客白）正是。（丑白）我倒也是八十岁公公没养辫子。（客白）此话怎讲？（丑白）大意一生。我旧年当时没有问你的名姓。（客白）听道，（唱）听诉原因，家住扬州一座城。（丑白）上姓尊名？（客唱）姓宋名福字吉庆。（白）敢问朋友上姓？（丑白）你问我上秤，不相干，八十斤。（客白）名姓。（丑白）平秤十六两，益发不相干。我昨日称了不肯长，只有一百六十斤。（客白）姓名之姓。（丑白）哪能是么话？（客白）你哪不知道人有姓？（丑白）人哪有个姓？（客白）人有个姓，瓢有个柄。（丑白）人也有个姓，瓢也有个柄。慢着，待我养养看，（客白）想想看。（丑白）不错，不错，想想看。（客白）你去想想看。

（丑白）待我想想看。我想起来了。客官，我如今找到了一个姓。（客白）什么姓？（丑白）小子姓一名本，字万利。（客白）原来就是万利哥哥到此。（丑白）岂敢，岂敢。敢问客官，做何生涯？（客唱）贩山茗。（白）我观你这个朋友，好像有一半走京城，有一半走广的。（丑白）不错，你到底是个出门人，有些眼力。讲起我来，上到天堂府，下到水吼县，撞钟河，过过江，菖蒲潭，纳过粮，半走京城半走广，如今手挟桠长白毛。（客白）此话怎讲？（丑白）老手又老手。

（客白）好的好的，晓得你是个老手又老手。我现在有一桩好生意，想邀你一同前去，不知你意下如何？（丑白）好。既如此，你就帮了我。（客白）我帮了你，工价难讲。（丑白）那我就帮了你。（客白）你就帮了我，要多少钱一天？（丑白）随你把。（客白）三个钱两天。（丑白）少了，只有个半钱一天。（客白）两个钱有三天。（丑白）少了，不到七毫钱一天，益发不干。素日我妈妈子对我讲，叫我出门，与人同财，难算零细账，情愿图个趸。（客白）既如此，十五个钱一个月。

（丑白）慢着。待我算算，不吃亏，也就半个钱一天。到底我妈妈子说的话总不错，是该能干，就是十五个钱一个月。我且问你：几时起程？（客白）就此起程。（丑白）就此起程。你在此等候一时，待我回家叫我妈妈子，收拾我的担子。（客白）是。

送　别

（丑白）行行去去，去去行行，转回咱家门。妈妈子开门。

（旦上唱）忽听声频，未知何人叩我门？忙把衣衫整，轻步往前行，待我来开门。看是谁，原来夫君转回程，原来夫君转回程。（白）原来我夫回来了。（丑白）妈妈子，我回来了。妈妈子，我搞了一桶生意。（旦白）什么生意？（丑白）我搞了一个担担子生意。

（旦白）夫呀！听到：（唱）哎！我儿夫！你本是有志之人，如何思量作担夫？岂不知挑担多辛苦，那时节，千山峻岭难行走，万水千河路迢遥，山高路遥，怎行得到？担不起担儿要你担，行不动路儿要你行。出门行礼是你检点，早晚歇宿要服侍茶烟。我儿夫，帮人一日也为奴。（白）夫呀！何可实实应允？

（丑白）亏得说，我还未曾应允。酒喝在肚里，银子收在腰里，那还不碍。（旦白）哎！我儿夫！你既应允宋客人，反叫妻子回推。若是见得到客人，他乃知在家照管，若是见不到的客人，不知你贪游外地，反道奴家不贤，留夫在家，恋恩爱情。大丈夫志在四方，因此上不肯远行，不肯远行。

（丑白）我一心不去。（唱）哎！贤妻不去不去真不去。（旦唱）哎！我夫！自古道：男子是天女是地，天动地岂敢不敬。（丑白）妻子！既然如此，你就把我包裹雨伞，衣被行囊，干粮路菜，帽靴草鞋，大烟锤，尽把我收搁担子内，把我一下担来。

（旦唱）我儿夫惯走京城路，一心要往六安去，未知何日转回程？正是，心要去，意难留，留下结冤仇。纵然留得住，埋怨奴家几时休。我只得随夫远游，随夫远游。哎！夫呀！包裹雨伞，衣被行囊，干粮路菜，帽靴草鞋，尽收担儿内。（白）哎！夫呀！你去六安做买做卖，乃是好事，为妻办得饯行酒。（丑白）那不消得。（唱）十指尖尖捧玉杯，问郎一去几时回？路上野花休要采，家中冷落一枝梅。哎！我夫！出门三五里，各处一乡风。未晚之时先投宿，鸡鸣早起要看天，逢桥须下马，过渡莫争先。我的夫！只恐忙中有错。

（丑白）贤妻不必苦叮咛，你夫不是那样人。未晚之时先投宿，鸡鸣早起来看天，路逢君子我先让，逢桥过渡不争先了。我的妻！一本万利转家里。（白）贤妻请上，受我一礼。（旦白）此礼何为？（丑唱）此一礼，不为谁，年老父母托付你。哎！妻子！我今出外担担，未知三年五载回来，年老双亲在堂，饥则与我进食，寒则与我加衣。虽然是我的双亲，乃是你的公婆。有道是，侍父母同感激天和地。

（旦唱）夫言语，奴记知，夫言语，奴记知。丈夫严命怎敢违。哎！夫君！你今出外担担，不知一月两月回来，年老公婆在堂，饥则有奴进食，寒则有奴加衣，虽然是我夫父母，乃是奴的公婆。又道是：侍父母同感激天和地。

（丑白）哎！贤妻！我今去往他方，你在家乡，不念夫君则可，若然思慕，把什么物件为表记？

（旦唱）哎！夫君！你妻子无物相赠，只有戒指为表记。你今去往他方，我在家乡，不念你妻子则可，若是念你妻子，见此戒指，如见妻子一般。一样愁肠两下分，同样肝肠碎裂，同样肝肠碎裂。（白）哎！夫呀！你往六安去，为妻短送一程。（丑白）那脚又小，那不消得。

（旦唱）送郎送到阳光路，再送十里转回头。哎！我儿夫！妻在家中夫远行，腹中多少别离情，虽然只说三分话，未可全抛一片心。真是弓动难留弦上箭，丝牢怎系顺水舟。我夫要去须当去，妻子苦留实难留。夫妻恩情真难舍，难舍难分夫妻情。

（丑唱）我也曾推却有万千，三老爷苦苦来相劝。不待不去，又怕违却三老爷严命。就此前去，怎么舍得家中娇娇滴滴，嫩嫩青青，肥肥胖胖，长长大大，颤颤溶溶，端端正正，金莲三寸。喏喏喏，喏喏一个喏，一扎好老婆。叫我奈如何，奈如何？归家辞别没奈妻何。一心要往六安去，不觉离了自家门。（白）妈妈子！我却当真去也。

（旦白）夫呀！真当去！（唱）去也去也真去也，两下情难舍，打散并头莲，拆散鸳鸯伴。哎！夫呀！你往六安去也，你竟往六安去也。（白）哎！夫呀！

（丑白）行行去去，去去行行，哎，鳖官请呀。（客白）客官。（丑白）不错，客官。（客白）你讲离家路不多，如何耽误这一大伙？你多半在喝团圆酒。（丑白）未曾。（客白）你不在喝团圆酒，你哪来眼泪？（丑白）你不晓得人，男子们出门，妈妈子有一伙喏喏经，猫也连着狗，狗也连着猫。走呀！（唱）有话难提，足似流星肩去皮。离了家乡地，奔走六安地，挑往州城里，到行里。（白）客官，好大岭。（唱）齐山深岭，好叫我步难移。（白）客官，你为什么而来？（客白）我为银子而来。（丑白）却又来。（唱）你为银子我为财。（白）客官！天已晚了，前面有店，进去安宿。明早同行。

路　遇

（末上白）君起早，臣起早，来到朝中天未晓。父起早，子起早，来到田中天未晓。（客白）张家早，李家早，来到沙河天未晓。客人早，挑担早，来到大路天未晓。（丑白）哦呵！天未晓，前头迷失路程。（客白）你前去问来，（丑白）敢问前头是神？（末白）是人。（丑白）神与人也差不多。逮是人！敢问你老爷一个路。（末白）往那里去？（丑白）我往六安去。（末白）你往六安去，前头有三叉大路走中间。（丑白）客官，我去问来了。（客白）往那方走？（丑白）他讲三叉大路走中间。（客白）走中间，你可请问他一声？（丑白）那我倒也未曾问。（客白）待我问来。敢问这位长者，请问长者上姓？

（末白）启禀客官，有所不知，老夫姓尤，名里滑。（客白）家住那里？（末白）溜家潭。敢问客官上姓？作何买卖？（客白）启禀长者，有所不知，小子姓宋名福，字吉庆，前去贩卖山茗。（末白）原来是一位盟侄。（客白）原来是一位盟伯。小子冒认，多有得罪。（末白）盟侄有所不知。只因当初与你令尊大人同在六安贩卖山茗，有八拜之交，自从别后，未曾一晤。当初你令尊常言盟侄宋福会读诗书，不料今日路途相逢。盟侄！你可到老夫家中去宿一宵。

（客白）启禀盟伯，应当踵府问候，无奈路行日久，想速回归，况又行色匆匆，未能拜叩。（末白）这也罢了。你既贩山茗，你可知行情好歹，茶价高低？（客白）小子那却不知，望盟伯指教。（末白）万山云雾茶，闵山钻林茶、徽州松萝茶、六安毛尖茶、霍山连枝茶，五处茶都好。（客白）行市好歹？（末白）行市好歹，那就难说，那四处多有扯拉。唯闵山茶行，本钱富厚。吴二与余品极，两行可以，但吴二行秤不真。（丑白）怎么不真？

（末白）听到：（唱）唯有吴二茶行真不好，一把秤儿四面花，四面星儿四个砣。肚子十六通天下，脊上十八算一斤，里边二十外廿四，杆子中高两头平。（客白）砣儿。（末唱）论起吴二砣儿，铜砣卅两，铁砣廿四，锡砣廿，铅砣一十八，还有砣索里外移。知道者，此秤此砣不用，不知道者，弄个浑天讹错。（白）盟侄，余品极是个老行，秤真价实，老少无欺。

（客唱）我今蒙你多指引，转来长者门前过，感激不尽。（末白）不敢。（客唱）紫檀算盘驮金笔，再来谢情，再来谢情。（末白）没有到老汉舍下，简慢了。

（丑白）客官，走呀！（唱）路远行难，走了一山又一山，昨日天阴变，今朝又雷电，连日雨绵绵，没晴天，路滑泥深，好叫难寻店。出门之人真可怜，出门之人真可怜。（白）我肩膀也压痛了，脚也走肿了。不免在这大门楼子下，咦！是什么东西撞了球？（客白）撞了头。（丑白）不错不错，撞了头。上边花绿绿，下边绿绿花，一个字，又八叉。（客白）两个叉。（丑白）它不认得咱，咱又不认识他。也不知道是卖酒的？是卖粑？客官，你与我几个钱，我打酒吃。

（客白）前面那有店？（丑白）前面有店，屋檐底下开大门，也皆是个店。（客白）待我看来。（丑白）你去吠来。（客白）上写余品极老茶行。（丑白）呀呀呸！驴子屁，老牛行。（客白）此乃官居畈，余品极老茶行。你把我唤来。（丑白）待我唤来，我想十个开行，九个刮辣。待我把他一个狠。开行的，你可在家中？

（行上白）来矣。（唱）忽听声频，未知何人叩我门？黄犬吠不息，想是买山茗。待我来开门，看是谁，原来二位到山村。（白）原来二位客官到此，请！（唱）请转升东，受我一礼重相会，到我小行有何情？到我小行有何情。（白）二位客官请坐。

（客白）有坐。（丑白）小子上坐。（行白）敢问客官，家住那里？上姓尊名？（客白）家住扬州城，特到宝山买山茗，不买别货物，单买你山茗。童叟无欺久闻名，正直公平，茶买好茶，秤要公平，不负千里来投奔。出路方知靠主人，出路方知靠主人。（丑白）呀呀呸！看你这个好人，男人不靠靠女人。（客白）靠主人，敢问行师，贵姓尊名？

（行唱）长岭山村。（丑白）呀呀呸呸！山精乃是一个吃人的老虎。我两个走走。（客白）山村乃是他的贵境，长岭地名。（丑白）是个地名，那倒可以。险险吓破了我的胆。（客白）行师上姓？（行唱）姓余号极品，蒙劳客官到小行，不买别货物，单买我山茗，童叟无欺果是真，本公平。茶是好茶，秤是好秤，不负千里来投奔。听我从头说茶名，听我从头说茶名。万里云雾（丑白）好的。（行唱）闵山钻林。（丑白）好的。（行唱）徽州松萝，（丑白）好的。（行唱）六安毛尖，（丑白）好的。（行唱）霍山连枝，（丑白）好的。（行唱）连枝带叶雾里茶。

（丑白）行师！你的茶名甚多，我小子也要数几个茶名，你且听着：〔讲板〕粗茶出在闵家山，细茶出在万山尖，毛竹家家有，松杉望无边，黄米并绿豆、棉花、木梓、茯苓、条把、香包、竹术、杉木、笋子、皮油、茶麻、栗、铁卖大钱，我还有清明茶、谷雨茶、雨前茶、雨后茶、雨前雨后雨丝茶。清明清，鼓叮叮，二四八月连枝青，叶子包得紧，杆子撑得船。（行白）叫什么名字？（丑唱）名字叫作老飞天。

（行白）茶名甚多，不知客官所喜那个茶好。（客白）闵山茶好。（行白）闵山好，有一位朋友。（丑白）闵山，小子有一位干亲母。（行白）不免我三人一同走走。

买　茶

（客白）一去二三里，（丑白）出门不带米；（客白）烟村四五家，（丑白）肥肉炒冬瓜。（客白）楼台六七座，（丑白）吃得也不饿。（客白）八九十枝花，（丑白）籼米做糍粑，（客白）糯米做糍粑。（丑白）一口一个缺，（客白）两口两个缺，（丑白）三口吃个丁字样，（客白）四口吃了叽里咕里大盖巴。（丑白）七里扯，八里拉，转过拐，干亲母家。干亲母，可在家里？有请干亲母。

（旦上白）来矣。（唱）步出香闺，三寸金莲缓缓移。儿夫进京求名去，倚门悬望不见回。厅前人唤，腼腆含羞，开门且见是何人。开开门来看是谁。（白）原来干亲家到此。（丑白）你是个原样子。（旦白）是个原样子。（丑白）干亲母，先前吵而又吵，前年扰而又扰，旧年搞而又搞，今年又来了。不但今天扰你，明年我也要扰你，后年我也要扰你，外后年我也扰你，不免拜个迟年。

（旦白）来迟了，不消得。（丑白）那也迟了？青草盖牛蹄，正是拜年时；拿刀去割麦，还遇到一阵拜年客；有心来迎接，端六没不迟。（旦白）要拜就拜。（丑白）他竟老老实实的。里外就是嘴不好，不说就不用得拜。打嘴，打嘴。那还算不得事，总是要拜的。一见亲母就要拜，亲母必要弄两块菜；一见亲母就叩首，亲母必要热两盅酒。一见亲母就作揖，亲母必要对我放两个屁。一见亲母就叩头，亲母看猪大似牛。三百横身六百头，六六六，六六三百六十斤盘肠油，炒得菜，摸不得头，炒蒜管，拔蒜头，腌在缸里头，抓在瓢里头，放在砧板头，切在牌刀头，推在锅里头，铲在铁瓢里，盛在碗里头，端在桌子头，钳在筷子头，吃在嘴里头。干亲母牙齿生得稀又稀，一天拉得九十九个老母鸡。大鸡合毛转，小鸡扯得屁，屁一个嘶。（旦白）干亲家！你拜年拜年，如何像水牛撒尿？（丑白）此话怎讲？（旦白）个大一堆。（丑白）这也不多。

干亲母！我这是个还年咒。（旦白）干亲家！到此何事？（丑白）碗口一个大螺蛳。（旦白）到此何事？（丑白）筛筐一个大螺蛳。（旦白）到此何事？（丑白）你的生意头子来了。（旦白）什么生意头子？（丑白）我带二位鳖官。（旦白）二位客官。（丑白）不错不错，二位客官。到你家买山茗。

（旦白）干亲家！你也来得无缘。（丑白）什么无缘？（旦白）早来三天也好。迟来三天也好。（丑白）不迟不早，刚刚凑巧。（旦白）凑巧都凑巧，扬州客人买去了。（丑白）哪个养支客人买去了，洋沟客人买得到？（旦白）扬州客人买去了。（丑白）那倒可以。干亲母！你家陈茶可有些？（旦白）些微有些。（丑白）新茶可能采得？（旦白）刚刚采得。（丑白）既然如此，何不采些新茶合上陈茶，凑几万个担儿，与二位客官抢个先，图图来年主顾。今年竹子、来年笋子，外后鞭子。（旦白）干亲家！你问二位客官，可耽迟三五天？（丑白）二位鳖官，我家干亲母，问你可耽迟三五年！（客白）那就不着，只能耽得三五天，就不能耽得三五年。（丑白）干亲母！我家二位鳖客说，不能耽误三五年，只能耽误三五天。（旦白）既如此，亲家请二位客官后堂吃茶。

（丑白）哦！二位鳖官，我干亲母叫你二位客官往后床一扒，好生莫咬了狗，牛栏连猪圈，解手又方便。（唱）茶婆姐！听原因，我行来了二客人，随带纹银数百两，要买粗茶并芽茶。我行茶已卖完了，望姐相凑我客官。（白）茶婆姐，打搅了。

（旦白）承照应。请！

注：《采茶记》（一、二），汪同元搜集。

第十三章 茶掌故 茶俗 茶方言

第一节 掌故与传说

马玉坳李白题诗

皖西大别山中有座名山——司空山，自南北朝开始就有高僧卓锡，名流览胜。司空山南向有一低矮处，叫马玉坳，坳上建有茶亭。

唐天宝十四年(755)，胡人安禄山在范阳起兵反唐，李白避难南行，唐至德二年(757)，随永王李璘举兵东征，李璘兵败获罪，李白受到牵连。为避难也为慕司空山胜景，李白一度隐居司空山。某日，诗人由崇报寺(在今岳西县冶溪镇联庆村，唐贞观三年建)至马玉坳，在茶亭小憩，放眼望去，只见司空山断岩如削，飞瀑高悬，白云衬托下的南崖赤壁如大摞金光璀璨的天书，赫然在目，觉得自己浑然进入仙境，不禁诗兴大发，一首《题舒州司空山瀑布》一挥而就：

断岩如削瓜，岚光破崖绿。天河从中来，白云涨川谷。
玉案赤文字，世眼不可读。摄身凌青霄，松风拂我足。

因为李白，马玉坳留名于史。一千多年来，无数文人墨客、学者名流来这里凭今吊古，观光遣怀。清代太湖县才子王大枢在马玉坳茶亭高悬匾额一块，亲书“观瀑”二字，以彰千古诗仙司空留题之德。

事见清同治年修《太湖县志》。

李德裕索品天柱茶

天柱茶，唐代名茶，产于皖公山(天柱山)与其西部的皖母山(明堂山)之间区域。这里古属舒州怀宁，今分属安庆市岳西县、潜山市。

李德裕，唐代赵郡赞皇(今河北赞皇县)人，和他的父亲李吉甫都是晚唐名相，唐代“牛李党争”中李党领袖。其兄李德修，为唐代著名的文学家，曾出任舒州刺史。李德裕曾两度为相，唐文宗太和七年(833)拜为宰相，为相一年八个月，唐武宗会昌年间再度入相，执政五年零七个月。

唐朝宫廷茶风盛行，达官贵族几乎人人嗜茶，李德裕也不例外。他十分喜爱天柱茶，有一回竟慕名索品。

《玉泉子》及潜山、霍山两县旧志均有记载：“昔有人授舒州牧，李德裕谓之云：‘到彼郡日，天柱峰茶可惠三角。’其人献之数十斤，李不受退还。明年罢郡，用意精求。获数角投之，德裕阅而受，曰：‘此茶可以消酒食毒。’乃命烹一瓯，沃于肉食内，以银合闭之。诘旦，因视其肉，已化为水，众服其广识。”

这段文字的意思是说，有人出任舒州牧（官名，从二品），赴任前，李德裕吩咐，到了任地帮他弄一点天柱茶。“角”是古代的一种量器，“三”是虚数，意为“少量”。这位刺史到任后献上几十斤，李德裕退还不受。第二年，此人将调离舒州，又用心搜求，获得数角天柱茶再献。这一次，李德裕不仅愉快地收下，还夸天柱茶可以解酒化肉。他命令手下人在银盒里装进肥肉，煮了一碗天柱茶汤浇进去，然后用盖子密封起来。第二天一大早，打开银盒一看，惊奇地发现肉已经化成了水。众人对李德裕的广见博识佩服得五体投地。

储理阳大关亭题联

储理阳（1861—1935），号燮卿，谱名枝熘，清太学生储万福长子，潜山县硃屋乡上四保（今岳西县莲云乡硃屋）人，廪贡生，人赞其“字宗颜柳”“学法朱程”。是一方大儒，也是书法方家。

大关，安庆境内的一座千年雄关，居于离岳西县不远的水吼岭上（今属潜山县），关口面南，繁体“大关”两字，古朴遒劲，今日尚在。大关亭也是古亭，因关得名，乾隆六十年（1795）储仁恩倡修。大别山中著名潜岳古道贯亭而过。

民国初年，地方贤达牵头重修大关亭。修葺后的茶亭有两间房大小，16 根石柱，撑着粗硕的木梁，飞檐翘角，质朴恢宏。落成那天，诸多名流政要前来祝贺。有人议及“大好亭台，可惜少佳联一副”。恰巧这时一位行客，儒服简装，向大关走来，有人认出是大名鼎鼎的储理阳。原来，储理阳由家乡天堂（今岳西县城）到余井（皖河上一渡口），路过这里。大家便说“寻先生不如遇先生，这个联就烦请储先生题赐了！”储理阳也不推辞，沉吟片刻，书出一联：

从天堂来，过关何须羡老子
向余井去，止渴不必望梅城

联中巧用老子骑青牛过函谷关和三国曹军“望梅止渴”典故，点明了大关亭与天堂、余井、梅城间的位置关系，意境高远，文辞贴切，堪称佳构。

亭子岭名称由来

岳西白帽镇，原名白芒镇，白帽镇的亭子岭原名“停尸岭”。这个改变，与一个叫余谷章的人有关。

余谷章，太湖县北乡（今岳西县白帽镇）人，元至正五年（1345）左榜二甲武进士。在家排行老八，人称“余八相公”。公元 1364 年，朱元璋与陈友谅决战于鄱阳湖，陈大败，其残部逃到司空山一带，余谷章率乡勇将其歼灭，为明王朝建立立了大功。明太祖朱元璋在京召见，准备封他官爵。见面后，朱元璋问：“你叫什么名字，家住哪里？”余谷章想，在皇上面前说话应该大气点，于是答：“我姓余，名谷章，后部第一家。”朱元璋生性多疑，心想：“只有我皇帝能称第一家，你山野小民，怎敢狂称第一家！”又问：“家里有多少人？”余答：“不多，筛锣吃饭，两只盐船江心走，家中常吃淡。”朱元璋听罢大惊，心想：“这人有勇有谋，又有这么多家丁，要是造起反来，那还了得？不如除了以绝后患。”于是赐御酒三杯，假示恩宠，叫他回乡听用，实则在酒中放了慢性毒药。

余八相公在快到家的路上，毒性发作，痛苦万状。经过一道河，他踮起脚尖仰望家乡，希望早点到达，这河后来叫踮脚河（现名店前河）；又到一道河，全身麻木，几乎瘫倒，这河后来叫麻瘫河（现名麻滩河）；最后，他用尽全部力气爬到一座岭上，终于倒下，这岭后来叫停尸岭。乡里人听说余八相公死了，十分悲痛，纷纷披麻戴孝，前往岭上吊唁。一时间，白芒路上都是戴白帽的人，自此人们便把白芒镇称为白帽镇。后人又在停尸岭上建起一座茶亭，为过往行人施茶解渴，并改停尸岭为亭子岭。

余谷章死后有人向朝廷报告，余家一贫如洗，更没有什么家丁。“后部第一家”，是太湖县北乡分前部、中部、后部，余家确实是后部第一家。所谓“筛锣吃饭”，是因为没有饭桌用筛箩替代，并不是敲锣聚众就餐，“两只盐船江中走，家中常吃淡”，是家里靠两只鸭子下蛋换盐。明太祖了解到余谷章被冤，怕引起公愤，遂追封其为“枢密使”，享庙祭。道光《太湖县志》记“余谷章庙，县北百六十里，在白芒镇内”。

人们缅怀余八相公，几百年过去，他家乡的这些地名至今未改。

苛征茶课引发头陀河暴动

1930 年 4 月，岳西县北部的头陀河、黄尾河地区爆发了震惊皖鄂两省的农民暴动，导火索是地主苛征茶课，垄断茶市，囤粮居奇，抬高粮价。

头陀河、黄尾河一带重峦叠嶂，气候温和，自古出产优质茶叶。在旧中国，这里的许多农民就靠茶叶为生。可是地主劣绅们根本不顾茶农死活，苛征茶课，垄断茶市，每年秋收，又囤粮居奇。粮荒时节，一边抬高粮价，一边放高利贷让穷人买粮，多手段盘剥，使得很多农民沦为赤贫，无活路可走。

1928 年 12 月，头陀河成立了中共支部，胡祥仁任书记，蔡世钊、胡锡焜、汪恭谓为委员。1929 年春茶采摘之际，头陀河大地主胡锡文、胡锡祜见茶叶长势茂盛，就召集其他地主商议，定下按“二八”收取茶课（农民“二”，地主“八”）的新规，同时勾结外埠奸商在头陀、黄尾广设茶行、茶庄，垄断市场，巧取豪夺，引起贫苦茶农强烈不满。针对茶霸、奸商的恶劣行径，胡祥仁等共产党人一方面组织农民自设“合股茶庄”，进行公平交易，现钱现货，抵制奸商；另一方面，发动群众，抢在茶霸行动之前，不分昼夜，边采制边卖出。当胡锡文等来到茶农家勒索茶课时，农民有农会撑腰，不仅不如数交课，还纷纷提出退佃，不给地主种茶兴粮。无奈之下，地主只好收回成命，暂时妥协。

胡锡文、胡锡祜不甘心在攫取茶课中的失利，1930 年春，组织“团防队”，与四邻的地主武装相勾结，企图剿杀赤卫队。1930 年 4 月 1 日，头陀河农民赤卫队杀掉了胡锡文和胡锡祜。翌日，中共头陀河支部书记、赤卫大队总指挥胡祥仁在石盆大河滩上召开 1000 多人大会，宣布暴动。之后暴动队伍组成两支赤卫队，共计 300 多人（枪），开赴霍山管驾渡地区，与红军三十三师会合，11 日，参加攻打霍山县城战斗，随后回师头陀河。

明山寨神茶

明山古寨射击孔（钱子华 / 摄）

相传，在峰峦叠嶂的大别山中，藏有三棵半神茶。岳西县境内一棵半：一棵在青天乡明山寨，半棵在包家乡石佛寺。

黄芽茶自唐以来就名震九州。到了明代，上至达官贵胄，下到黎民布衣，都以品尝黄芽茶为荣。这年，宁王府要征上等黄芽一千斤。宁王朱权为明太祖朱元璋的第十七子，位高权重。告示传来，霍山县令哪敢怠慢？于是在清明前几天，就差衙役到茶质最好的南乡茶区包家河、石升河一带（今属岳西县包家乡和青天乡）督办此事。为确保不误贡事，官家规定，哪家完不成数额，家中男子就得去遥远的山海关修三年长城。

话说石升河畔、明山脚下的河口，有个叫程大的人，以种茶为生，这年县衙要他纳贡"明前黄芽茶"二斤八两。谁知那年三月，突遇一场寒流，山上及河边的茶树上刚刚冒出的新芽，一下子全被冻死。交茶期限日日逼近，但又无力回天，程大急得一病不起。程大的妻子汪氏，是个贤惠又刚烈的女子，眼看家中就要大难临头，决定拼死去找野茶充贡。这天一大早，她臂挎茶篓，腰别砍刀，自河口沿石升河一路披荆斩棘，附藤攀葛，历经千辛万苦，直寻到人迹不至的明山寨顶，仍然一无所获。正当她心灰意冷，昏沉沉来到一块大石头上准备跳崖自了时，一阵奇香倏然飘来。待她定神一看，发现奇香就来自她脚下的那块大石头边。那里有一株大茶树，其蓬如盖，新芽密集，而且嫩黄壮硕，无疑是制黄芽茶的最好原料。她一阵兴奋，动手就采。奇怪的是，这棵茶树边采边发，采完这边，那边新芽又满，采完那边，这边又嫩尖依旧。直采到天色将晚，茶篓、衣袋都装满了，还是新芽满树。到家后，程大病也好了，两口子欢天喜地，将采得的鲜叶连夜赶炒赶制。炒好后，拿秤一称，不多不少，正好二斤八两！

为让其他同样受灾的茶户免受官府之害，第二天一大早，好心的汪氏带领一班穷姐妹再上明山寨采茶，当她们来到山顶，那棵茶树却不见了。直到现在，当地百姓谈及此事，依然唏嘘不已。

新中国成立后，人们在明山寨出现神茶的地方开辟了一片茶园。由于这里山高雾重，土壤肥沃，因此所产茶叶香气特别持久，滋味特别甘醇。岳西县人大原副主任王业汉先生曾有诗云："品罢明山茶几盏，只羡人间不慕仙。"

石佛寺半棵神茶

秦末，刘邦派一支队伍追剿躲进大别山的胡亥残部。时值春季，阴雨连绵，加上粮饷严重不足，士兵疲惫之极，纷纷生出思乡的念头，斗志锐减。追至包家石佛一带，山槎丛生，荆棘遍地，道路泥泞不堪，寸步难行，士兵的精神、体力都到了崩溃的边缘，谁也不想再前进半步。就在此时，队伍前面出现一位模样怪异的老者，手持一把青槎，招摇引路，走到一块石头边，却倏然不见。士兵们觉得蹊跷，上前一看，见地上别无异物，只有一株青翠欲滴的茶树。一个士兵随手摘了一片嫩叶含在嘴里，顿觉齿颊留芳，倦意尽释。于是，大家争相效仿摘用，结果士气大增，一举将胡亥的残部歼灭。后人编了一个顺口溜："三天门下一棵茶，神仙能看不能拿。人若尝饮仙茶味，千里迢迢不想家。"

这株茶树位于海拔千米的包家河石佛寺边。令人称奇的是，这棵本为一体的茶树却一分为二，半株与当地茶树无异，另一半则完全不同，它的物候期要比其他茶树迟很多。其他茶树发芽半个月甚至一个月，它才抽芽展叶，有的年份甚至在端午前后才采头交茶，由此当地称其为"端午茶"。据说，用这半株茶树鲜叶制成的干茶香高味醇，茶汤浅绿明亮，久置不馊，据说能治百病，被人奉为"神茶"。

兰花女的传说

明末清初，在舒城晓天的香炉冲（今属岳西县姚河乡），有个叫兰花的姑娘，天生丽质，心灵手巧，虽家境贫寒，却无师自通，成为远近闻名的炒茶高手。她自创一法，炒制的茶叶，不仅外形美观，而且分外香醇，成为客户争相抢购的"奇货"。因为是兰花姑娘所制，加上色绿如兰，馨香如兰，人们便把这茶称为"小兰花"。

又是一个春天，万物复苏。克隆寨下，竹子山前，香炉冲里，山山塝塝，茶棵旗枪竞发，光彩照人，微风起处，清香悠悠，沁人心脾。一位徽州茶商，与往年一样，又早早地进山买茶了。为了多获茶利，他今年带来了更多的银两，愿出更高的价格，意在"独吞"兰花姑娘采制的全部头茶。这年兰花姑娘20岁。由于家贫，得遇这样的茶商，姑娘自然心喜。于是白天攀崖钻林，忍饥耐寒，寻好芽，觅嫩蕊，赶采紧摘；夜晚，打着松明，炒理烘焙，通宵达旦。由于过于劳累，不幸病倒，最终，玉山倾倒，英年早逝，一缕香魂离体而去。兰花姑娘原为花仙，死后魂魄本应回归天庭，但她飘忽良久，舍不得离开香炉冲的山水茶园。最终降下云头，委身于克隆古寨东面崖壁间一株绿荫如盖的野生大茶树上。

如今，这株大茶树依然风姿绰约，每年所采鲜叶，可做十多斤干茶。后来，人们在小兰花茶基础上创制出一种新茶，叫岳西翠兰。1985年，中国首次进行名茶评比，岳西翠兰艳压群芳，一举成为全国名茶。

长岭茶亭与小龙女

古坊乡的长岭，自古以来就是一条上通英山下达太湖的必经之道。昔日岭头有座茶亭，茶亭里有对老年夫妇。人们不晓得他们的名和姓，都喊老爹、老奶；不晓得他们有多大年纪，只晓得很久很久以前他们就在这里为行人烧茶倒水。

这茶亭的云雾茶特别清香，那茶山就在长岭湾，湾里的云雾来自九龙潭。这茶亭的水特别甜润，水是从"龙泉井"取来的，龙泉井水也通往九龙潭。

九龙潭在长岭的悬崖峭壁下，有三叠瀑布上下串通，九个龙潭头尾相连，潭底深不可测，云雾终年弥漫，河水咆哮轰鸣。相传九龙潭里住着老龙一家大小九条龙，中间两潭住着龙公龙母，上四潭住着四个龙子，下三潭住着三个龙女。

老龙主管这一方的风情雨意，训练四个龙子行云布雨，教两个大龙女学做针工女红，也忙得不亦乐乎。只有小龙女生得娇小，深得宠爱，成天无所事事，经常在龙潭河独自悠游。有一天她顺着支流逆流而上，不觉到了茶亭的龙泉井。她看到井水清幽彻亮，井内水草绿荫覆盖，井外蓝天万里，井旁山上鸟语花香，如一处自在的人间仙境。于是她就化作一条金色的小鱼，只顾在这井里游玩，竟忘了返回九龙潭。

龙公龙母发现小龙女失踪了，整日神思恍惚，云也懒行，雨也不播。老龙不下雨，人间要大旱，小龙女哪晓得这么多？只晓得井水越来越浅，她的活动越来越不方便，顺水回府不行，就只得缩小了身躯，往泉水眼里钻。后来泉眼也断流了，小龙女被困在那里进退两难动弹不得，面临着危险。

天旱，龙泉井渐干，不够烧茶，老爹就扛着锄头在龙泉井周围掏掏泉眼，找找水源。掏呀掏，还真发现一处泉眼下面的土是湿润的。接着再挖，一锄头挖下去翻过来，眼前金光一闪，仔细一看：哟！这竟然是一条小鱼？老爹又惊又喜，赶忙丢下锄头，捧起这奄奄一息的金色小鱼，三步并作两步跑回茶亭放进水缸，还好，小鱼见水就活过来了。

小金鱼在水缸里神气地游来游去倒很快活，可是龙王不下雨，世人没法活呀。于是，人们抬着黑狗、烧着香纸到九龙潭求雨，可任你磕破头皮，老龙就是不理不睬。水缸存水天天见少，老爹心想，水缸养鱼不是长久之计呀，就将小鱼送进九龙潭里，那小鱼摇头摆尾对着老爹三点头，潜入了水底。小龙女意外归来，龙公龙母十分欣喜。小龙女述说着人间大旱，她被困泉眼，得亏茶亭老爹相救的经过，老龙这才想起误了大事，立即去行云布雨。

小龙女回到九龙潭，心里老惦记着茶亭里那两个尽为他人做好事，自己却无依无靠的老人。一天，她向龙公龙母提出要回茶亭报答恩公，服侍老人。老龙欣然应允。小龙女化作一个妙龄村姑，行至茶亭，装作腹痛。老奶心疼不已，留她歇息，还烧姜茶为她治病。第二天清晨，小龙女双膝跪在二老面前，假说她是孤女，无家可归，愿留下给二老做孙女，服侍老人一辈子。这是上苍的恩赐啊，老两口怎能不答应？从此，老爹挖山种茶，老奶烧茶施茶，小龙女采制香茶，服侍二老，一家三口其乐融融。

龙公龙母知道小龙女在长岭茶亭孝敬老人还为人们做着好事，感到十分欣慰。他们也偏心地向长岭这边多布了些云雾，多播了些细雨。于是，长岭山中树木更茂盛，花草更芬芳，尤其是长岭云雾茶更加香气袭人，味道更加甘醇。周边的邻居、过往的行人、远路的茶商都爱来茶亭坐坐，看看娇美的小龙女，喝碗云雾香茶，说说笑笑，一片祥和。原本冷清的茶亭，一下子成了热闹的处所。

注：《长岭茶亭与小龙女》篇，据刘同炯文章整理。

第二节　茶　俗

客来敬茶

中华大地，数千年文明，孕育出博大精深、瑰丽多姿的民俗风情，茶俗是其中最为耀眼的一颗明珠。“寒夜客来茶当酒，竹炉汤沸火初红”“一杯春露暂留客，两腋清风几欲仙”，我国尚礼，自古就有客来敬茶、以茶留客的优良传统。

在岳西，以茶待客是最普遍、最寻常、最深入人心的生活礼仪。无论谁家，也不论家境如何，一年四季，家里始终都会备一些上好的茶叶，作待客之用。城镇人家的茶叶，大体是购买的，农村家庭基本属于自产。因为是山区，全境宜茶，家家户户都有种茶的习惯。过去主要是黄小茶、小茶（毛峰）、松萝茶、兰花茶、黄大茶、绿大茶、茶末；现在主要是翠兰茶、炒青，也有部分红茶。

岳西人好客，茶为最好的载体。在外好友相逢，少不了聊聊境况，谈谈共同感兴趣的话题，握手告别，说得最多的肯定是："有空来我家喝茶""好的！"然后相视一笑。如果宾客临门，主人都会面带笑容，邀其入座，主人的家属会立即洗涤杯盏，冲沏茶水，敬上一杯香茶。在会客中，主人一般讲究"斟、端、请"。因为茶是烫的，所以不能满溢，免遇烫手尴尬，七分杯即可，"茶斟七分，留下三分是人情"，这是斟茶要领。杯泡绿茶，主人要以右手托杯底，左拇指、食指和中指扶住杯身，躬身微笑相递，说"请用茶"，喝去多半，要及时为客人续水，待客人走后，再收拾洗涤茶具。做客饮茶，应留意"接、端、饮"，饮茶人宜双手接杯，道声"谢谢"，再端杯细啜，赞主人"好茶"，不能手舞足蹈，狂喝暴饮。否则，都会被认为是轻慢或"不晓得事"。

早年的岳西乡下还有"烧茶""拿茶"礼俗。新女婿、亲家、亲家母、亲娘舅或者其他贵客来家，敬茶之后，正餐之前，还要给客人"烧个茶"：几只煎鸡蛋、少许肉片或一只鸡腿，上面堆上满满的挂面。因为蛋荤贵重，精明的客人会只吃上面的面，留下蛋、肉、鸡之类，说吃饱了，以便主人用这些再去招待其他人，撑脸面。正餐开始，有些女主人还会客气地说："大老远来的，一定饿了？"客人也会应声答："不饿，刚刚吃茶的哩！"拿茶，是家里有了喜事，邻居亲朋带上礼品上门祝贺。喜事不同，礼品有别。姑娘出嫁，一般是十几只红鸡蛋（双数），小孩三朝或满月是红鸡蛋加三尺"兜兜布"，做寿则是红鸡蛋加长寿面。这些礼赠待客行为，本身并不含茶，但岳西人世世代代都称之为"茶"。

岳西的"客来敬茶"，还包括无分亲疏，不抱势利。过路的，做买卖的，素不相识上门讨盏茶喝，自不必说是有求必应，就是在家门口随便坐坐，歇歇脚，热心的大爷大妈也会主动上前招呼，问声："喝茶不？"如果某人生性古怪，有人上门不叫坐、不上茶，背地里肯定就会有人讥笑：这家人是"客来扫地，人走烧茶"，或者直言"这家伙不赫显（不咋样）"或"这女人不停当（不贤良）！"

戏采茶

"三月春风催嫩芽，村庄少妇早当家。残灯未掩黄粱熟，枕边呼男起采茶。"这是在大别山区广为传唱的民歌。

"戏采茶"是岳西源远流长的文化习俗。有两方面含义，一是普通茶农以采茶为乐，以茶事为"戏"（玩），在山上家中，边采茶做茶，边戏耍歌唱，怡情解乏；二是由艺人在特定场所进行的以茶为主要内容的表演，如唱茶歌、演茶戏、跳茶舞、舞茶灯等。

茶歌大体有三个来源，一是由谣而歌，即先有民谣，经文人改编配曲再返回民间；二是由诗而歌，就是以文人的诗歌作品直接配曲形成；三是源于草根，完全由茶农茶工自己创作并传唱。

在茶乡，采茶关乎家庭一年的生计，自然是大事也是喜事。大地回春，茶芽竞发，茶农心里充满了希望与喜悦。每天天刚蒙蒙亮，乡村男女就手提茶篮，走出家门，呼朋唤友，上山采茶。往往第一个上山的会放开歌喉唱一首《采茶歌》：

日出啊哈，东方哎，霞喂满啰嗬，未见啊茶友哎，到呀么到山前啰！玉枕啊嘟罗账哎，春喂春意足啊！快采香茗，呵呵去卖钱啰啊，去卖钱啰！朋友快快哟上茶园啰啊！

只要一人开头，和歌的遍地都是，歌声此起彼伏，真的是“一人唱，众人和，香茶满箩歌满坡”，平日宁静的山山岭岭，顿时变成歌的海洋，繁重的劳动也瞬间成为美滋滋、甜蜜蜜的愉快体验。清嘉庆年霍山知县潘际云的《春山采茶歌》就记录了当时的情况：“霍山之峰三十六，仙草时时长空谷……松风吹处闻茶歌，山山相应清且和。”（岳西建县时，约1/4 土地由霍山划入）

至今在岳西茶区广为传唱的古茶歌还有很多。如《人间恩爱有几多》：

郎唱山歌妹来和啊，茶棵树下哎会情哥啊，
郎情姐意歌声好喂，金童玉女呀渡银河啊，
渡银河，人间恩爱有几多！

艺人表演的“戏采茶”不受季节限制，文化意味更浓，主要演唱的是《采茶调》和《采茶戏》。《采茶调》由采茶、倒采茶、盘茶、贩茶组成套曲，唱词均以十二月联叠形式呈现。演唱方式有单曲或多曲散唱，也有作为传统剧目岳西高腔《采茶记》情节出现，边唱边舞。因区域不同、艺门有别，岳西《采茶调》也有很多个版本。

在岳西民间，还有很多人把当地上演的传统剧目，统统称作“采茶戏”，歌舞统称为“采茶舞”，剧舞的演出叫“戏采茶”。“戏采茶”中的茶舞，十分优美，一般伴随鼓乐响起，由茶婆（丑扮）手擎一茶枝在前，众茶姑（多为八位）挑茶篮后随，走团场，编“8”字，边舞边唱。唱词清丽，舞姿曼妙，引人入胜。往往一处演出，远近数十里的村民都会赶来观看。

“戏采茶”发端并传承于乡村，是真正的“草根”文化，最受茶乡农民喜爱。在今天，如果我们于清明小满间的茶季，或在元宵庙会传统节日，或在喜庆、农闲时候，走进岳西，依然可以遇见“千门万户议茶事，欢天喜地戏采茶”的盛况。

茶饮

“宁可三日无粮，不可一日无茶。”茶，对于大部分岳西人来说，是不可或缺的生活必需品，是愉悦心志、沟通情感的重要载体。

岳西人对茶的消费，大致有品茶与喝茶两种方式。在日常，大抵是“喝”重于“品”，以喝为主，有时也兼而有之。单纯品茶，只有在雅集、表演，或某种仪式等特定场合出现。

品茶，重意境，把茶饮活动看作一种艺术欣赏和精神享受，在“品”字上下功夫：“三口方知味，数番才动心。”讲究的是色、香、味、形，注重的是茶、水、器、境。往往是通过细细品啜，徐徐体察，观其形、察其色、闻其香、尝其味、享其韵，使情感得到陶冶，精神获得愉悦。

喝茶，主要是为了清凉解渴，调节体温，满足人体对水分的需要，也有习惯使然。表现出的形式各不相同，有的是粗犷“野性”，大碗急饮；有的是小盏轻濡，徐品慢酌；也有的是读书、工作或闲暇之余，率性而为，无有定式。喝茶人中，不少人茶瘾很大，日泡三道，而且道道浓酽，甚至苦涩，才觉得过瘾。有的老人，一生嗜茶如命，每天清早起床，第一件大事就是一杯茶，一袋烟。为了省事，甚至还特备一个茶壶，装上开水，投进茶叶，成天放在火塘里煨着，随时取饮，又浓又热，感觉十分的对味。

早年多数农家，除了有贵客临门必须起灶烧茶，居家过日子，往往是烧一次管一天自用和待客。其方法很粗犷，早上烧上一大泥壶开水，抓上一把“叶子能包盐，杆子能撑船”的黄大茶或茶片、茶末，盖上。冬天将泥壶放在火宕里，不烧火宕的季节放在炭炉上，煨着保温。这炭炉多是由黄泥烧制，高尺余，敞口，口边留通气孔，大多摆在锅灶靠近墙壁的地方，使用时放进从灶膛里铲出来的温热炭灰，再把准备好的茶水壶往上一架就成了。也有的在灶台偏角位置，安装一个水罐，做饭时将罐里的水烧开放茶，饭做好后，将灶内的灰烬余火往水罐下方一推，保罐中茶水半日不冷，随时取用。20 世纪 70 年代，水瓶进入千家万户，大多数人家开始采用水瓶泡茶。20 世纪 80 年代以后，基本都是水瓶装开水随饮随泡了。

以前交通不便，农民打柴伐木，耕地种田，全靠步行，费时费力。为了多些时间干活，基本都是早出晚归，所需的茶水、饭菜全部用竹筒盛装，自己带上。装茶的竹筒制作简便，取一两节粗老的毛竹，刨光磨平，上端穿上绳索就成。竹筒装茶水，好处很多：茶水不馊，还会伴有竹子的清香与微甜；往树下一挂，可以防太阳直射，可以防虫尘污染；随便扔在地上也不担心被打破。要是家里人送茶水到田间地头，多用壶桶。壶桶装茶相对讲究，茶壶一般为锡或铜质，放在木桶里，木桶带盖，桶与壶之间，塞以棉絮、纱布保温。现在，路好了，有车了，外出干活已很少有人在田间用饭，携带茶水的早已不再是竹筒壶桶，而是美观时尚的玻璃杯和旅行茶瓶了。

煎煮大碗茶，是中国特色茶文化之一，也是岳西常见的茶饮方式。因为设施简单，不需要有富丽堂皇的场所，有桌有凳有壶有盏即可，所以，多在茶摊、茶亭出现。由于它最贴近百姓，特别受基层民众喜爱，即使在物质文化生活有极大改善的今天，卖大碗茶的虽已绝迹，但无偿提供茶水的，在车站、超市、寺院等公共场所，依然经常见到。只是用的不再是碗，而是一次性纸杯罢了。

“平生于物元无取，消受山中茶一杯。”茶为灵物，无论是品是喝，对饮者言，都是一种快乐的享受与体验。

婚嫁茶礼

婚嫁茶礼是指在男女双方相恋及结婚过程中，以茶为依托的种种行为。它可以是茶的礼仪，也可以是茶的礼品。茶礼起于何时，已无从考证。如果从唐贞观十五年（641），文成公主入藏时，按本民族的礼节带去茶开始，至今已有1300余年了。

陆游《老学庵笔记》载，宋代未婚男女，相聚踏歌：“小娘子，叶底花，无事出来吃盏茶。”明代郑燮《竹枝词》写道：“溢江江口是奴家，郎若闲时来喝茶。黄土筑墙茅盖屋，门前一树紫荆花。”这是古人以茶传情，借茶示爱。

自古及今，在缔结婚姻过程中，有许多以茶为“主角”的礼俗。在包括岳西在内的大别山区，就有“三茶六礼”。

三茶，指订婚时的“下茶”，结婚前的“定茶”，结婚时的“合茶”。下茶，又叫聘礼茶，订婚时在聘礼中备两包茶、两包盐，盐为“海沙”，茶为“山萌”，谐喻好事成双，“海誓山盟”，期望未来婚姻美满。女方接受男方的“下茶”，就表示婚姻已经成功缔结。《红楼梦》中，王熙凤送给林黛玉茶后，开玩笑说：“你既吃了我家的茶，怎么还不做我家的媳妇儿？”定茶，是临近结婚时的礼俗，男方初定聘日，书文成贴，求女方应允，也叫“送日子”或“定日子”。送日子时，男方上门要备上糖糕、茶叶，帖子压在糕茶之间。合茶，是结婚当日的礼仪，有三道。一是以冰糖、红枣入茶水，招待来宾；二是在婚庆仪式上，拜过天地、父母之后，新人手托茶水，敬献双方父母，感谢父母的养育之恩；三是入洞房之前，夫妻对饮交杯茶，茶中配以红糖、大枣、花生米，含甜甜蜜蜜、红红火火、早生早贵子之意。过去，在头陀河、黄尾河一带，还把“点茶”作为结婚的代称——送新婚贺礼，叫“送点茶礼”，参加婚宴，称“喝点茶酒”。

六礼，指自求婚到完婚所要经历的具有规仪性质的六道程序。即纳采（男方托媒人去女方提亲）、问名（女方答应了，男方再请媒人去问女孩的名字、生辰八字）、纳吉（即择日定亲）、纳征（女方接受男方聘礼）、请期（确定迎亲日期）、亲迎（正式迎娶）。在每项仪式中，男方都要带上一定的礼物，其中，茶都必不可少。在古时，男女只有完成了三茶六礼，婚姻才算是合规合仪。

结缔婚姻时以茶为礼，其原因大体是因茶的特质而寄予某种期望。茶树四季皆青，以茶相赠，表明希望“爱情之树常绿”；古人认为茶树“不可移植，移植则不可复生”，具有“专一”性，男女赠茶受茶，以期望双方“从一而终”；茶树开花时节，茶籽尚在，称“母子相逢”，表示传宗有望，苗裔繁荣；茶寿（108岁）是不可多见的高寿，在婚恋过程中反复赠饮茶品，希望夫妻白头偕老，共享遐龄。

进入现代，男女自由恋爱，婚嫁仪式虽有了很多改变与创新，但茶作为此过程中的礼仪用品，依然不可或缺。

茶祭与祭茶

古人重祭，《礼记·地官》有“掌茶”和“聚茶”治丧的记载，表明早在2000多年前，人们就用茶作为祭品了。在岳西民间，茶与祭祀的关系也十分密切。

以茶为祭，有礼佛祭祖，也有祭祀神灵。通常有以茶水为祭、干茶为祭、只将茶壶茶盅象征茶叶为祭等数种。

岳西寺庙多，而寺庙多种茶。所收茶叶，一作招待香客，二作自饮，三为供佛。在如上三用中，僧人们最为倾心的还是礼佛供佛。宋代通判谢明《司空山宿无相寺》有诗云“松花细嚼蒲团月，春茗新烹老纳蹊”，诗人亲见司空山无相寺长老，以茶礼佛。本境四望山五龙寺名下有片茶园，在四望山顶。相传是五龙寺开山祖元末费贤所建，人称“费公茶林”，面积逾百亩，为四望山十景之一。据说，费贤每年种芋艿三百六十棵，每天仅食一棵，终日清茶黄卷，行医济世，生活极其简朴。大集体时该园每年还能采数千斤茶草，现在遗迹尚存。

以茶礼佛还有一种方式叫“收脏（读 zàng）”。即塑（雕）佛像时，在背上留一孔，佛像入寺落座前，由僧人信士将茶和米置入其中，然后封上。意为此佛像已有生命（能永久享用供养），已有悲悯之心，普度之灵。

浙江长兴顾渚山紫笋茶，被陆羽评为茶中上品，列为唐代朝廷贡物。“一日王程路四千，到时须及清明宴”（唐湖州太守李郢诗）。虽然长兴、长安远隔四千余里，但是上好的紫笋新茶必须快马急程，赶在“清明宴”之前送达。“清明宴”，就是朝廷清明节的祭祀活动。

在茶祭中，除了以茶贡佛祭祖，最为常见的就是用于丧事了。岳西“老了人”（人去世），有一套特殊的治丧规仪。死者一咽气，即由床上抬到门板上，叫“下停板”。停放后，放一片茶叶于亡人嘴唇上，再用黄表纸将亡人面部盖住，头前放大半碗半生不熟的米饭（叫“倒头饭”），一双筷子直插在饭里，上面再放两个鸡蛋（叫“倒头蛋”）、一炷香，然后烧纸轿马，设灵堂，择时入殓。入殓前，灵堂正中是棺，棺下点长明“本命灯”，棺前挂孝幔、挽联，并设祭桌，置灵牌、摆遗像、燃白烛，上鸡、鱼、肉三牲及茶、酒、饭等供品。下葬及以后的上坟，供品也是三牲及茶、酒、饭。焚香叩首后，茶和酒由主祭洒在坟前。

在岳西及其周边的许多地方，还视茶为吉祥之物，用来辟邪驱鬼。因此，在造房建屋、立柱上梁时，会在地上撒一些米粒和茶叶，求家业永固；遇上“倒霉”的事，要讨七个人家的茶叶混合泡饮，驱晦接福；小孩子受到惊吓，会化“百家茶”“百家米”放在小孩的枕头下，保“百魔不侵”，安枕入睡。

祭茶，是指备以供品，祭奠茶神（陆羽）和土地神。全国不少地方都有祭茶习俗，“武夷春暖月初圆，采摘新芽献地仙”，说武夷山一带，春暖月圆时候，用新茶祭献土地爷。在岳西，祭茶有“小祭”与“大祭”之分。

小祭，是家庭性祭祀，于茶叶生产季节，家主带“三牲”、备纸马，在茶园里叩祭茶神，拜求茶树多发嫩芽，行情看好，家人采制平安。这在当地古民歌《采茶》中有生动记录：“五月采茶茶叶团，茶棵树下小龙（指蛇——笔者注）盘，多办银钱并纸马，茶棵树上保平安。”

大祭一般由盛产茶叶的自然村、茶场或大的姓族公堂牵头，在茶开园时选一个风光秀美、茶叶质量优异的茶山，设立祭坛。内容有祭告天地、茶神和“喊山”。喊山，由一德高望重的老茶人在高坛上领喊“春天到！”“茶发芽！”台下背着茶篮的采茶人和观众，一起跟着喊“好！”以祈求风调雨顺、茶芽丰收。随后是演茶戏、唱茶歌、跳茶舞。参加人数众多，场面较大，过程隆重热烈，且清新活泼，为群众喜闻乐见。21 世纪初，包家、姚河一带还举行过茶山的大祭。

建亭施茶

建亭施茶是利益众生的善举，也是在岳西传承千年，经久不息的民俗乡风。

过去，大凡干道，相隔几十里，甚至几里，就会有人自发地在山腰、坳头建一个茶亭，供过往行人歇歇脚，擦擦汗，喝口茶，看一看风景，恢复一下体力。直至现代，高速公路连通内外，普通水泥路通村通组，基本以车代步，茶亭才渐渐淡出人们的视线。

茶亭又称路亭、凉亭、茶棚，形制繁简不一，因地因时而异。大体有亭有屋，有灶有凳，有的还备有床褥铺盖，以供商旅行人不时之需。但也有一些临时性亭棚。临时茶亭多在荒年和青黄不接的季节出现，用以施茶施粥。结构相对简单，有的只用几根竹木、数捆芭茅搭建一个“人”字棚或亮脚棚。施茶（施粥）期限也不很确定，短则数天，长则数月，见势而为。

新中国成立前岳西茶亭甚多，据不完全统计，有 60 多座。在响肠镇内四十里古皖道上，自南而北，就有大关亭、牛眼潭亭、五星庙亭、沙岭头亭、清峰岭亭、板桥街亭、塔儿岭亭等 7 座。在冶溪畈有罗铺亭、白石坳亭、九老亭、马踏岭亭。衙前至主簿、姚河一线，有叶畈亭、罗成墩亭、桃岭亭、七里冲惜冤亭、中畈亭、大歇岭亭、马石亭、梯子岭亭、朱砂岭亭等。新中国成立初，为方便群众生产生活，本县民政部门对部分茶亭进行过拨款修缮，20 世纪 70 年代，尚有不少存在。《岳西县志》载，1985 年，全县享受政府补贴的茶亭有 44 座。

历史上的茶亭全为公益性质，不收茶水费，设立方式主要有宗族建、寺庙建和善户建三种。

宗族建亭一般由当地旺族有威望的人牵头（称“首事”或“纠首”），组织相关公堂（姓族支裔团体）、社会组织、名流大户，以及周边民众，筹集银两，购买亭基，建造亭房，请人长期烧水施茶。也有人直接捐赠土地、山场，供茶亭永久使用。白帽镇余河野溪冲水口永宁桥上的“花亭”，清乾隆三十五年（1770）始建，光绪三十三年（1907）守望会重修。《太湖县志》（道光版）记载：“永凌桥（亭），县北南庄野溪冲口，乾隆三十五年监生祝庆捐造。”重修碑记，建桥亭首事是“守望会”祝宪章等。建于清道光十六年（1836）的响肠塔儿岭茶亭，由当地王氏家族牵头，成立“茶局”，承办筹建事宜。该茶亭《文公碑记》《茶局捐名碑》记载，亭基由王维新支下王经济、王味燮、王味羹捐献，当地民众捐款62笔，368千文。位于中关碎石岭与响肠半岭交界处的请寨新亭，由王永奎后裔于 1927 年修建。亭碑载：“我王氏永奎公裔，环居左右，爰率公私集资，代公捐地点，创亭煎茶。”连云乡腾云村大西组西水岭茶亭，系当地储、王、刘、汪等姓族人员于清道光二年（1822）筹资建成，又于 1923 年重建。1981 年前后，一位储姓老母仍在义务为茶亭烧茶。

寺庙建设并管理的茶亭在岳西很多，这与佛家尚茶有关。如白帽亭子岭亭、莲云黄沙岭亭、温泉桃岭头亭、毛尖山王婆坳亭、店前河东茶庵亭、马玉坳亭、白帽南庄镇龙庵亭、田头雪山庵亭等，均属寺设。寺设茶亭，多是“前亭后庙”格局，施茶事宜由僧人或居士承担。

善户建亭在岳西茶亭中也占一定数量。位于司空山北麓的白石村的九老亭，为乾隆年间白石坳郑氏九位嫡堂兄弟个人初建，道光二十七年（1847）重修。该亭通体石质，高约 5 米，有穹顶，四角由四根一尺见方、高丈余的花岗岩柱支撑，飞檐戗角，坚固玲珑，现仍完好。店前镇徐良村与中心村交界处的凉水亭，民国年间由乡贤余凉水建。乱世荒年出现的诸多临时性茶棚（粥棚），也多是个人所设。

在旧中国，岳西山区经济萧条，交通闭塞，加上天灾不断，兵燹连年，人民生活异常艰辛。建亭施茶的善为，与修桥筑路、收养遗孤、义葬无主尸骸一样，有着重大的现实作用，深得百姓赞誉，也深受史家关注。打开县境旧志和家谱，因上述种种善为被载入其中的比比皆是。如《潜山县志·人物志》（1920年版）载："储光琼：乾隆间倡捐积善局，给丐埋骼。又捐地基修西水岭茶亭，与王姓合买店基岭，建亭置案施茶，至今未堕。"说他组建积善堂，收葬乞丐尸骨，捐地建西水岭、店基岭茶亭。

赠新茶

"休对故人思故国，且将新火试新茶。诗酒趁年华。"茶性高洁，是为山珍。新茶，更是以其特有的色香味韵，让人百般怜惜，一见倾心。

在我国寄赠新茶，由来已久。新茶上市，给亲友寄上若干，附一封短信："山中无宝物，聊寄一枝春"，温馨而又别致。双方的情谊，在这氤氲的茶气、暖暖的茶汤之中，瞬间得到升华。于是，许多文人墨客在接到朋友寄赠的新茶时，往往会抑制不住内心的喜悦，诗情如涌，泼墨而书。如白居易《谢李六郎寄新蜀茶》"不寄他人先寄我，应缘我是别茶人"，李群玉《答友人寄新茗》"满火芳香碾曲尘，吴瓯湘水绿花新。愧君千里分滋味，寄与春风酒渴人"。感激欣喜之情，跃然纸上。

大别山盛产好茶，岳西及其周边，寄赠新茶之风，自古有之。唐代宰相李德裕就有对天柱新茶"惠三数角"之请。千百年来，此风不仅不减不衰，且有越来越强劲的势头。过去多在至亲、文人、富户之间进行，皮纸包裹，比较简约，上等茶数两而已。现在，无论是范围还是数量都扩大增加，包装也更加精美。每到春来，城乡一片繁忙，家庭赠亲友，企业赠业务单位，热热闹闹，车水马龙。业务关系广泛的企业，外地亲友多的人家，寄赠数量，少则十多份，多则数十份，甚至上百份，多用礼品盒包装，每份数量在半斤至一斤之间。城乡一般人家，礼赠新茶行为，同样广泛存在，只是份额会少一些。

赠人清茶，手留余香。通常寄茶、受茶，双方皆悦。但也有并不情愿的时候。在吏治不清的年代，一些官员，往往特别"钟爱"在新茶出产季节，到乡村走马观花，"调查研究"，按照"潜规则"，就是收受茶烟酒。对此，民众普遍深恶痛绝，讥之为"调茶烟酒！"

第三节　茶谚语　茶方言

茶谚语

1. 开门七件事，柴米油盐酱醋茶。
2. 想金山，盼银山，不如兴块好茶山。
3. 千杉万松，一生不空；千茶万桐，一世不穷。
4. 坎边茶，篱边茶，荒年来了不犯难。
5. 一担春茶百担肥。

6. 动动铁器，三分壮气。
7. 若要茶，伏里扒。
8. 七挖金，八挖银，九月十月了人情。
9. 秋冬挖得深，赛过挖黄金。
10. 上要空，下要壅（茶园翻挖）。
11. 若要茶叶好，铺草不可少。
12. 平地有好花，高山出好茶。
13. 云雾高山出好茶。
14. 土厚种桑，土酸种茶。
15. 头茶荒，二茶光。
16. 谷雨茶，满地抓。
17. 茶树本是神仙草，只要肥多采不了。
18. 头茶不采，二茶不发。
19. 早采三天是宝，迟采三天是草。
20. 惊蛰三天茶脱壳，立夏三天茶生骨。
21. 树上茶花多，来春茶芽少。
22. 春茶甜，夏茶涩，秋茶好喝摘不得。
23. 人走扫地，客来敬茶。
24. 客来忙扫地，人走再上茶。（讥待客不周）
25. 宁可一日不食，不可一日无茶。
26. 翠兰好比花仙子，从来佳茗似佳人。
27. 茶斟七分，酒筛十分。
28. 饭后一盏茶，到老眼不花。
29. 吃了茶叶子（蛋），干活有劲使。

茶方言

（一）种植管理

1. 打茶籽：采茶籽。
2. 点茶、点茶棵：点种茶籽。
3. 茶头：茶树新芽新梢。
4. 委茶蔸：秋冬茶根部覆盖草木灰或厩肥。

5. 乌棵：茶树上没新芽。①喻采茶仔细。例句：他家好过劲（厉害），采乌着棵。（包家一带）②茶未发芽。例句：都四月了，茶山还是乌棵。（姚河、主簿一带）

6. 黑脸：茶芽长大变老。例句：喏嘀，三天木（没）来黑脸着！（包家一带）

7. 抠茶：采茶。例句：么会子有功夫，给我抠一天茶？（包家、姚河一带）

8. 打茶衬子：帮人采茶。例句：你这鬼么果会抓啊，有人帮你打茶衬（撑）子了呵？（诮语，赞赏别人采得多。包家一带）

9. 捉茶虱子：喻采得慢。（姚河、主簿一带）

10. 过茶春：男女茶工春季在一起采茶、做茶。（包家一带）

11. 科家：做茶世家，行家里手。（包家一带）

（二）茶品

1. 头茶、头交茶：春季头批茶。

2. 子茶：夏茶。例句："大姐回头问二姐，头茶没有子茶香？"（茶歌《采茶》）

3. 谷雨尖：谷雨前采制茶。

4. 明前茶：清明前采制茶。

5. 混子、混茶：春茶与夏茶之间发出的茶芽。（姚河一带）

6. 翻棵茶：春茶或夏茶后，将茶棵上可用的新叶采光，往往老嫩不齐。

7. 老票、茶票：老茶片。

8. 绿茶、松萝茶：指炒青绿茶，白帽、店前一带称松萝茶。

9. 米茶、细茶：细嫩茶。例句：泡碗细茶儿喝。（包家一带）

10. 茶娘、茶母：①指茶卤，茶汁。旧日壶泡茶卤备用，用时兑水以饮。②指茶店女招待，或舞台唱采茶调的女演员。

11. 老天飞、老飞天：黄大茶、绿大茶或老茶片。农家一般将干茶揉碎贮存，茶质轻，风吹即飞，故名。（温泉响肠一带）

12. 秋露白：秋茶。有谚：春茶苦，夏茶涩，好喝还是秋露白。秋露白，好喝采不得。（姚河一带）

13. 夏枯草：立夏之后的茶。

14. 过冬青、冬茶：深秋后采的茶。例句：冬天了，家里木（没）茶了，到茶地里捌一把过冬青哈！（姚河一带）

15. 子苔子、子条子：砍棵或烧棵后发出的盈嫩新苗。

16. 子腿子：五六月采翻棵茶时，茶蓬根茎部长出的嫩梢。

17. 本茶：当地茶籽直播的群体种茶叶。因多品种混合在一起，口感一般比较饱满，外观不够整齐。

18. 钻林茶：槎林里的野茶。（田头菖蒲一带）

（三）采摘加工

1. 茶草：茶鲜叶。

2. 种子箩、腰子箩、大筐箩：盛装鲜叶的工具。种子箩，体小篾细，采头（交）茶用；腰子箩，体量较大，采中期茶用；大筐箩，又称茶篮，后期采黄大茶用。后期茶叶老杆大，俗语："左手一把茶八两，右手一把茶半斤，双手一合是一斤。"这种茶须用大筐装盛。（包家头陀一带）

3. 茶锅台：炒茶用的灶台。

4. 炒茶、焙茶：①单指炒、烘工序。②泛指做茶。明代县令王毗翁《焙茶》诗："家家篝火山窗下，每到春来一县香。"

5. 做茶：加工干茶。

6. 茶焙子、茶坑：指茶烘斗，竹制。

7. 茶把子：茶帚，制茶用具。

8. 打脚摞子：打赤脚揉黄大茶（包家一带）。姚河一带称“打脚巴子”。

9. 撞火：①烘焙茶叶。例句：你等会，我把这茶再撞下火。②撞。指黄大茶干度。20世纪80年代前，供销社收黄大茶，九成干叫“一九撞”，八成干叫“二八撞”。

10. 茶花子：对制黄大茶“拉老火”（足干）师傅的戏称。该工作劳动强度大，技术要求高。师傅们普遍着破旧衣服，满手老茧，一身茶灰一身汗，宛如“花子”。（姚河一带）

（四）茶饮

1. 壶呆子：特大瓦壶。旧时茶亭或人家常将热茶装入其中，放在灶台或灰龛上保温。

2. 茶筒：竹制品，有两种，大的装干茶，小的盛茶水。

3. 小咪壶：小茶壶。

4. 茶盅：小型茶盏。

5. 茶桶：盛茶水器具。

6. 壶桶、捂桶：盛装茶壶的用具。有利于保温，方便提携。

7. 捂壶：放在捂桶里的壶，有铜、锡、瓦、瓷多种。

（五）茶礼

1. 茶礼：娶亲所送女方家的礼品。

2. 定性茶：新娘进门前在门口落座，喝一碗茶，意为从此定下性子，成为夫家一员。

3. 倒子茶：婚嫁仪式，斟送汤水，内有茶叶蛋、红枣、花生米，寓“早生贵子”。

4. 三遍茶：岳西婚俗，婚宴次日早餐吃三遍茶：粑粑茶，挂面茶，果子茶。

5. 粗茶：自谦词，指自己的茶不好。例句：来家喝口粗茶？

6. 回茶：民间亲戚之间往来，给别人茶。（姚河一带）

7. 烧滚茶：客套话，表示敬意或谢意。例句：这回你帮忙了，下回到我家把茶烧滚毫。（姚河一带）

8. 烧茶：待客用，通常为一碗挂面鸡蛋。

9. 把茶：赠给客人礼品，如瓜子、鸡蛋、挂面、茶叶之类。

10. 讨茶：向他人讨要茶水。

11. 筛茶：斟茶。

12. 扰茶：在接受别人茶水招待离开时说的客套语，以示谢意。

（六）其他

1. 戏采茶：观赏或表演采茶戏、采茶调。

2.《采茶》《倒采茶》《盘茶》《倒盘茶》《贩茶》：采茶戏中的特定曲调。

3. 茶贩、茶客：旧时贩茶量小的称茶贩子，贩茶量大的叫茶客。

第十四章　茶亭　茶路　碑刻

第一节　茶　亭

1. 花桥亭

又称永宁桥亭，在岳西县白帽镇余河村花桥组，与永宁桥一体。永宁桥（亦称永凌桥），因建构奢华，俗称“花桥”或“花亭桥”，系集径渡、施茶、休闲于一体的特色古建。桥横于野溪冲水口，清乾隆三十五年（1770）始建，光绪三十三年（1907）守望会重修。《太湖县志》（道光版）记载：“永凌桥，县北南庄野溪冲口，乾隆三十五年监生祝庆捐造。”上有精美廊亭，可供行人憩息，桥头有社庙茶室。“文化大革命”时期，廊亭遭损，1979年，县交通局拨款整修，但与原貌相差甚远。下为平板石桥，桥面四根整石，长10米，宽1.7米，上建简易廊亭。2017年政府重修，新亭西置碑墙，东留社庙，在原桥面石条两边各加宽0.9米，上起廊式长亭3间，砖木结构，两端山墙，亭边设扶栏，栏下安装木凳，供人歇息喝茶。

钱子华／摄

2. 亭子岭亭

亭在白帽镇桥梁村广佛庵侧，店前河通往白帽镇的古道上，同治十三年（1874）徐忠敬倡建。民国《太湖县志·公局·南庄凉亭会》载：“邑北百三十五里南庄亭子岭，有凉亭数间，茶缘会田种一石，每年四季施茶不辍。职员徐忠敬于同治十三年倡募建置。”向由广佛庵管理。广佛庵《雪山祖师碑记》云：“雪山祖师，光绪二十八年出家为尼，住持广佛庵，修庙宇，塑佛像，古刹重辉。庵设茶亭……为四季行人施茶送暖，功德无量。”

现亭系民国初年重修，亭中梁上有“民国□□年修建”字样。茶亭一间，骑路而建，砖瓦齐檐结构，长8.2米，宽4米，高4米，两山墙对开宽1.55米、高3米拱门，亭内侧架条石为凳。茶水由广佛庵施供。亭内有《重修亭子岭凉亭功德刊》碑，今亭碑俱在。

钱子华／摄

3. 段皮岭亭

又叫长岭亭，在今古坊乡长岭。为当地居民筹资建管施茶，新中国成立后政府补贴供茶。亭边有庵，有古树，有巨石中分两片，20 世纪 70 年代修路被破除。《太湖县志》载："县北百六十里，上建凉亭，近地善士捐田施茶。其下有锯解岭，有巨石二片中分，相传公输子所解。古枫一株，围二丈许，密荫四垂，经冬不陨，洵古物也。"书中又记："张傅仁，字礼堂，从九品。性俭朴，好施与。捐银六十两，倡修玉望保永清桥。又捐段皮岭义茶田种五斗五升，载册亩三亩三分。"亭今不存。

4. 北庄凉亭

址在白帽镇北庄凉亭组北庄岭头。形制同亭子岭亭。据店前镇徐良村柳林组屠义老人（1948 生）回忆，1958 年大炼钢铁时曾挑铁砂到上小河、花板石，在此歇脚喝茶。现无存。

5. 镇龙庵亭

在白帽镇南庄村甘湾组镇龙庵前，白帽通往冶溪畈的古道上。亭高 3.5 米，长、宽各 2.5 米，四柱撑顶，小青瓦覆盖。康熙十五年（1676）祝元科捐建，现庵亭均在。

钱子华 / 摄

6. 马踏岭亭

址在冶溪镇与白帽镇交界处，此地有凉亭组，属冶溪镇金盆村，旁有广缘庵。始建年代无考，康熙五十六年（1717），贡生祝大忠捐田二亩六分作施茶费用。《太湖县志》记："广缘庵，县北南庄马踏岭，山主徐义生施山场田地，载亩一亩三分。康熙五十六年，贡生祝大忠捐田二亩六分，为施茶费。"新中国成立后由亭边赵姓妇女施茶。现无存。

7. 草鞋岭茶亭

址在白帽镇深村草鞋岭际，为深村出凉亭至英山方向必经之地，民国初当地士绅汪德爱捐建。汪系药商，曾在武汉开药铺两家，在本地凉亭罗坪和草鞋岭各开一家，长年雇人于草鞋岭茶棚（亭）为过往行人免费施茶。亭于20世纪60年代废弃，“茶棚”地名，沿用至今。现此地“茶棚组”，有居民14户，50余人。钱子华有《怀深村草鞋岭茶亭》诗曰：

峻岭高天接，岩亭独处闲。
松风频入袖，云树尽遮山。
地僻人心古，茶温路不艰。
夜来春雨足，石上水潺潺。

8. 九老亭

九老亭位于冶溪镇白石村，在昔日河图铺至冶溪河往湖北英山的古道上。全石结构，四根石柱撑穹顶，上饰宝葫芦亭尖。飞檐戗角，华美玲珑，坚固实用。乾隆年间白石坳有郑氏堂兄弟9人（爵一、伦一、象一、恒一、德一、明一、纯一、符一、柳一），俱年逾八十，秉性古朴，生平不喜远游，志好山林，乐善好施，每遇来往游客，便待茶引路，人称“司空九老”。亭初为九老自建，道光二十七年（1847）其裔孙重建，改砖瓦结构为全石。亭中石碑镌有九老姓名、年龄、功绩及建亭沿革。邑人以匾额、对联装饰其中。亭现完好。见载于清《太湖县志》。

9. 白石坳茶亭

址在冶溪镇白石村，河图铺至冶溪河往湖北英山的古道上，九老亭边。现无存。

10. 黄花岭亭

又叫罗铺亭，在冶溪镇罗铺村与太湖县北中镇交界的横河岭上。此处昔为司空山通向湖北蕲春大路，来往行人络绎不绝。亭系清陶姓僧人首建，同治年间（1862—1875）复修，1918 年三修。整体呈“四水归堂”格局，中间天井，两边厢房，南向三间为茶亭，其两端山墙各开一上拱下正便门，道路贯亭而过，西接太湖、湖北，东往司空山、明堂山，亭两边设凳供人歇息，北向为茶水灶间和客房。2004 年农户建房拆除。今亭不存，有碑。

11. 茶庵亭

址在司空山往天柱山方向 5 公里处的古驿道上，在店前河东村境。茶亭南北两边的门楣上有石刻“薰风南来”“鸿恩北至”。始建年无考，道光《太湖县志》记，嘉庆年间，因华佗庵被焚毁，乾隆监生祝贤捐田产于该庵，其后裔施茶于庵，以至茶庵“施茶如故”。茶亭毁于 1992 年 8 月 2 日洪灾，石刻移嵌于原亭西约 2.5 公里处的关帝庙墙内，今犹存。

12. 天台庵亭

又叫陈湾茶亭，在店前镇后河村天台磨刀岭上，由过去天台庵僧人建。岳西县人大原副主任王业汉曾著文回忆，20 世纪 70 年代，公路未通，他曾挑着行李，步行从店前镇往前河乡驻点，在此歇脚（见王业汉《古岳拾遗》）。亭今不存。

13. 徐良凉亭

址在徐良村凉亭组，亭边吴姓人家施茶。20 世纪 60 年代尚在。

14. 马玉坳亭

址在司空山南马玉坳上，地属今店前镇司空村余畈组，处旧时黄州通舒州古道上。该亭骑路而立，六柱两间，长 8 米，宽 4 米，亭壁起墙，两端有拱形门，亭中梁书“民国丙辰年吴志空、程炳照等募化重建”。亭侧有屋数间，用于烧茶，兼作饭店旅馆。新中国成立前，司空山寺庙在此施茶，新中国成立后由农户刘雨佩烧茶供水，当地社队资助。

此亭初建于唐或更早。《二老堂诗话》记载，诗仙李白于唐至德二年（757）卜居司空山，由崇报寺（在冶溪镇联庆村，唐贞观三年建）至马玉坳，小憩于亭，题下《舒州司空山瀑布》诗。清乾隆年举人王大枢在亭书“观瀑”匾额一块。

20 世纪 80 年代后施茶停止。亭今不存。

15. 凉水亭

址在店前镇徐良村与中心村交界处。民国初年，此地有位叫余凉水的人，家稍殷实，乐善好施，在徐良至白帽古道上建亭，为行人供水施茶，灾荒年赈粥救丐，义殓无主尸骸。原亭无存，亭址有近人立“凉水亭纪念碑”记其事。

16. 西水岭亭

西水岭茶亭建于岳西县城关西约 8 公里的西水岭山腰，坐落于五河宕至天堂畈的古道上，属岳西县连云乡腾云村大西组。清乾隆年间（1736—1795）当地储光琼捐地初建，清道光二年（1822）、光绪二十七年（1901）、1923 年分别重修。《潜山县志 · 人物志》（1920

钱子华 / 摄（2014 年）

年版）载“储光琼，乾隆间倡捐积善局，给丐埋骼。又捐地基修西水岭茶亭，与王、刘姓合买店基岭，建亭置案施茶，至今未堕。”又“刘尊学，监生，建同仁局，散丐埋胔，修西水岭路，建屋施茶”。该茶亭为三开间平房，东西向排列，以石条为墙基，亭长 12 米，宽 5 米，木质穿方梁架，小青瓦覆盖。外围由 8 根 32 厘米见方的立柱支撑（石柱 6 根、木柱 2 根），南北东三方起墙，西面向古道敞开。东边一间为灶房，作烧茶之用，西头两间供人喝茶憩息。20 世纪 80 年代前，从西水岭脚花桥河边到岭头，三里长坡全是青石踏阶，亭中有当地储姓老母义务施茶，常年不辍。现亭内墙间有碑 5 块，1 块为建亭碑记，3 块刊勒清道光二年捐款人姓名、款额，计 303 户，1 块为“重修茶亭暨路捐名”，刊勒人名 159 位。今残亭尚存。

17. 腾云凉亭

址在莲云乡腾云村。亭边有桥，曰云溪桥，有桥碑，清雍正十一年（1732）立。桥由当地刘门汪氏等捐资修建。1983 年《岳西县公路交通志》载：桥在“县西腾云庙中街”“原桥两头凉亭已倒塌”。

莲云乡云溪桥（20 世纪 60 年代摄，桂仲德 / 供图）

18. 黄沙岭亭

位于莲云畈与来榜镇交界的黄沙岭头，属莲云乡硃屋村黄岭组，在来榜到莲云畈的古道上。茶亭所在地叫石岗，因该处有一条蜿蜒 300 多米的巨石长岗得名。茶亭呈“前亭后庙”格局，庙原名甘露寺，现名大仙殿，与茶亭相连。亭长 7 米，宽 5 米，檐高 2.2 米，石柱撑顶，三面敞开。亭梁上有毛笔书写“皇清光绪二十八年十月谷旦众姓重修”。大仙殿及其茶亭系刘大仙所建。刘大仙，晚清人，释名妙法，俗名刘诚意，精医术，在五台山受戒后于1902年到黄羊殿（现石关乡黄羊）建诚意寺，置寺产供僧耕食，盈余广济孤贫，在黄沙岭、望家岭、王婆坳（毛尖山乡）等处建亭施茶，名扬大别山中。圆寂后，民间称其“刘大仙”，庙为“刘大仙庙”。亭现尚存。

19. 罗城墩亭

在温泉镇罗城墩，距衙前3公里，清胡名达捐建。《潜山县志》（1920年版）记：“胡名达，于罗城墩捐建茶亭，建设桥梁，以便行人，乡人德之。”亭今无存。

20. 桃岭亭

在温泉桃岭，民国初建。在古皖道桃岭头。古时亭四周遍布野桃，每至阳春三月则桃花夭夭，故名。旧《潜山县志》记：“李荫辛，监生，捐修桥路，施茶于桃岭头。”亭今不存。

21. 望家岭亭

在温泉镇龙井村望家岭。清朝末年，黄羊殿诚意寺出资修建，免费施茶。亭今不存。

22. 余安岭亭

在天堂镇与毛尖山乡交界余安岭亭上。亭西为余安村余安组，东为毛尖山乡红旗村胡屋组。此处原为天堂通往潜山黄柏的古道。20世纪50年代废。上逆水（今属潜山市）有“义胜禁碑”记：义胜禁有田种一担，年收租10余担，职责是管理上逆水大桥、建余安岭亭。亭旁建舍，夏施茶，急施药。2000年后，当地修公路，禁碑被乡民凿去旧文，刻记修路新文。亭今不存。

23. 王婆岭亭

在毛尖山乡曙光村王婆岭上，储体盛（1840—1890）捐建。《潜山县志·笃行》（1920年版）记：“储体盛，名万奕，世居王婆坳。此地为舒、霍、桐、怀通衢，又崇山峻岭，行者苦无憩息之所，因建亭于梅树岭（即王婆岭）。”该处人烟稀少，有亭施茶能解路人之渴。光绪十六年（1890），体盛去世，其妻夏氏及儿孙继行其事。潜山县正堂赠“乐善好施”匾额，以示褒扬。亭今不存。

24. 塔儿岭亭

在岳西县响肠镇金山村四房组，位于胡冲坳北侧，天堂与响肠两镇交界处的塔儿岭上，距县城4公里，潜山至岳西天堂古道贯亭而过。茶亭长6米、宽4米，檐高3米，杉木穿榫结构。纵向有木柱4组，每组4根，亭下柱间两侧穿木板作凳，供人歇息，2009年失修坍塌。该亭为响肠王维新支下王经济、王味燮、王味羹等于清光绪十六年（1890）捐款捐地建成。王维新，响肠金山人，道光十七年（1837）举人，咸丰年入潜山知县叶兆兰“兆字营”抗太平军有功，被授内阁中书（从七品），赏戴蓝翎。《潜山县志·人物志》（1920年版）载：“王良宜，性好善，邻某鬻妻，闻之，亟为赎回。道光时邑饥，捐金助赈。子维新，道光丁酉科举人，孙国镇（即经济）亦好善，捐塔儿岭山地建亭施茶，行人赖之。国铨亦能继志。”王国铨，王经济之子，又名味羹。塔儿岭茶亭《文公碑记》出自王味羹之手。亭今不存，有碑。

钱子华 / 摄

25. 清风岭亭

在响肠镇响肠村赶鱼组，原潜岳古道旁，为吴姓族人1919年捐建。《吴氏宗谱》记：“吴贞美，民国人，字镇南，太学生，响肠镇高屋人。曾管理同仁堂……倡建清风岭茶亭。”今亭无存，有碑刻记其事。

26. 碎石岭亭

又名万山庵亭，位于中关镇与天堂镇石桥村交界岭头，亭左右皆为峻岭，亭依苍松，玄瓦石柱，独立山间，道光十五年（1835）王永奎公裔孙建。《潜山县志》记：“王代琨，清初建天堂往湖响碎石岭茶亭，施茶解渴，行人德之。”

27. 请寨新亭

又名半岭茶亭，位于响肠镇请水寨村叶弯组。该亭始建于碎石岭，人称旧亭，因旧亭毁新迁建于此。新亭最后施茶人为王大永夫妇。因年久风雨侵损，20世纪80年代，县政府拨款购料，当地农户出工出力重新修缮。新修亭为三开间（亭高4.5米，长12米，宽5米）加偏房一间，骑路而建，供旅人饮茶憩息，偏房为施茶人起居之所。亭柱刻“王永奎公支下建”。中梁有墨书“中华民国丁卯年仲夏月上浣之吉日谷旦。王永奎公支下□□□同建”。亭壁嵌碑刻一块，碑高96厘米，宽70厘米，左上角略有残缺。今有亭有碑。

钱子华 / 摄

28. 沙岭头亭

沙岭头位于潜岳两县交界的响肠镇无愁，此处为古皖道之要冲，原有商家在此经营茶肆、饭店、旅馆，并建长型街亭，逐渐形成数十丈长街。长亭木柱之间有凳供人歇息。每逢雨后，白云涨谷，滚滚滔滔，云雾在街中流淌，一如天街。今不存。

29. 板桥街亭

址在响肠镇响肠村板桥组。20世纪90年代废。

30. 牛眼潭亭

址在响肠境牛眼潭。今无存。

31. 五星庙亭

址在响肠境五星庙。今无存。

32. 小河南水口亭

址在五河镇小河南村李湾组，处李湾水口，在五河河南村通往田头闵山雪山庵古道上。亭边有溪水激流，碧潭幽幽，溪岸绿树常青，四时鸟鸣不绝。亭始建于清中叶，建亭者蒋继昌；复修于当代，筹修者为石匠蒋本志。亭四角八柱，上有穹顶，亭与社庙相依，朝暮香烟缭绕。竣工之日，蒋继昌题联于柱。亭今存。

33. 店基岭亭

址在中关镇斗水村大堰组境，英山太湖通往舒城六安的古道上。茶亭在店基岭半腰，小瓦作盖，可容数十人同时歇息饮茶。乾隆年间初建，命为“崇德堂”，后多次重修。直至20世纪80年代中期失修坍塌。《潜山县志・人物志》（1920年版）载：“储光琼：乾隆间倡捐积善局，给丐埋骼。又捐地基修西水岭茶亭，与王姓合买店基岭，建亭置案施茶，至今未堕。”

34. 最乐亭

亭建于中关镇枫香村枫香岭际，菖蒲至天堂古道上。人形屋脊，小青瓦覆盖，亭高4.5米，长8米、宽6米，6根石柱支撑，亭中梁书“枫香赵舵岭仝地人同建”。亭有碑，落款“清光绪二十七年年岁次辛丑孟春谷旦”。该亭2010年前后拆除，梁柱移建民房，亭碑嵌于该民房墙内。

35. 叶畈亭

在中关镇金竹村黄冲组，金竹往菖蒲古道上。20世纪90年代废。

36. 赵子岭亭

址在中关乡斗水村赵岭组。20世纪80年代废。

37. 牛脊岭亭

牛脊岭，又称牛肩岭，位于菖蒲镇毛畈村袁家渡边，处岳西与潜山交界处，茶亭在牛脊岭上。《潜山县志》（1920年版）记，咸丰九年（1859）春，太平军越牛肩岭，与撞钟河地方团练遭遇，团练利用河水暴发之机杀出，太平军溺死数十人。茶亭20世纪80年代停止施茶，2002年圮塌，2004年当地修路，亭基易作路基。

38. 袁家渡亭

在菖蒲镇毛畈村袁家渡口。清乾隆时建。乾隆十六年（1751）渡碑载“捐造船只……又构亭以憩息之，美举迭兴，不一而足。”《岳西公路交通史》记：“原渡船 1969 年被洪水冲走，后以竹排代之。”今亭、渡均不存。

39. 王屋亭

在菖蒲镇水畈村大塘旁，现水畈村部西侧。建亭年代不详，新中国成立初当地崔增荣老人住亭施茶。20 世纪 70 年代修塘时拆除。

40. 观音岩亭

址在菖蒲镇水畈村方冲组与上畈组交界处。为骑路亭，两边有树木修平作凳。亭旁有无二先生庙。建亭年代不详，20 世纪 70 年代倒塌，亭基于 2000 年修建通张畈公路时炸平。

41. 扇子铺亭

在菖蒲镇水畈村扇铺组内，今不存。

42. 女儿街亭

在五河镇沙岭村女儿街，今不存。

43. 三叉口亭

在菖蒲镇境，今不存。

44. 黄栗树亭

在菖蒲镇境，今不存。

45. 龙狮口亭

在菖蒲镇东渡村水口，今不存。

46. 铁滩亭

在菖蒲镇铁滩村，今不存。

47. 观音亭

在菖蒲镇水畈村，今不存。

48. 雷坳亭

在菖蒲镇毛畈村雷坳组，今不存。

49. 长岗亭

在菖蒲镇长岭岗长岭古庵边。20 世纪 90 年代末废。

50. 沈岭亭

在菖蒲镇到田头乡柳畈村的古道上，位于长岭村小岭组，今不存。

51. 柳家岭亭

又称黑凉亭，在田头乡柳畈村（原茶园村）马岭下。此处原为岳太潜三县交界的三岔路口，向东，经蔡山、港河，入潜山境；向南，入太湖县；向北，到菖蒲、岳西。《潜山县志》记，凉亭系柳昫隰捐建。“柳昫隰，柳家畈人，居屋后柳家岭，长五里，山势险峻，每酷暑风暴无趋避处。捐二十余金修凉亭，行人赖之。复欲捐资施茶，未果而卒。”亭今不存。

52. 普济茶室

在田头乡下畈村，右近柳家岭亭，当地余、沈、柳三姓捐建，原由普济庵管理。1920 年《潜山县志》载：“普济庵，邑西百二十里，余、沈、柳三姓捐建。各捐田山，永远烧茶济渴。额曰‘普济茶室’，庵右有凉亭。”今不存。

53. 土库亭

在田头乡土库村，今不存。

54. 闵山亭

在田头乡闵山村雪山庵旁，原由雪山庵僧尼施茶，今不存。

55. 田头塝亭

民国《潜山县志》记：蒋竹荣“于田头塝建茶亭，于南河、平岗修桥梁，于双河口救人急难”。亭今不存。

56. 甘露寺亭

在包家乡石佛村锁口山上，绝崖之巅，甘露寺（玄天祖师殿）后。旧有联半副“锁口山，山锁口，锁住鲤鱼朝北斗”，至今无人工对。亭今存。

57. 土地岭茶亭

在青天乡明山到包家黄栗园间的土地岭上。亭今无存。

58. 计家茶亭

在头陀镇计家村，于头陀河通往主簿原的古道上。今不存。

59. 朱砂岭亭

在姚河乡姚河村与舒城晓天镇交界处。今不存。

60. 梯子岭亭（铺）

在姚河乡梯子岭村杉塙响水畈岭头（现村部处），原主簿原、头陀河通往舒城的古道上。新中国成立前后有朱姓人家长年施茶。今不存。

61. 马石亭

在姚河乡马石村梅岭古道边，今不存。

62. 大歇岭亭

在主簿镇大歇村大歇岭头，今不存。

63. 中畈亭

在主簿镇原中畈，现主簿镇政府位置，今不存。

64. 七里冲惜冤亭

在主簿镇余畈七里冲山岗坪上。此地古时为霍山、潜山、舒城 3 县交界地，有关口（今属岳西县主簿镇），傍铜安寨，清咸丰年间当地团练所建。当时，太平军与团练、官军在此作战，双方战死过千人。民间传说，每逢阴天，常闻野鬼呼号，令人心悚，故称“鬼门关”。清朝末年，当地山民在此造亭，兼施茶，取名“惜冤亭”，用以祭祀战死冤魂，保一方平安，为行人遮风挡雨。每逢祭祀节日，乡民即来此焚烧香纸，并祷告：“你们有家归家，无家归墓，无墓归山，生做好人，死做好鬼，莫要扰乱人间。”亭为六角，亭柱有联 2 副。今不存。

65. 苏家坪茶亭

在青天乡青天村凉亭组，原在潜霍古道青天畈段，始建年代无考，废于清末。今不存。

66. 界岭亭

在潜霍古道界岭头，今属石关乡上畈村，古时茶水费由诚意寺供给。今不存。

67. 虎形亭

位于潜霍古道虎形岭头，今属头陀镇虎形村，古时茶水费由诚意寺供给，今不存。

68. 刘岭亭

位于石关乡黄羊殿至主簿镇南田古道刘家岭头，古时茶水费由诚意寺供给。今不存。

69. 大枧亭

位于头陀镇大枧村岭头。今不存。

第二节 茶 路

岳西天堂盆地方圆百里，周围大山相围。自明及清朝廷在此设“巡检司”，行治安管理职责，隶属潜山县。1936年岳西建县，一直是县府所在地。数百年的经济行政中心，使得以衙前（天堂）为中心的古道交通网渐次形成。在以汽运为特征的现代交通形成之前，人员流动，茶货流通，全由这些古道承担。20世纪60年代前，以岳西县城为起点，通往山外的古道主要有五条。

1. 衙前至潜山。自衙前起，经泉水井（泉池）、塔儿岭、金龟山、转桥、响肠河、雷打石湾、板桥、青枫岭、土关，到潜山沙岭头、沙岭沟、手巾岩、割肚、大关、水吼岭，终至梅城。1957年，岳西至潜山东线公路修成通车，此道废。

2. 衙前至英山。自衙前起，经腾云庙、硃屋庙、黄沙岭、青塘庙、来榜河、黄泥畈、三河坪、花墩、横河、分水岭、王家河、花板石、上小河、下小河、河图铺、朱岭山、白帽、西冲湾、西冲坳、江河、操家岭，到英山县城。1968年，岳西县城至操家岭公路修通。此古道废。

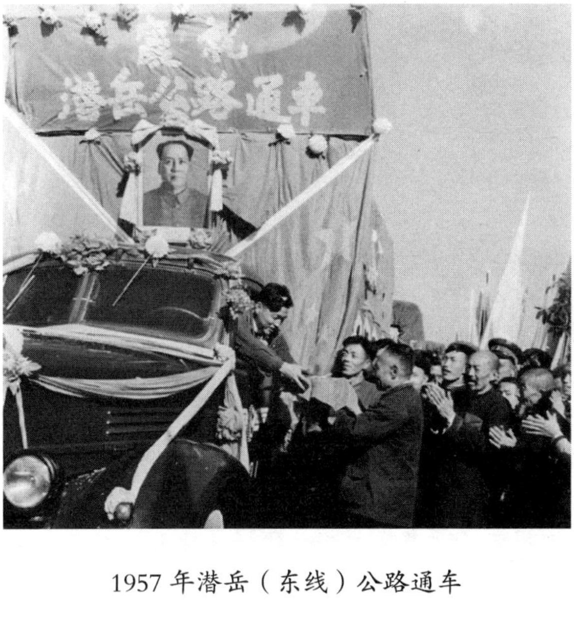

1957年潜岳（东线）公路通车

黄沙岭古道（钱子华 / 摄）

3. 衙前至舒城。自衙前起，经汤池畈、殷家河、桃岭冲、桃岭头、万人石、落马河、石关、毛狗尖、七里冲、主簿原、龟形地、大界岭、马石、沈家桥、梯子岭、姚家河、硃沙岭，至晓天（属舒城县境）。1961年，舒岳公路全线通车。此古道废。

4. 衙前至霍山。自衙前起，经汤池畈、殷家河、桃岭冲、桃岭头、万人石、落马河、石关、上畈、西界岭、黄羊殿、张家畈、色树排、大坳、小坳、梧桐树岭、乐道冲、头陀河、胡家岭、张家岭、石盆岩、新开岭、小河口、下脚坪，到吴公凸入霍山县境。1980 年，岳西城关至头陀河公路通车。此古道废。

5. 衙前至太湖。自衙前起，经腾云庙、砵屋庙、黄沙岭、青塘庙、来榜河、黄泥畈、三河坪、花灯、茅坳、横河、分水岭、王家河、花板石、上小河、下小河、河头铺、北庄岭、麻滩河街、徐良、烂泥坳、三合滩、店前河、马玉坳、常坪河，达太湖百里墩。1960 年，岳西城关至太湖县城公路全线通车。此古道废。

此外，还有多条通达内外的支线。如：

衙（前）袁（家渡）梅（城）线：衙前、浒槽、白云寨、蒋冲（菖蒲境）、溪沸、铁滩、五里排、水畈、张畈、毛畈、袁家渡、牛瘠岭、白马潭（潜山境）、象鼻亭、水吼岭、白水湾、野人寨、梅城。

衙（前）西（水岭）潜（山）线：衙前、西水岭、斗水岗、溪沸滩，转菖蒲河水路、水车畈、马潭、水吼、野人寨、潜山梅城。

司（空山）天（柱山）线：司空山、河东茶庵、前河、四望山、菖蒲、柴冲、五庙、横冲、水吼岭、野人寨、天柱山。

河（图）鹞（落坪）来（榜）线：河图铺、凉亭坳、鹞落坪、青天畈、来榜河。

司空山大唐古道（钱子华 / 摄）

建于南宋的冶溪坂卷蓬桥（钱子华 / 摄）

（注：本节内容参考 1983 年杨积德《安徽省岳西县公路交通史（稿）》）

第三节　碑　刻

岳西境内现存涉茶碑刻，最多的是茶亭碑，此外还有禁碑及北宋罗源场遗址碑。

1. 花桥茶亭碑

“花桥亭”在本县白帽镇余河村花桥组，碑墙嵌碑 4 块，亭旁社庙碑 1 块，土地神位碑 1 块。其“永宁桥”碑清光绪三十三年（1907）立，宽 44 厘米，高 84 厘米。永宁桥，习称“花桥”或“花亭桥”，也称永凌桥。

拓片

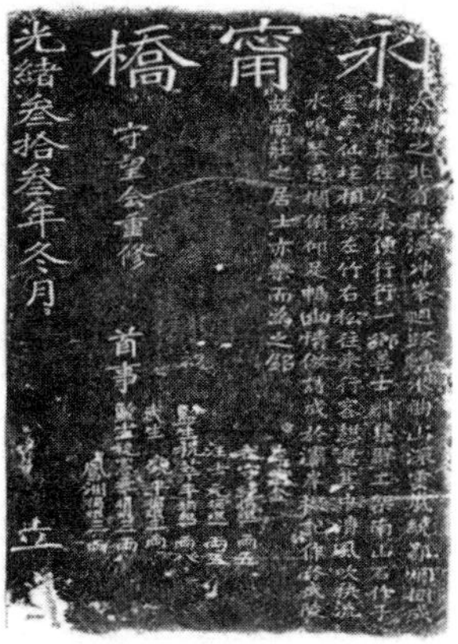

（1）

（2）

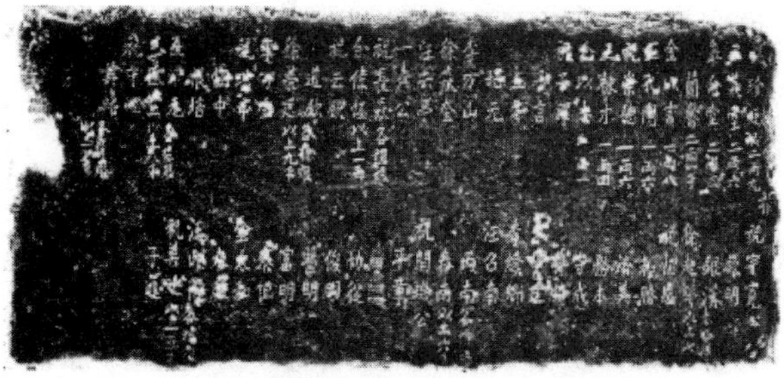

（3）

（4）

（5）

（6）

碑文

（1）永宁桥　太湖之北，有野溪冲。峰回路转，水曲山深。云岚绕郭，烟树成村。桥荒径仄，未便行行。一乡善士，纠集群工。架南山石，作子云亭。仙坛相傍，左竹右松。往来行客，憩息其中。清风吹袂，流水鸣琴。凭栏俯仰，足畅幽情。仿诗成于灞岸，拟记作于武陵。故南庄之居士，亦乐而为之铭。

守望会重修首事：监生祝宪章、祝凤洲，武生祝镜平，监生祝萃丰、汪士元、祝守绳、李□金，捐银（数略）光绪三十三年冬月立

（2）□水口升坛基名目指项列后（略）

（3）捐祝珍廷银二两九（略）

（4）汪一升祀银三两（略）道光十五年季秋月吉旦立

（5）野溪冲社

（6）福德衿神之位

2. 亭子岭茶亭碑

亭在白帽镇桥梁村亭子岭上，碑记徐、聂、闵、刘等姓氏 21 名捐款建亭者姓名及银两。

拓片

碑文

重修亭子岭凉亭功德刊（捐资者名，略）

3. 九老亭石刻

亭在冶溪镇白石村，有石匾、石柱联各一。

拓片

（1）

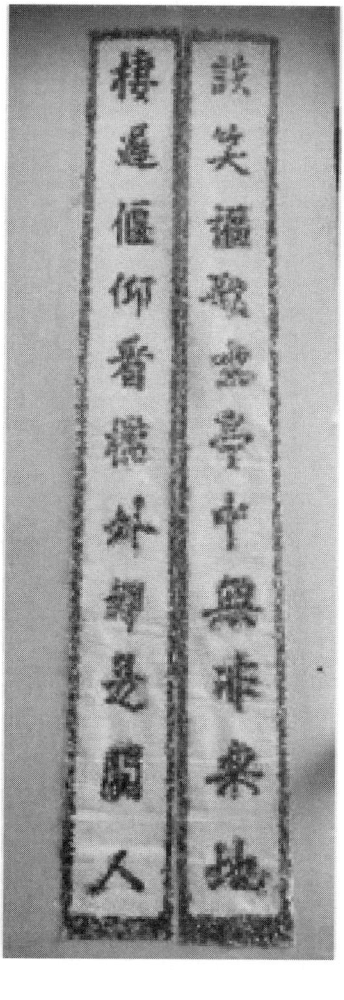

（2）

匾联文

（1）皇恩钦赐（字缺）恩荣□□郑公爵一、伦一、象一、恒一、德一、明一、纯一、符一、柳一堂兄弟九人，俱年逾八十。乾隆年间同举乡耆，赐登仕郎八品顶戴，绢帛米肉荣身。道光十一年，又蒙县□孙□□入邑志，并书匾额、对联颜其祠。志载，先年九老于宗祠傍建一瓦亭，名九老亭，以为栖息之所。爵一之子宗绪亦年逾八十，屡次为首修缉，但年深日久，风雨凋零，不能耐久，艰于修葺。今裔孙等商议更之以石代瓦，为之以久远，庶以不朽云。

道光二十七年一□阳月九老裔孙郑心永、顺炳、顺阳、顺达、顺华、顺享、官绵、官启等仝修

（2）谈笑讴歌，坐亭中无非乐地
　　栖迟偃仰，看槛外都是闲人

4. 黄花岭茶亭碑

在冶溪镇罗铺村，茶亭存碑3块。1918年三修碑保存完好，碑记字迹清晰。现亭不存，碑在罗铺村。

拓片

（1）

（2）

（3）

碑文

（1）凉亭并施茶碑记横河岭为湖邑北乡名胜，今居冶溪盖望之间。路属通衢，地系要隘，昔陶僧建亭于兹，往来行人皆乐为驻足。奈历年既久，□□维多（缺字若干）风日，我等爰之众姓，共议重修，并谋及施茶善举，庶俾行者，不畏秋风渴若，咸沾甘露矣。今当告竣，因刻碑而记之（略）。

（2）（前略）同治五年岁次丙寅仲冬月吉日立

（3）三修凉亭碑记　盖闻召伯行仁，有棠荫以覆芾；周王布惠，借樾荫以庇人。世无广厦，谁教寒士欢颜；路鲜长亭，未免劳人增喟。昔陶僧建亭如兹，无非为行人计也。奈历年久，瓦废垣颓，行人苦矣。而陶僧复于同治丙寅秋邀同首事等，共议重修。团花酿蜜，集腋成裘，因旧规模，焕新气象，并营施茗之资，用止望梅之渴。功成告竣，仅剩余金，同心管理，子母权谋，及今改作重新费出，余积经营伊始，上戒偷闲。亭敞三间，可息高人之驾；宅盈五亩，好停过客之车。而又，厢分左右，可坐而谈；店列东西，可止而饮。熙熙乎同上春台，渠渠然共游下屋矣。是为记。民国七年癸丑冬月立

5. 茶庵亭匾

茶亭在店前镇店前村茶庵，有石匾 2 块。亭现不存，匾嵌于亭址西关帝庙前壁上。

拓片

匾文

薰风南来　鸿恩北至

6. 店基岭亭碑

亭在中关乡斗水村大堰组境店基岭半腰，存碑 1 块。

拓片

碑文

店基岭虽非驿路，而西接英太，北通舒六，亦商旅要道也。该岭上下，相距十里许，并无居民庐舍，乾隆间储王二姓倡首捐资建亭于半岭中。堂名崇德，每年夏季烹茶数月，为往来行人憩息。所奈代远年湮，雨侵风折，亭屋朽坏，爰同就近劝捐若干，修理屋宇，尚有余积，永为烧茶之资。所有捐名刊列于后（后略）

7. 最乐亭碑

亭建于中关乡枫香村枫香岭际，存碑 2 块。

拓片

（1）

（2）

碑文

（1）最乐亭　亭名最乐，聊设茶汤。行人来往，渴烦不当。风霜雨雪，坐立无妨。基系成期，工亦本方。公私远近，愿助克昌。钱谷刊勒，永垂久长。（后略）

（2）胪列芳名（略）清光绪二十七年岁次辛丑孟春谷旦公立

8. 西水岭亭碑

亭在县城西约 8 公里的西水岭山腰，茶亭内墙嵌碑 5 块。

拓片

（1）

（2）

（3）

（4）

（5）

碑文

（1）文见本志《文献辑》。本处略。

（2）胪列（略）

（3）芳名（略）

（4）芳名胪列捐修西水岭路碑（略）皇清光绪二十七年岁月次辛丑孟秋月吉立

（5）同善堂刊重修茶亭暨路捐名刊后（略）中华民国十二年岁在癸亥仲夏月立

9. 清风岭亭碑

茶亭在响肠镇响肠村赶鱼组，存碑 1 块。

拓片

碑文

永垂不朽吾乡在水吼岭北，前沙岭，后塔耳岭，南延罗汉，而英霍太经要道出岭中焉。山路崎岖，征人熙攘。每际炎威烈聚，苦无憩息之所。□如□□□□□望偏之叹我旁目，孰能无济众天良？爰率族人，共襄盛举，用此清风岭畔，建立凉亭□于□□□□□□□□茗庶□□滋润肝肺，□响肠、金山、无愁，从兹施及生民，惠即山而兼□□隐是，非故为好善乐施也。抑亦联聚冬汤□不意□遣人庐饮之制焉耳。是为引。计间每人捐茶赏款宏名列后（略）民国八年次戊午孟冬月吉日公立

10. 请寨新亭碑

亭在请水寨东侧，茶亭存碑 1 块，石柱刻 1 条。

拓片

（1）

（2）

碑文

（1）民国十六年丁卯季夏月中浣谷旦。记曰：潜北响肠，侧步湖乡。半岭接碎石岭，岭长而峻。半亭圮无存，碎石亭又少闻，行人苦望梅久矣。我王氏永奎公裔环居左右，爰率公私集资，代公捐地点，创亭煎茶，憩息解渴。兹当告竣，请撮俚言。用冠捐名一览表：永奎公八十两（后为王氏小公堂及捐款人名和数字，共54笔，略）

（2）王永奎公支下建

11. 塔儿岭茶亭碑

亭在岳西县响肠镇金山村四房组，存碑《文公碑记》和《茶局捐名》。

拓片、照片

（1）

（2）（钱子华 / 摄）

碑文

（1）《文公碑记》本处略，见本志《文献辑》。

（2）茶局捐名（捐款人姓名数额，略）皇清光绪十六年庚寅阳月立。

12. 观音庵施主碑

庵在头陀镇头陀村横排组。碑记乾隆五十九年（1794）王孔信买王玉先仙牛石湾“茶山荒熟山”一片赠观音庵，“作供佛香灯之费”。

拓片

碑文

观音庵施主碑记张天儒于乾隆三十八年独姓重修灵官，以后每年□奉之费无缺。至嘉庆二年，嫡孙文亮又覆□袍开先比捐出资拾五两存庵付僧收放，以为永久之费。

立施契人，江西湖口县九都八十岁鳏老王先信，于乾隆五十九年将积买王玉先茶山荒熟山一契，座落仙牛石湾，凭本方乡耆等，出施与观音庵作供佛香灯之费，鳏老随居庵内，僧承生养死葬。倘有本籍棍徒，滋事横行，听合方送公法处。其山价粮界具有赤契，载明付本庵僧天鹏收执。立此存照

大清嘉庆六年六月吉日僧天鹏同徒开山立

13. 石佛寺神茶碑

碑在包家乡石佛村茶园组石佛寺茶园神茶傍，2008 年立，王业汉撰文。

碑文

佛茶半棵，世上无多。一株两品，奇特匪夷。临近端午，初绽新芽，芽提尖细，翠绿

显毫，形似兰花，伴幽兰香，置入杯中，沸水冲泡，嫩绿清澈，香味馥郁，醉人持久，一人饮茶，满屋生香。味浓鲜爽，醇厚甘甜，韵味生津，益智解乏。置其身于千米之上，隐曲香于万嶂之中，三天门下，石佛寺傍，密林众生，花草异特，终年云雾。千百年流传的皖西南三棵半神茶，唯有此神形皆备，独领风骚。古人诗云："三天门下半棵茶，神仙能看不能拿。若是饮得此茶味，千里迢迢不想家。"集众多名家学者深入研究，仍是疑窦丛生，谜底未解。故立碑加以保护，以示后人。

14. 石佛翠母树碑

碑在包家乡石佛村石佛组茶园。

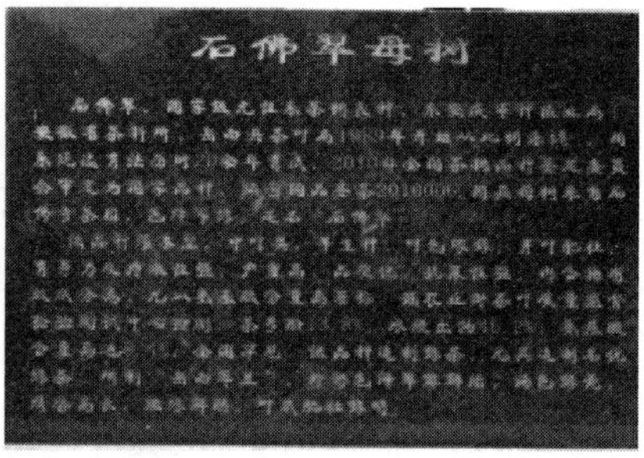

碑文

正：国家级茶树良种石佛翠母树　安庆市农业委员会　岳西县人民政府 2015 年 4 月

背：石佛翠母树　石佛翠，国家级无性系茶树良种，系安庆市种植业局、安徽省茶科所、岳西县茶叶局，1989 年开始从此树采穗，用系统选育法历时 20 余年育成。2010 年全国茶树品种鉴定委员会审定为国家品种，编号国品鉴茶 2010006，因其母树来自石佛寺茶园，色泽翠绿，定名"石佛翠"。

该品种灌木型，中叶类，早生种，叶色浓绿，芽叶肥壮，育芽力及持嫩性强，产量高，品质优，抗寒性强；内含物有效成分高，尤以氨基酸含量高著称。据农业部茶叶质量监督检验测试中心检测，茶多酚 13.8%，水浸出物 46.2%，氨基酸含量高达 8.4%，全国罕见。该品种适制绿茶，尤其适制名优绿茶。所制岳西翠兰，外形色泽翠绿鲜活，汤色绿亮，清香高长，滋味鲜醇，叶底肥壮绿明。

15. 竹山古茶园碑

碑在姚河乡香炉村竹山古茶园。

碑文

正：竹山古茶园保护区　庚寅仲夏詹罗九题

背：竹山古茶园碑铭　钱子华

岳西县姚河香炉村竹山古茶园，广百余亩，其间现存树干直径大于 12 厘米单丛数十株。据著名茶学家詹罗九考证，树龄在 300~500 年间，系中国古老茶园。该茶园处大别山

千峰万壑之中，岳（西）、舒（城）、潜（山）三县交会之地，唐代属陆羽《茶经》所指“舒州”茶区。此地，钟灵毓秀，茶质优异，为历史名茶“舒州小兰花”最优产区，中国十大新名茶（1985 年农牧渔业部评）岳西翠兰制样基地之一。

安徽省岳西县茶业协会

岳西县姚河乡人民政府　立

岳西县姚河竹山刘会根

二〇〇九年冬

16. 北宋罗源场遗址碑

碑在温泉镇资福村罗源山。

碑文

正：

北宋罗源场遗址

岳西县人民政府

二〇一四年九月

背：

罗源场简介

安徽岳西县温泉镇罗源山一境，古属舒州。北宋乾德年至嘉祐四年（963—1059），中国东南地区设“十三山场六榷货务”专营茶叶，谓之“榷茶”。榷茶十三山场有舒州罗源场、太湖场。《宋会要辑稿》记：“舒州二场，罗源场年额三十万八千一百五十斤。”

17. 小河南乾隆禁碑

碑在五河镇河南村高屋组，清乾隆四十七年（1782）立。青石质，高 2 米，宽 1 米，完整无损。“禁”称：窃取他人松杉杂木……菜果茶麻……定行按究。

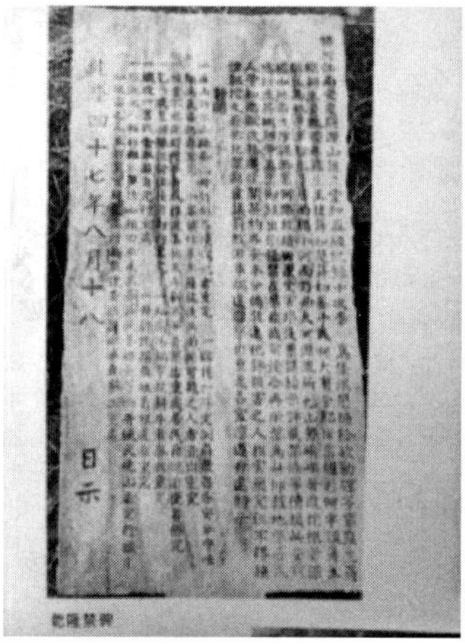

碑文

特授江南安庆府潜山县正堂加五级记录十次李

为条漏恳补给款勒碑等事，监生蒋明辨，生员陈国泰，监生王捷、蒋如楚、蒋如蕃，子民何大有、余绍周、叶耀彩、何宇谟、蒋匡朝、崔万林等禀称：生等居西隅小河南，乃西大河源流所也。山势崎岖，每遭挖根者深掘，山地崩泄，沙泥淤塞河路，致损田庐，受害非浅，禀请给示详载禁条等情，据此，查前据该生蒋明辨等具禀，节经出示条禁在案。兹据前情，合再示禁。为此，仰该地保居民人等知悉：嗣后务遵后开禁约，各安本分，倘敢违犯，许被害之人指实禀究。但不得挟嫌诬控，及借称犯禁，邀众议罚，致滋事端，违者查出重处。各宜禀遵毋违。特示。

计开

一、在山竹木，各拼各山，毋许超界侵伐，犯者重究。

一、赌博打降（架），定例森严，务各安分守法，勉为良善，犯者重究。

一、容留外来无籍棍徒及面生可疑之人者，查出重究。

一、粮食不照依时价平卖，或掺假高抬及斗斛不平者，察出重处；居民籍端滋扰者倍究。

一、乞丐成群结队强讨滋扰者，即行禀究。

一、私开汤锅宰杀耕牛者，察出严究。

一、纵放六畜践食禾苗者，究行重处。

一、毋许挖掘蕨根葛根，违者重究。

一、窃取他人松杉杂木、笋竹、山粮、田禾、菜果、茶麻、茯苓、塘鱼等物，并纵火烧山者，定行按究；如被窃之人并不禀官绳究，混行邀众搜查议罚滋事者，查出重处。

乾隆四十七年八月十八日示

注：本章碑拓图片由县图书馆提供。

第十五章　古茶场　古茶园　茶地名

第一节　古茶场　茶行

罗源场

舒州罗源场，宋代茶叶经销管理机构，北宋朝廷设。在今岳西县温泉镇资福村。

公元 964 年，北宋颁《禁私贩茶诏》，规定茶叶官买，实施榷茶制，在我国东南茶区先后设“六榷务”“十三场”共十九个机构，司榷茶之职。舒州有罗源场、太湖场。嘉祐四年（1059），官场撤销，实施通商。“榷茶山场”职能，主要负责对“园户”（茶农、茶山主）发放“本钱”（贷款）；收购山场茶叶，禁止私卖；调拨外运。《宋会要辑稿》记：“舒州二场（指罗源场、太湖场——编者注），罗源场年额三十万八千一百五十斤。”

《潜山县志·山川》(1920年版)记载:“由多支尖经公盖山三十里而抵黄冒尖分派,向西南经黄沙岭桃园寨飞旗寨沙岭头,其间冈峦起伏,旋绕如堂,名天堂山……其相连者,曰罗源。”这表明,由天堂山围连而成的地方叫“罗源”。结合实际地貌考证,旧志所称“罗源”的地方就是今日的天堂畈。罗源有罗源山,在今岳西县温泉镇资福村。该志又记：“资福寺，汤池畈罗源山，宋庆历创。”

由于年代久远，人们对六榷货务和十三山场的具体地点已不能确定。2012 年 3 月，舒州罗源场由钱子华、汪同元发现。

秦氏茶行

秦氏家谱记载，秦延年生于雍正十二年（1734），卒于乾隆五十七年（1792），曾在今姚河乡皂河村茶行组开设茶行。

清雍正十四年（1736），秦延年的大哥秦延福从外地进山，一头挑着被褥和地契，一头挑着弟弟延年,到舒城姚河褚家岭(今属岳西)落户,建房于天堂畈至六安州的古道边。延福夫妻好施，在家门口搭了个茶棚长年为过往行人供施茶水。延年精明勤奋，少时就会记账、打算盘，及长便成了庄稼好手和经商能人，他在哥嫂搭茶棚处开了个茶行，号“秦氏茶行”，以收茶卖茶为主，兼作客栈。秦延年死后，茶行传其裔孙经营。新中国成立后，先后改作小学、民居用。皂河茶行地名也由此而来。

2016 年春，钱子华、秦名祥考察茶行旧迹，在坍塌大半的老茶行拾得老铜壶一把，黑釉粗茶碗一只。

同茂茶行

同茂茶行又名“同茂合”，原址在黄尾镇老街，胡石夫（1882—1929）1928 年创，胡石夫去世后，其子承启（1911—1980）接替经营，1940 年前后达到鼎盛。除资本过万元（银元）的“同茂合”外，胡承启还在外地开茶庄 5 处，霍山、六安、合肥为合伙经营，蚌埠的"鸿丰"和山东的"瑞森"为独资经营。

胡石夫，湖北大冶人，名泽砚，1928 年与其堂弟胡泽履一起来黄尾河做生意并定居下来，开"同茂合"茶行。胡承启 17 岁时随父亲来到黄尾。他胆识过人，经营有方，发达后乐善好施。那时黄尾街叫花子很多，胡平时给吃给喝，到过年，外地的留过"三天年"，本地的见人一斗米。为方便行人过往，他拿出三石田不收租，请人在黄尾河上免费给行人摆渡。

茶行经营的茶叶为当地主产的黄大茶。茶叶生产季节，很多小商贩从农户家收来潮茶，在茶行集中"打老火"（用栗炭大火干燥提香）、装篓，再雇脚夫挑到霍子渡（今佛子岭）上船，运往山东等地。

老同茂合茶行毁于 1969 年 7 月 14 日特大洪灾。

第二节　古茶园

闵山果老岭

果老岭在田头乡闵山村。产茶年代久远，宋时即载入史志，到了清代更是名响一方。

《潜山县志》（1931 年版）记："旧《食货志》，潜山多茶（注：近六安者佳）。山川志云，望山（即四望山——编者注）闵山果老岭，其涧多茶（注：纲目云，宋时茶一斤值四十六钱）。"顺治十二年（1655）《潜山县志》："闵山，县西八十里，有果老岭，其山多茶，其茶佳。"康熙《安庆府潜山县志·方物》："茶类。有芽茶，谷雨前者，岁派供应库二百九十斤，今折价。有叶茶，立夏采者，岁派供应库二百八十五斤，今折价。"上述记载表明，闵山果老岭一带一直出产好茶，且入贡，在宋代其茶就价值不菲。

果老石（钱子华 / 摄）

果老岭就是今天的闵山张山寨，属田头乡闵山村王屋组，与雪山庵茶园遥遥相对。依据有三：一是此峰原名果老峰。当地《万氏宗谱·万府六修宗谱序》载，其祖万正鹏乾隆年间"迁潜……来潜（山）闵家山者，傍果老峰西筑室"。当地老人十分确定，现在的"万家老屋"就是万正鹏当年的建房旧址。万家老屋东向高峰正是现在的张山寨。二是当地有张果老在该山枕石修行的传说。三是山腰陡峭处孤悬一石，高广过两丈，上有人形凹印，世称果老石，据说这就是当年张果老躺在这里留下的痕迹。

现在闵山村已有茶园 1000 余亩，为我县著名茶村之一。山间宅傍，百年老茶树随处可遇。

竹山古茶园

在姚河乡香炉村竹山组，海拔 700 余米。该地千亩山场，分布着百余株树龄 300~500 年的老茶树，其中有一株横生于克隆寨山腰峭崖石壁之上，基茎处粗于碗口，据说是美丽聪慧的兰花女的化身。

竹山古茶园2008年被发现，2009年，岳西县茶业协会对该园已发现的108棵古茶树进行了挂牌保护，同年，县茶业协会和姚河乡人民政府将其划定为古茶树保护区。

姚河乡香炉村为岳西茶最优产区之一，竹山古茶园是1985年被评为中国名茶的岳西翠兰参评样出产地之一。

河上岭古茶园

古茶园在包家乡红山村河上岭上，海拔900米，面积70亩，茶树万余丛，当地人称之为“吴家老茶地”。吴元德清光绪三年（1877）建。茶园过去每年产黄大茶约1500公斤，销山东、山西、湖北等地。园中有一特大茶丛，高2米，树幅4米，主干直径20厘米，20世纪70年代生产队曾在此单丛采鲜叶40公斤。

第三节　茶地名

现查明岳西涉茶地名58处，有小地名、村组名、建筑名、河流名等。

1. 茶园　地名，在温泉镇龙井村。

2. 茶园庵　庵名，又名朝阳庵，现名朝阳寺，在温泉镇龙井村。《潜山县志》（1920年版）记：“茶园庵，邑北天堂望家岭。”曾为温泉后山王杨氏家庙，清康乾时建。1927年12月底，中共安徽省临时委员会委员王步文在此传达“八七”会议精神，发动农民，走武装夺取政权之路。1929年10月，在上海中央干部训练班学习归来的王效亭，在此召开中共汤池区委扩大会议，决定大搞农运工作。

3. 茶水　庵名、电站名，在温泉镇。

4. 茶湾　组名，在天堂镇叶畈村。

5. 茶园　地名，在响肠镇请水寨村。

6. 茶园　地名，在响肠镇独山村。

7. 茶园塝　地名，在响肠镇新浒村。

8. 喝茶岭　地名，在响肠镇与潜山县交界处。

9. 茶树塝　地名，在来榜镇斑竹村。

10. 茶树岭　地名，在来榜镇斑竹村。

11. 茶塝　地名，在来榜镇中河村。

12. 茶园　地名，在包家乡道义嫩园。

13. 茶园　地名，组名，在包家乡石佛村。

14. 农茶　村名，在包家乡。

15. 茶棚岭　地名，在包家乡农茶村。

16. 茶园塝　地名，在和平乡太平村。

17. 茶山　地名，在和平乡和平村。

18. 茶园　地名，在和平乡太阳村海螺。

19. 茶园　地名，在和平乡中畾村雨山。
20. 茶园　地名，在来榜镇花墩村。
21. 茶塆　地名，在来榜镇马园村。
22. 茶园冲　地名，在古坊乡下坊村。
23. 茶亭　地名，在古坊乡下坊村。
24. 凉亭坳　地名，在河图镇凉亭村。
25. 凉亭　村名，在河图镇。
26. 凉亭屋　地名，在白帽镇南庄村。
27. 亭子岭　地名，在白帽镇桥梁村。
28. 凉亭　组名，在白帽镇北庄。
29. 茶棚　组名，在白帽镇深村村。
30. 茶园岩　地名，在河图镇岚川村。
31. 茶园地　地名，在河图镇岚川村。
32. 凉亭河　地名，在白帽镇余河村。
33. 茶园寨　地名，在河图镇明堂村水沟组与岚川村严坪组交界处，明堂山西侧。清咸丰年间（1851—1861），当地土豪为防官兵袭扰，在此建山寨囤积物资。寨主徐姓，绰号红胡子。建寨时，强征民工，并置180公斤重的石锁于工地，凡举起者记满工，否则只记半工。咸丰八年（1858），太平军英王陈玉成兵败白洋关后，经明堂山转战潜山。期间，连破明堂山南侧清明寨、西侧茶园寨、东侧古井庵。现茶园寨存寨主居住的石室两间，由块石砌墙，条石盖顶。
34. 茶场　地名，在河图镇南河村。
35. 凉亭包　地名，在白帽镇双畈村。
36. 茶地塆　地名，在店前镇河西村。
37. 茶庵　地名，在店前镇河东村。
38. 茶庵河　河名，在店前镇。
39. 茶园冲　地名，在店前镇前河村。
40. 凉亭　组名，在冶溪镇金盆村。
41. 茶棵地坳（茶棵地）　地名，在五河镇五河村。
42. 茶庵　地名，在菖蒲镇溪沸村。
43. 茶园　村名，在田头乡柳畈村。
44. 茶园大屋　地名，在田头乡柳畈村。
45. 茶园　地名，在田头乡柳畈村。
46. 茶行　组名，在姚河乡沈桥村。
47. 茶园　组名，在姚河乡香炉村。
48. 茶铺　地名，在姚河乡梯岭村。
49. 野茶岭　组名，在主簿镇枯井原。
50. 凉亭子　地名，在莲云乡将军村。

51. 茶树塆　地名，在头陀镇头陀村。
52. 茶园　地名，在头陀镇大枧村。
53. 茶坳　地名，在头陀镇乐道村。
54. 茶子排　地名，在头陀镇石盆村。
55. 茶棚河　河名，在头陀镇石盆村。
56. 茶棚林　地名，在头陀镇石盆村。
57. 茶屋　地名，在头陀镇头陀村。
58. 凉亭　组名，在青天乡青天村。

资料来源：《岳西县地名录》（1985年版）以及调查走访。

第十六章　茶艺　茶具

第一节　茶　艺

2006年，安徽农业大学丁以寿教授编创岳西翠兰茶艺，程序16道。解说词：岳西翠兰茶艺追求“静、清、雅、韵”，主要有备器、取火、候汤、赏茶、洁杯、投茶、润茶、冲泡、敬茶、品茶、收具等十六道程序。

静心备器：每一次的茶会都可能是主客间一生中仅有的一次，所以要以虔诚、恭敬的心来做准备工作。今天，岳西翠兰茶艺演示的主茶具是无色透明玻璃杯，辅助茶具有茗炉、水壶、茶荷、茶匙、茶巾、水盂、茶盘等。

鉴泉择水：“清茗蕴香，借水而发”“茶性必发于水。八分之茶，遇水十分，茶也十分；八分之水，试茶十分，茶只八分”，古人早就认识到水质对泡茶的重要性。陆羽《茶经》云：“山水上，江水中，井水下。”泡茶以泉水为佳，要选择清、轻、甘、活的软水。

取火候汤：“茶兹于水，水借乎器，汤成于火”“活水还须活火煎”，烹泉煮水要用活火。

翠兰酬宾：今天我们为来宾准备的是刚刚采制的特级岳西翠兰。

岳西翠兰是谷雨前后在当地良种茶树上，选采一芽一叶初展或一芽二叶初展鲜叶，经杀青、整形、初烘、足火等工序精制而成。先用手工或机械杀青、整形，后用炭火烘焙，制作过程十分考究。岳西翠兰品质的突出特点在“三绿”，即干茶色泽翠绿、汤色碧绿、叶底嫩绿。

流云拂月：明代张源《茶录》云：“造时精，藏时燥，泡时洁。精、燥、洁，茶道尽矣。”茶是圣洁之物，茶艺器具必须至清至洁。

岳西茶园大多分布在海拔600~800米的深山峡谷之中，周围树木葱茏，百花溢香，云雾弥漫，得天独厚的生态环境和精湛独特的采制工艺，孕育出岳西翠兰的独特品质。

佳人入宫：将茶叶置入玉洁冰清的茶杯中。苏轼诗云：“戏作小诗君莫笑，从来佳茗似佳人。”茶品如人品，佳茗似佳人。将茶轻置杯中，如同请佳人轻移莲步，登堂入室。

泡茶有“三要”，即茶叶量、水温和冲泡时间。要想泡一杯好茶，茶叶与水的比例要适当。一般来说，茶叶与水的比例大致为1∶50，即每杯投茶3克，注水150毫升。

松风初鸣：陆羽《茶经》有水三沸之说：“如鱼目，微有声为一沸，缘边如涌泉连珠为二沸，腾波鼓浪为三沸。”苏轼诗云：“蟹眼已过鱼眼生，飕飕欲作松风鸣。”杨万里诗云：“鹰爪新茶蟹眼汤，松风鸣雪兔毫霜。”静听水声，如秋风萧瑟，涛声阵阵。冲泡岳西翠兰，水温以90度左右为宜，即“蟹眼乍起，松风初鸣”之时。

温润灵芽：注水入杯少许，润泽茶叶。温润的目的是使茶叶吸水舒展，以便在冲泡时使茶叶内含物质迅速析出。现在，经过温润的翠兰茶叶已散发出幽幽的兰花香。

凤凰三点头：将水壶由上向下反复提举3次，三起三落，这一手法被称为“凤凰三点头”。一是经过 3 次高低冲泻，使杯中茶叶在水的冲激下上下翻滚，促使茶叶有效成分迅速析出，使茶汤上下浓度均匀；二是对宾客表示敬意。

三才化育：岳西翠兰取山川之灵秀，摄日月之精华。茶蕴杯中，象征着“天涵之，地载之，人育之”，天地人三才合一，共同化育出翠兰茶的精华。

初奉香茗：客来敬茶是中华民族的优良传统。现在我们将这一杯杯芬芳馥郁的翠兰香茗献给嘉宾。

闻香观色：品茶须从色、香、味、形入手。岳西翠兰茶汤色碧绿明亮，清香高而持久。清幽的茶香随着袅袅热气缕缕飞出，令人心旷神怡。

赏形品味：翠兰茶冲泡后枝枝立于杯中，如兰花初放。滋味浓醇鲜爽、回味甘甜；叶底芽叶完整、嫩匀成朵。

趁热品味茶汤的滋味，细品慢啜，体会茶的醇和、清淡，从淡淡的茶味中品出天地间至清、至和、至真的韵味来。

重酌酽香：第二泡茶香最浓，滋味最佳，要充分体验甘泽润喉、齿颊留香、回味无穷的感觉。

品茶是一种精神的享受，一种文明的熏陶。看着碧绿清澈的茶汤，娇嫩的灵芽，仿佛是听一曲春天的歌，看一幅春天的画，读一首春天的诗，如同置身在一片浓浓的春色里，感受那自然的气息。

静悟茶味：静坐回味，茶趣无穷。

唐人皎然诗云：“一饮涤寐”“再饮清我神”“三饮便得道”。宋人苏轼诗云：“何须魏帝一丸药，且尽卢仝七碗茶。”茶艺是饮茶的艺术、生活的艺术，也是人生的艺术。

收具礼别：今天，我们的茶艺表演就到此结束。

第二节　茶　具

茶具，又称茶器或茗器。茶具一词早在汉代已出现，西汉王褒《僮约》有要小仆便了每天“烹茶净器”的规定。

岳西茶叶生产与品饮历史悠久，“以茶敬客”更是妇孺尽知的传统礼仪，饮茶用具也格外丰富。现选若干，以飨读者。

1. 宋瓷壶。河图镇岚川宋墓出土。

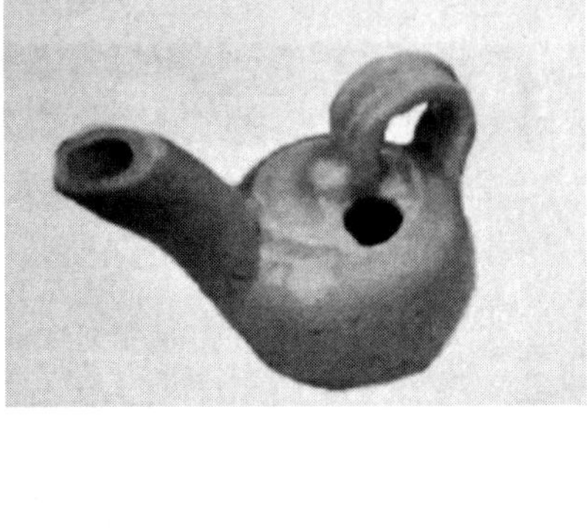

2. 宋代青白釉暗花斗笠碗。岳西县文保中心收藏，编号 031–A–0001。

3. 元代青釉冰裂纹瓷碗。岳西县文保中心收藏，编号 114–A–0001。

4. 明青花花卉瓷碗。岳西县文保中心收藏，编号 232–A–0001。

5. 民国描金瓷盏。岳西县文保中心收藏，编号 476–A–0001。

6.“万物生长靠太阳”瓷茶壶。岳西县文保中心收藏，编号 536–A–0001。

7.“红旗插遍全球”瓷茶壶。岳西县文保中心收藏，编号 542–A–0001。

8. 茶篮。藏于县民俗馆。

钱子华 / 摄

9. 壶桶。岳西县鹞落坪红二十八军纪念馆藏。

钱子华 / 摄

10. 铜壶。岳西县鹞落坪红二十八军纪念陈馆藏。

钱子华 / 摄

11. 茶筒。民间收藏。

钱子华 / 摄

12. 竹茶桶。民间收藏。

钱子华 / 摄

13. “司空山印象”秦权壶。王晓晖制，中国科技大学陶瓷艺术中心监制，藏于天柱山茶博园。

14. 六面提梁壶。岳西崔旺应制。

崔旺应 / 供图

第十七章　茶人物

第一节　莅境茶人

王镇恒

王镇恒（1930—2021），浙江温州人，著名茶学家、茶学教育家与茶树栽培专家。

1952 年，复旦大学农学院茶叶专修科毕业；1952—1956 年，任安徽六安实验茶场技术员；1956 年起，一直在安徽农学院（安徽农业大学前身）工作，先后任茶业系教员兼教学茶场场长、茶业系茶树栽培学教研室副主任、茶业系副主任、茶业系主任、副教授、农学院副院长、党委书记。硕士研究生导师、教授。1983 年赴美国，1988 年赴英国，1991 年、1997 年、1999 年 3 次赴日本，参加国际茶事活动。1997 年退休。

王镇恒长期从事高等茶学教育，培养了大量茶学人才，为我国茶学教育事业做出了重大贡献。在茶树解剖、茶树生态研究方面成果显著，丰富了茶树高产优质理论；在科技扶贫、指导创制名优茶方面，取得显著成绩。代表作品《世纪之交的茶学高等教育》《安徽名茶丰富多彩》《中国名茶志》等。

王镇恒以天下茶事为己任，对岳西茶业、茶人十分关心。

2000 年 12 月，主编《中国名茶志》，查道生撰写的《岳西翠兰》收录其中。岳西翠兰茶第一次名载茶志。

2001 年 11 月，王镇恒莅临岳西县头陀镇水保茶叶公司，帮公司制定规划、指导茶园和茶厂建设。同时对岳西茶叶发展提出许多建设性意见。

2003 年夏，为岳西港河茶厂（岳西绿月公司前身）“岳西绿月茶”书写评语。

2007 年 5 月，从上海专程赴南京，出席岳西县举办的“好山好水好翠兰”推介会，向县政府赠“茶旅融合”题字。

2008 年 5 月，出席岳西县在合肥举办的茶文化节，赠“岳西翠兰，茶中上品”题字。

2011 年 10 月，赠安徽翠兰公司“千里大别山，百年翡冷翠”题字。

2017 年 8 月，赠良奇公司“老秦家茶”题字。

2018 年 12 月，推荐岳西翠兰手工制作技艺申报国家非遗，盛赞岳西翠兰“体现了中国优秀绿茶的独特品质”。

同月，赠“岳西茶叶博物馆”墨宝，并附信钱子华，希望岳西茶博馆早日建成。

2021 年 1 月赠字 2 幅。一是赠竹山古茶园诗：“岳西翠兰古茶树，风生火起品质优。薪火相传刘会根，产扶贫业金奖耀。”一是赠钱子华，为竹山古茶园诗副本，加书“钱子华茶人正之”，并附 20 世纪 50 年代复旦大学影印校徽图案笺一枚，上书“副本王镇恒二〇二一年元月”。2021 年 6 月 30 日在沪病逝。此字成王先生留给岳西茶人的最后一份厚礼。

詹罗九

詹罗九（1936—2013），安徽省黄山市黟县人，著名茶学家，教授、硕士生导师。1956 年安徽省屯溪茶业学校毕业，进安徽农学院茶业系学习，1960 年毕业后留校任教。曾任安徽农业大学茶业系制茶教研室主任、商贸教研室主任、安徽农业大学中华茶文化研究所所长。

在校主讲制茶学、茶叶经营管理等课程，退休后主要研究茶业经济和茶文化。主编全国高等农业院校统编教材《茶叶经营管理》，编著《名优茶开发》《名泉名水泡好茶》《中华茶文化大辞典》，参编《中国农业百科全书茶业卷》《中国茶经》等。组织编写《中国名茶志》（任总体策划、副主编、安徽卷主编）。

退休后担任安徽天方集团茶叶顾问，成功策划茶品牌——“雾里青”；担任安徽翠兰投资发展有限公司茶叶顾问，为“翡冷翠”品牌策划、岳西职业技术教育中心茶叶班教学、岳西茶文化旅游做了大量有益工作。退休后著《中国茶业经济的转型》《无梦茶山行》《茶旅春秋》《茶学知识简明读本》《书香 · 茶香》5 部茶书。篇中多有岳西茶事茶人的记述。

詹罗九爱岳西山水，爱岳西翠兰。2003—2010 年，先后 3 次到岳西，深入包家石佛寺、姚河竹山、头陀三道河等茶区进行茶叶科学考察，确认岳西是“古老皖西茶区的腹地”，竹山古茶树树龄在 300~500 年。

2011 年 5 月，担任安徽翠兰投资发展有限公司茶叶顾问，与夫人邢爱梅常住岳西，2013 年 4 月因病回石台。在岳西期间，协助翠兰公司董事长崔栋梁，立制度，建茶厂，办基地，打造“翡冷翠”品牌，创办岳西县职业技术教育中心茶叶班并亲自授课。著文肯定岳西茶人发现宋代榷茶山场“舒州罗源场”的重大意义，建议岳西县发展名茶经济，开拓茶文化旅游。其《茶学知识简明读本》（与王镇恒合编）、《书香 · 茶香》2 部著作，大部分章节是在岳西编著完成的。

2013 年 6 月 15 日，詹罗九在合肥病逝。

第二节　人物传略

朱鸣泰

朱鸣泰，岳西县姚河乡梯岭村人，清乾隆年间太学生。家谱称其人“倜傥多才，慷慨好义”。

岳西建县前，梯子岭属舒城县，早在明代，当地就盛产兰花茶、黄大茶。朱鸣泰从小就学会了种茶、做茶、卖茶。他恪守先义而后利的儒商之道，收茶卖茶，童叟无欺，对一些穷苦人家的茶货，还会捎带销售，仅收运送成本。因而口碑很好，生意也日渐红火，很快成为远近闻名的大茶商。

市场云谲波诡，朱鸣泰生意也曾遭遇不顺。有一年，他在家乡集聚了一批上好的兰花茶运抵江苏海州，交给茶行后住进附近的客栈等待货款。蹊跷的是，时间过去了半个多月，这家茶行仍不给钱。鸣泰先是上门讨要，对方总是百般搪塞，后来干脆避而不见。朱鸣秦终于明白，这人是想以“地头蛇”优势要横打赖，这让他焦急万分。

时任海州牧的钟承露本姓朱，祖居姚河梯子岭，与朱鸣泰同宗，后迁舒城东乡钟家畈。清初，为躲避当局对朱明王朝后裔的追杀，改为钟姓。因这层关系，朱鸣泰找到了钟承露，说明原委，恳求相救。钟承露思索片刻告诉鸣泰：族胞的事就是我的事，这个忙我帮，但要讲究方式，须如此这般方可。鸣泰依计而行。

第二天上午，州役来客栈请朱鸣泰到衙中做客，称州老爷素仰大名，想与他一叙。此时，朱与往常一样，在客栈后院亭子上读书。见差役来请，故作不屑，坚不肯往。过了两天，州府派轿子来旅店，大张旗鼓接朱鸣泰入府。这事一时间在海州弄得沸沸扬扬，路人尽知，欠钱的茶行老板自不例外。老板见州老爷如此厚待朱鸣泰，确信此人来头不小，得罪不起，于是很快恭恭敬敬付清朱鸣泰的全部茶款。朱鸣泰与钟承露就这样不动声色地上演了一场造势攻心、巧讨茶债的好戏。

此后，两人成了至交。朱鸣泰在山东、江苏一带的茶叶生意越做越大，赚得盆满钵满，成为舒城县富户名流。这年，朱鸣泰在梯子岭盖新房，落成之日，钟承露送木匾一块，上书“积学洁行”，落款：“海州牧愚兄钟承露赠”，舒城知县钮福畴赠木雕对联一副，上书“在岭开花，先沾雨露；依岩作室，不碍云山”。现匾和联仍保存在朱鸣泰的后裔家中。

吴元德

吴元德，岳西县包家乡红山村人，清末茶人。

岳西建县前，包家河属霍山县南乡，地处高寒深山，旧时交通闭塞，地僻民贫。吴元德勤劳肯干，生性敏慧，在与人交往中得知霍山南乡的茶叶最受山外人喜爱，便带领家人披星戴月开起了茶山，光绪三年（1877），一片面积达70亩的茶园建成。

茶园投产，让吴家每年有了不菲的收入，包家河很多人家，也因在吴家帮做茶工，有了新的生活来源。每年三四月，少则十几人，多则四五十人，在吴家“过茶春”（茶季帮工）。他们白天采，晚上炒，辛苦劳作，却又苦中有乐。工钱差不多能管家人一春的花销，不少青春勃发的少男少女，还因在此一起劳动喜结良缘。一些青壮劳力，经常送茶到黄州、汉口、六安、山东等处销售。多的时候，一次要发30余挑，一挑4篓，每篓25~30斤（黄大茶）。挑夫们一色的白布缠腰，一色的新编茶篓，先在茶厂前的大坪整齐排好，说声“起啰！”东家挑米粮在前，大队紧随其后，鱼贯上路。统一上岭，统一过河，统一换肩，统一歇脚，好不风光！十天半月回程，少不了带回一些老布、大米、盐、扑粉、梳镜等，老人小孩，姑娘媳妇，无不欢喜。

吴元德的孙子吴绵宗把吴家茶叶带向新的辉煌。抗日战争时期，岳西为非敌占区，茶叶又为紧俏物资，卖价好。吴绵宗抓住时机，不仅卖自家的茶叶，还贩销、代销包家河一带其他人家的茶叶，由此赚钱不少，被称为“吴小佬”。当时的霍山，只有大化坪一个叫“程矮子”的茶商与他齐名。从湖北黄安方向来的老茶贩子，往往都是走古道过英山，先到吴小佬家选茶，交订金，吩咐装篓，喝顿老玉米酒，再到大化坪程矮子家，看茶、补货。

吴元德开辟的茶园，今日犹存，现由吴元德第六代孙吴财有承包管理。吴财有以该茶园为依托，建茶厂、办茶叶公司，所产的岳西翠兰茶，曾获岳西县“茶王”称号和大别山区名优茶大赛一等奖。

王家鼎

王家鼎（1865—1933），字味羹，号梅城，谱名佐淑，岳西县响肠镇金山村人。祖父王维新举孝廉方正，任休宁县教谕，父王国镇国学生，幼承家学。家谱述其“气象温和，方面阔颐，望而知为儒者。少聪颖，好读书”。所撰塔儿岭茶亭《文公碑记》享誉乡里。

王家鼎少年时，读书刻苦，文章日进。“十五岁参加童子试，名列前茅；十七岁入县学，光绪二十一年院试取为一等。之后两考落选，从此淡去名利之心，不再醉心科场。”（《王氏族谱·佐淑公传》）

家鼎好奖掖后进，曾在祖父王维新创办的天堂书院执教，其教学“阅课严谨，品题佳士”。时逢清末政治改革，乡里创办新式小学，家鼎被推为校长。他在遴聘师资，教授科学，整肃校风方面，成绩斐然，备受乡人敬重，学校也因此名播一方。

民国初年，议会成立，王家鼎被选为安徽省众议会议员，之后又出任省府顾问咨议。年过五十，辞去俗务，平常足不出户，“每值春秋佳日，辄往来绿阴红雨中，与田夫野叟，同话桑麻以为乐，浑忘世事。然遇地方公益，靡不热心提倡”（《佐淑公传》）。

王家鼎之父王国镇是乡间慈善之士，曾捐献塔儿岭山场，建亭施茶。王家鼎秉承父志，经常出钱修缮茶亭、资助施费。因其品行高洁，学问渊博，被公众推为响肠慈善机构同仁堂首事。王家鼎文采出众，其塔儿岭茶亭《文公碑记》（见本志第二十章《古代文献》），文清句丽，征引繁博，读来口舌生香。

胡承启

胡承启（1911—1980），湖北大冶人。自幼聪明好学，胆大机灵，有善心，17 岁随父亲到岳西黄尾。其父胡石夫，名泽砚，字石夫，生于 1882 年。1928 年，胡石夫与堂弟胡泽履一起来黄尾河做茶叶生意，然后定居下来，在黄尾老街开了“同茂”茶行，又名“同茂合”茶行。1929 年秋，父亲胡石夫去世后，胡承启接管“同茂”茶行，他很快显现出卓越的经商才干。26岁那年，胡承启把黄尾河的黄大茶贩到山东，赚了大钱。那时，正逢战乱，匪盗横行。为安全起见，返回途中行至霍山三十岭，他果断改用两口棺材装银元，巧妙骗过沿路劫匪。胡承启先后在外地开茶庄 5 处，霍山、六安、合肥为合伙经营，蚌埠的“鸿丰”和山东的“瑞森”是独家经营。30 岁出头，就成了大财主，号称“皖西胡百万”。“同茂”

茶行也成为 20 世上半叶闻名皖西的茶号。

胡承启发家后仗义疏财，乐善好施。那时黄尾街叫花子很多，胡承启平时给吃给喝，到过年，外地的留过“三天年”，本地的见人一斗米。一次，胡为其亡母立碑，杀肥猪 8 头，大摆酒席，不收一分礼金，任凭当地乡亲吃喝。为方便行人过往，他出钱义建黄尾渡，还拿出 3 石田不收租粮，请人在河上长年免费摆渡。享受过免租待遇的艄公先后有丁新才、王佑民、王保志等。由此人心尽归。

新中国成立前夕，胡承启举家迁至霍山，新中国成立初期迁往山东济南定居，弃商从医，就职于济南市天桥人民医院，1980 年去世。

胡石夫堂弟胡泽履一支现仍居黄尾镇。2015 年胡泽履嫡孙胡先文与汪正发、郑光平合伙组建“同茂合茶业有限公司”，重启“同茂合”老号。

余良璧

余良璧（1851—1913），名六一，字灿璜，号白崖居士，岳西县河图镇岚川村余家花屋人。光绪六年（1880）翰林院待诏。

余良璧祖上靠销售本地白炭（栗炭）起家，薄有余积。良璧继承祖业，弃儒经商，继续向汉口等地营销白炭。他努力拓展新市场新业务，看到大别山特产茶叶在山外很受欢迎，河图铺、司空山一带，本就盛产茶叶，于是组织人力资金，大量收购经销。同时又将家乡所产茯苓、铁锅等，销往长江沿岸各大城市。他在经营中让利于民，由此茶农增辟茶园，药农积极采药，锅厂扩大生产，乡民从中获得丰厚利润，从而带富一方。他觉得为其运输的挑夫饱受风霜雨露，尤为辛苦，付给较高的报酬，因此深得挑夫拥戴。

良璧崇文尚读，主张男女平等，认为无论男女皆要读书，因此捐出大量资金创办银河学馆，从而改变了地方风俗，提升了河图文化。良璧忧虑百姓艰于生计，虽营销白炭、铁锅，却不唯利是图，注意涵养本源，大力兴办林业，保护生态，严禁盗伐，非必要则不取林木。每到春天，即组织植树育林，开荒种茶，造福子孙后代。他对社会治安也十分关注，严斥赌博，力除盗贼；收支公款，调解民事，无论亲疏皆依理而决。他还倡导妇女解放，令孙女孙媳皆放足，在其示范下河图民智早开。晚年将生意交由儿孙经营，自己不再远游，或在家教子孙读书，或与农夫野老兴谈国事，终日不倦。民国初被举为乡议员。

储一石

储一石（1899—1978），又名储应时、储翰香。岳西县头陀镇乐道村人。1948 年在上海创建中国上海茶叶公司，并以此掩护中共上海地下组织活动。

储一石少小由私塾转读岳西县衙前粹新小学，后考入安庆省立第一中学，1922 年自费到日本留学，并加入国民党，1926 年春转美国伊利诺伊大学政治经济学科就读。

1928 年，储因无力继续承担留学费用回国，途中遇河北省主席商震的亲戚周某，当时，商震请周某在河北黄寺大楼创立河北军政学校，周某邀储担任政治部主任。1936 年至 1937 年，出任中国驻日大使馆秘书。

1937 年抗日战争全面爆发，储一石随同大使馆人员归国，1938 年到中央赈济委员会任国民政府赈济委员会委员等职。1939 年任安徽省特产管理处处长，主管全省茶叶等特产事宜，后升任安徽省政府委员兼建设厅厅长。储任安徽省建设厅厅长五年，常与周新民等共产党人讨论时局，认同共产党主张，反对内战。1948 年卸任厅长，偕同妻子陈育琪由合肥迁居上海。

储一石出生茶乡，又担任过省特产管理处处长，对安徽茶叶非常熟悉。在上海，他与老同盟会会员，曾担任定远和凤台县县长的韩钧衡筹建中国上海茶叶公司，韩当总经理，储任董事长，主营安徽黄山和大别山茶叶。当时资金缺乏，上海地下党组织给了他十余两黄金资助，储一石不负党的期望，以公司为掩护，积极为上海地下党提供工作便利。

上海解放后，第一任市长陈毅了解储一石一直支持共产党，又以茶叶公司掩护过上海地下党，对新中国诞生做过贡献，1953 年 4 月任命他担任上海市政府参事室副主任。

1978 年 5 月 27 日，储一石在上海市病逝，享年 79 岁。5 月 30 日，在上海龙华火葬场大厅举行追悼会，《文汇报》做了专题报道。

卞从虎

卞从虎（1912—1994），又名从火，谱名华烺，岳西县冶溪镇西坪村人。卞松子之孙，卞荣禄之子。

司空山周边，自古产茶。旧时，田头地边尽是茶树，除了自饮，还有一定的富余供出售。卞从虎的祖父卞松子先是替别人当贩茶的挑夫，然后自己做起茶叶生意。从虎叔公有武功，经常帮兄长卞松子护茶出山。一次，他护送一批茶去六安，到牛瀑川处天色向晚，便准备歇担住店。谁知遇上一帮贩树的歹人，他们仗着人多地熟，想抢夺茶挑子。两帮人等，腰系汗巾，各持打杵、扁担，在一开阔处，怒目相对。一场殊死械斗，一触即发。危急时刻，从虎叔公分开人群，一个箭步冲出，大喝一声“你们想干么事！”随即将手中铜头打杵往面前大石头上一戳，顿时金星四溅，石块迸裂，吓得对方谁也不敢向前，悻悻而去。

卞从虎为人忠信，精于买卖，成人后把家传的茶叶生意推向了高峰。其时，正值战乱，他临危不惧，依旧冒险将茶贩到湖北团风、黄州、汉口，以及省内立煌（金寨）、六安等处，再换回山中紧缺的老布、盐、大米等生活用品，供自家和乡邻日用。由于社会治安极乱，从虎每次卖茶所得的钱款都要小心藏匿，纸币藏于箩筐的底部夹层，银元则藏在泡桐树做成的空心打杵里，以防不测。

战乱年代做生意，卞从虎历尽艰辛。一年冬天，他领着挑工，把一批茶叶运往湖北，途中一条大河横亘在前，无桥无渡，天气又极其寒冷。挑夫见状，面面相觑，谁也不愿打赤脚蹚水过河。从虎二话不说，直接脱去鞋袜，踏过冰碴河水，先把挑夫一个个的背到对岸，然后再将所有茶货挑过河。抗日战争时期，有一次从虎收购一批上好新茶，带着挑夫队送往汉口，不巧与几个日本兵撞了个正着。日本兵二话不说，硬生生把几百斤茶叶全部抢了去。从虎万般无奈，火速联系到当地一位旧友，此人是个“通事”（被迫替日本人做事的中国人），与日本人有些熟悉，他费尽周章，从中斡旋，才从日本人手中要回了部分茶叶，减少了一些损失。

（注：据朱雨霖提供资料整理）

程东明

卢汝龙 / 摄

程东明（1926—1996），岳西县天堂镇城南老街人，高中肄业。1949 年 10 月参加工作，相继担任小学教员、县政府财贸组组长、商业组组长（当时未设局）。1963 年，撤职下放到包家公社农科站劳动，20 世纪 70 年代任来榜区农技站茶叶技术员，1976 年调任县农牧渔业局多经股副股长，1984 年任股长，带领技术人员，创岳西翠兰名茶。1988 年晋升高级农艺（茶叶）师。

1940 年，程东明由岳西华正中学毕业考入安徽省私立南岳高中。1948 年底岳西解放，参加新政府开展的剿匪反霸、土改、维护治安活动。因表现突出，被选派参加“县经济技术青年骨干培训班”学习，第一次接触到茶的栽培加工理论。自此，程东明与茶结下不解之缘。

1958 年，牵头创“天堂云雾茶”获得成功，入选县“国庆十周年献礼产品”。20 世纪六七十年代，针对当时生产实际，提出“优先垦覆老茶园，积极新建新式茶园”建议，来榜区领导安排他在河口、青天、来榜、包家等地先行示范。他用专业知识，指导农民在这些地区建成公山、河口、石佛寺等一批专业茶园。历史上岳西主产黄大茶，为提高茶园效益，他积极推动“黄”改“绿”（炒青）工程。与当地能工巧匠一起，研制并推广了多种加工炒青绿茶的“土机械”，如木制揉茶机，木制手柄炒干机、焙干机，水能木制联动式传动系统，使茶农告别繁重的手工制茶劳动。1980 年前后，他着重研究推广“一灶多锅，集体传动”炒青机，既节能又省人力。1983 年，全县有炒青绿茶初制厂 126 座，“一灶多锅式”达半数以上。当时，几乎所有新茶厂的设计安装都得到了程东明的关怀指导。

20 世纪 60 年代中期，程东明指导包家公社新建石佛寺茶园，因极度贫困，大部分青壮社员无衣遮体，不能出门上工。他步行一百多里赶到县城，找相关领导特批了一匹土布，带回石佛寺发给农民做裤衩，解决了“遮羞”问题，也保证了建园工期。一次，石佛寺茶园正在紧张施工，他翻山越岭 30 多公里赶过去指导。由于饥饿和劳累，昏倒在石佛寺的河滩上，幸被过路群众发现救起。

程东明在来榜区工作时期，在狮形地亲自开茶园一片作为自己的科研基地，调往县农业局后，又在县城自家门前种茶数株，经年累月进行品种对比、物候观察，为指导生产提供科学支持。在境内发掘出皖西南“三棵半神茶”中的一棵半原产地（明山寨一棵，石佛寺半棵），让岳西茶叶多了一份文化色彩。

1983 年，在操声焰、程东明主导下，启动岳西名优茶创制工作。程东明作为技术牵头人，历尽艰难，带领技术人员，驻点包家石佛寺和姚河黄树竹山，研创新茶。1985 年，岳西翠兰被农牧渔业部评为全国 11 种新名茶，获中国优质农产品称号。1985 年 6 月，程东明作为岳西翠兰茶主创人出席安徽省部级新名优茶授奖会。

1996 年 3 月，程东明病故，享年 70 岁。程东明把毕生精力与全部的爱都献给了岳西的茶叶事业，他为岳西翠兰创制呕心沥血，厥功至伟，堪称“翠兰之父”。

朱诵科

朱诵科（1927—2000），岳西县姚河乡梯岭村人。幼时读私塾4年，民国时期被抓壮丁，在安庆当兵一年多，因不满国民党军队欺压百姓，逃回家乡务农。新中国成立初先任沈桥乡文书，20世纪60年代到80年代后期，一直任梯岭大队（村）会计、茶厂厂长。

梯岭村自古产茶，新中国成立后一直稳健发展，是岳西茶叶的“老先进”，这其中朱诵科功不可没。1952年，他主导创办“梯岭初级社茶厂”，生产红茶，出口苏联，为岳西县最早创办的四个茶厂之一。20世纪七八十年代，朱诵科负责大队茶叶加工厂，朱诵明负责大队茶叶栽培场，茶场和加工厂工作，双双在全县领先。1977年春，县大力推动“黄（大茶）”改“绿（炒青绿茶）”，大队购得一套炒青机械，朱诵科受命安装。他先去霍山县进行短暂观摩学习，回队后自己动手搭砌灶台，安装机器，建成年产超过一万公斤的全县最大的炒青绿茶初制厂。1982年，朱诵科出席安庆行署茶叶工作会议，并就茶厂管理做经验介绍。1983年后，他不再担任大队会计，茶厂事却仍是亲力亲为。1985年厂房改造，朱诵科不慎从朽坏的屋顶上摔下，脾脏大出血，差一点丧命。1986年3月底，春茶在即，县支持梯岭一套新型名优茶加工机械，60岁的朱诵科带领几名年轻人日夜奋战，很快完成安装，保证了生产。朱诵科注重积累茶资料，详细记录了1949—1985年梯岭村每年的茶叶生产、加工、销售情况，令人敬佩。

朱诵科多才多艺，1959年率文艺队参加安庆地区新中国成立十周年汇报演出，一曲《春富贵》，节奏明快，喜气洋洋，力压群雄，夺得全地区一等奖。20世纪60—70年代，兼任大队文艺宣传队队长，出色饰演过李玉和（《红灯记》男一号）、郭建光（《沙家浜》男一号）、杨子荣（《智取威虎山》男一号）等人物。

第三节　人物简介

查道生

查道生，1955生，岳西县店前镇徐良村人。安徽农业大学茶叶系毕业，分配到原安庆行署农牧渔业局多经站（1988年改为安庆市农牧渔业局经作站），一直从事茶叶技术业务管理工作。1985—1993年任市多经站副站长，1993—2005年任多经站站长，2005—2011年任市种植业管理局副局长，2011—2015年担任国家茶产业技术体系安庆综合试验站站长。1995年晋升高级农艺师，2007年晋升研究员。曾兼任安庆市茶业学会理事长、安徽省茶叶学会及茶叶行业协会常务理事等。

1980—1982年负责安庆地区茶树品种资源调查事宜，完成全地区5县布点调查、总结上报工作。1983—1985年，连续3年组织开展全地区名优茶评比，促进各县名优茶创制。

在岳西翠兰创制中，查道生为主创人员之一，在保色提质、确定芽叶标准等关键性技术方面，作出了重要贡献。1985年春，与程东明等到包家石佛村，制作农牧渔业部评比样品，同年6月，该样品被评为全国名茶。1989年，与荣光明、冯立彬等制作的岳西翠兰样品通过农业部复评，“岳西翠兰”再获农业部优质农产品称号。1992—1995，与华世人主创“岳西翠尖”，荣光明、冯立彬等参与样品制作。“岳西翠尖”分别被评为安徽省名茶、第二届中国农业博览会金奖名茶。

1989 年起，与省茶科所汪士杰共同主持“早生、优质、抗寒茶树新品种选育研究”课题，和岳西农业局合作，选育出国家级茶树良种“石佛翠”“梦茗”，省级良种“石佛香”。2000 年后，独立承担石佛翠等 4 个品种参加全国新品种审定工作。

2003 年，主导起草安庆市岳西翠兰、天柱剑毫、天华谷尖 3 种名茶的产品标准和生产、加工技术规程，2004 年成省级地方标准。

1996 年参编《中国名茶志》，撰写的《岳西翠兰》篇入该志，2010 年参编《安徽省志·茶业志》，2011 年参编《中国无性系茶树品种志》，“石佛翠”“石佛香”2 品种入志。此外，在《中国茶叶》《中国茶叶加工》《茶业通报》《安徽茶叶科技》等国家级、省级刊物上作为第一作者发表论文近 20 篇。

查道生长期事茶，获农业部二、三等奖各一次，地市厅级一等奖两次，二、三等奖多次，享受安庆市政府特殊津贴。

李叶云

李叶云，1972 年生，岳西县石关乡马畈村人，博士，安徽农业大学教授、硕士生导师。1993 年考入安徽农业大学茶业系，从事机械制茶专业学习，2000 年获茶学专业硕士学位。

2000 年后，一直在安徽农业大学任教。主要从事茶树栽培、育种研究与教学工作，其中 2006—2007 年赴日本御茶水大学（Ochanomizu University）研修。曾任学校茶业系系主任，现为安徽省茶叶产业技术体系首席专家，安徽省茶产业标准化技术委员会（AH/TC80）委员，安徽省茶叶学会理事，茶树生物学与资源利用国家重点实验室研究人员，教育部“知名专家和创新团队发展计划”创新团队主要成员，茶学学科国家级教学团队主要成员。曾先后主持、参加有国家重点研发计划项目、国家自然科学基金、国家农业科技成果转化资金项目、国家星火计划和安徽省自然基金等多项课题研究。为全国高等农业院校规划教材《茶树育种学》（第三版，2011 年）、《茶叶生产技术与电子商务》、《安徽茶区生态与茶叶生产技术》副主编。获安徽省科学技术二等奖 1 项，安徽省自然科学三等奖 1 项，省级成果 3 项。以第一作者身份发表科研论文 20 余篇。作为主要完成人选育皖茶 91、茶农 98、漕溪 1 号等国家品种 3 个，省级品种 3 个，获发明专利 1 项，软件著作权 2 项，主持或主要完成人制定省地方标准 6 项。经常到岳西指导茶叶生产，接受技术咨询，为家乡茶树良种推广、茶园绿色防控、茶叶清洁化加工等，做出了重要贡献。

崔栋梁

崔栋梁，1963 年生，徽州师专毕业，本科学历，岳西县五河镇桃李村人。1985—2001 年，在岳西县汤池中学、屯溪塑料厂、黄山市委组织部工作，此后，自主创业。2008 年元月，创黄山徽畅实业有限公司，后组建徽畅集团，从事房产置业、建筑材料、食品医药等业务。2009 年起，在岳西投资兴业。

2009 年 12 月，创安徽翠兰投资发展有限公司，2010 年 10 月，公司生产的岳西翠兰入选国宾礼茶，由国家主席胡锦涛赠予俄罗斯总统梅德韦杰夫，2011 年、2012 年，公司生产的岳西翠兰茶又3次作为国礼由胡锦涛主席赠外国政要。2011年，公司生产的岳西翠兰入选全国“两会”用茶，极大提高了岳西翠兰的影响力，著名茶学家王镇恒题词赞曰：“千里大别山，百年翡冷翠。”2010年11月，与刘会根合作，创竹山古茶园茶业有限公司，崔栋梁投资400余万元建起标准化茶厂。2011年，创岳西翡冷翠茶业有限公司，主营翡冷翠牌岳西翠兰。2011—2016年，于岳西县城城西叶畈建金翠兰茶叶市场，设钢构透明玻璃顶棚两处，为茶叶交易者遮风挡雨，有茶叶店面100余间，可容5000余人同时交易。2018年3月，与人合创岳西县金翠兰茶业有限公司，在县经济开发区建成出口茶精制厂一座。2021年9月，国企皖岳集团旗下岳西县农村发展投资有限公司注资控股，组建新安徽翠兰投资发展有限公司，助力岳西茶叶产业建设。

崔栋梁热心公益事业，2010年与县职教中心（安庆大别山科技学校前身）创茶叶班，到2020年，共培养全日制茶叶专业毕业生1000余人。2012年一次出资70.2万元，义买奥运冠军雷声比赛用花剑、头盔、手套，善款由政府全部用于贫困村建校助学。

安徽翠兰投资发展有限公司为安徽省农业产业化龙头企业。崔栋梁历任黄山市第五届政协委员、黄山市工商联副主席、黄山市民营企业家协会执行会长、黄山市安庆商会会长、安徽省茶叶行业协会常务理事等职。现任黄山市民营企业家协会名誉会长、黄山市安庆商会终身名誉会长，获安徽“行业十大影响力人物”、黄山市“有突出贡献民营企业家”、“2011年安庆十大经济人物”等称号。2011年受到全国政协主席贾庆林接见。

刘会根

刘会根，1961年生，岳西县姚河乡香炉村人。1979年高中毕业回乡创办竹山茶厂，1986—2003年被县农牧渔业局聘作茶叶辅导员（驻姚河乡），1996—2005年任黄树村支部书记，2010年11月与安徽翠兰投资公司合作创岳西县竹山古茶园茶业有限公司，任法人代表，2014年组建惠根家庭农场，注册“惠根”牌商标，在合肥华夏茶博城购门面房经销岳西茶叶。

刘会根长期事茶。他参与岳西翠兰创制全过程，为1985年被评为全国新名茶的岳西翠兰茶样制作人之一，2010年10月国宾礼茶岳西翠兰制作人。2011年被评为安徽省绿茶（岳西翠兰）手工制作技艺非遗传承人，经常向村民和学生无偿传授传统手工岳西翠兰制作技艺。茶厂、公司一直以较高价收购当地农户茶叶鲜叶，让利于民。2011年，竹山古茶园建标准化茶叶加工厂一座，占地8亩，翠兰茶生产线、炒青生产线、手工茶灶台、质检室一应俱全，为全县树立了标杆。注重创新，生产岳西翠兰外，还致力恢复黄大茶、小兰花茶生产，研究创新红茶生产。重视茶文化，很好地保护和宣传了竹山古茶园和“竹山神茶”。制茶技术精湛，茶品曾获中国国际茶博会金奖（2018年，杭州），6次获大别山手工茶制作擂台赛“擂主奖”和金奖，多次获岳西县名茶评比一等奖、茶王奖。

岳西县竹山古茶园茶业有限公司为安庆市农业产业化龙头企业，“惠根”商标为安徽省著名商标。刘会根于2016年被评为首届“岳西工匠”，2019年获“新中国70周年徽茶荣耀杰出贡献奖”。

冯立彬

冯立彬，1963年生，岳西县包家乡石佛村人，安徽礼宾茶业有限公司法人代表，岳西翠兰手工制作技艺省级非遗传承人，2016年被评为首届“岳西工匠”。

冯立彬少小贫寒，5岁前父母辞世，靠国家救济和社队资助上了四年半小学。1983年，岳西创“岳西翠兰”名茶，冯立彬参与其中，1985年，承包石佛大队茶厂，为同年被评为全国新名茶的岳西翠兰茶样制作人之一。1989年，协助省、市、县专家选育茶树良种，后石佛翠、石佛香分别成为国家级良种和安徽省级良种。1993年办茶厂，2008年创安徽礼宾茶业有限公司。拜程东明、查道生为师，成为岳西翠兰手工制作技艺省级非遗传承人，经常无偿收徒，传授技艺。立志惠及茶农，他的茶厂、公司一直以当地最高价收购农户茶叶鲜叶。注重技术创新，致力恢复传统黄大茶，创研红茶、翠萝茶。2002年4月，与农业部门领导专家一起创出岳西翠芽。2003年，创制出新品翠兰茶—绿箭（又称“翠毫”）。重视茶文化，对“半棵神茶”和国家级良种石佛翠母树保护和宣传做了大量工作。生产的茶叶曾获“安徽十大品牌名茶”称号，大别山手工茶制作擂台赛“擂主奖”、金奖，岳西县名茶评比一等奖、茶王奖等。

冯立彬成功不忘助困，几十年来，先后捐资50多万元，用于帮助孤寡老人、贫困学生、困难家庭、救灾、修建村级水泥路等公益事业。

王晔光

王晔光，1961年生，高中学历，岳西县来榜镇花墩村人。历任花墩村茶场场长，岳西县花墩晔光茶厂厂长，花墩村党支部副书记、书记，来榜镇党委委员，安庆市人大代表。

1985年，承包村濒临倒闭的茶厂和60亩日渐荒芜茶园。经过几年辛苦经营，茶厂和茶园重现生机，制出优质岳西翠兰，成为县岳西翠兰名茶重点生产基地。1988年，主动把茶厂茶园交还本村，作村办企业。1989年，协助省茶科所及市县农业局选育茶树良种，专家标号8902的品系，2014年成为国家良种“梦茗”。2006年创花墩晔光茶厂，注册“晔光”“秋里雾”两个商标，同年试制“秋翠兰”成功，岳西翠尖获全县名茶评比第一名、安庆茶博会金奖。2020年，完成茶厂升级改造，新厂车间宽敞，翠兰和炒青绿茶加工设备、传统手工茶灶台，以及住宿、餐饮等生活配套，一应俱全，成为来榜镇具有示范意义的标准茶场。

王晔光积极推动本村农业结构调整，带领村民先后建高标准茶园1000余亩，茶墩村由此成为全县知名茶叶专业村，2014年、2015年分获安徽省“森林村庄”“全国科普惠村先进单位”称号。

1988年，王晔光被评为岳西县“茶叶状元”，安徽省“民兵致富扶贫先进个人”。2001年被安徽省委授予“优秀共产党员”称号，2003年被评为安徽省农村致富带头人。

刘友林

刘友林，1952年生，岳西县古坊乡长岭村人。1985年开始潜心研究茶叶生产和名茶机械制造，建有高标准茶园70亩，标准化茶叶加工厂1座。

1999 年，刘友林历经 11 年艰辛，成功研制出岳西翠兰名茶机械加工生产线，以 0.55 千瓦三相异步电动机为动力（可以调节转速），电热管提供热能，恒温烘炒，全程连续运行，操作简便，首次实现岳西翠兰名茶加工连续化。该机械获国家专利技术 3 项，带动了岳西茶机制造业的蓬勃发展。刘友林制茶精益求精，所产“长岭兰芽”茶于 2003 年、2005 年、2007 年、2009 年、2011 年，分别荣获第五届、第六届、第七届、第八届、第九届“中茶杯”全国名优茶评比特等奖和金奖，其“林兰芳牌”岳西翠兰，2021 年获中国茶叶学会“五星级品质”评价。

刘友林创办的茶叶机械制造车间和名茶加工厂，每年吸纳 30 余人就业，直接带动 500 多户农民发展茶叶，增加收入。先后被岳西县人民政府授予 2 项科技进步奖，被安庆市委、市政府评为“实施农业三项工程品牌先进单位”，刘友林本人 2016 年被授予首届“岳西工匠”荣誉称号。

刘友林勤奋好学，对格律诗、书法等均有研习，曾任岳西明堂诗社常务副社长，2021 年创岳西县林兰诗社并任社长，其诗作多次在《中华诗词》等刊物发表。

储春生

储春生，1973 年生，岳西县天堂镇人，安徽电视大学肄业，1995 年后，创岳西县中洲大酒店、安徽中洲路桥工程有限公司和安徽省石佛寺生态农业开发有限公司。

2012 年 2 月，流转包家乡石佛村茶园组 9 户 153 亩茶园，以“农场+农户”模式，按有机农业要求管理茶园、加工茶叶，取得环保部有机食品发展中心有机认证。解决长期就业 13 人，每年季节性用工 2000 多个，付出茶园租金及农民工工资 90~130 万元。投资 800 多万元，修茶园道路，建石翠山庄、景观亭。注册石翠商标，生产石翠牌有机岳西翠兰和炒青，经常参加上海、杭州、合肥大型茶事活动，宣传岳西有机茶。

关心社会公益事业，筹资 50 万元修建茶园组水泥路，捐资 10 万元为茶园组安装路灯至各家各户，并承担每年电费；为村民安装体育健身器材，购置广场舞音响设备；2016 年，向岳西县扶贫救助协会捐款 3 万元，用于贫困救助；2020 年初新冠肺炎疫情突发，向包家乡村民、学校捐消毒液 500 斤，口罩 6.7 万只。

石佛寺有机茶园获评“全国三十座最美茶园”“全国脱贫示范基地”“美丽岳西乡村旅游示范点”；石翠牌岳西翠兰茶获“中国旅游商品大赛银奖”“中国旅游品牌商品”等称号；石佛寺生态农业开发有限公司获“安徽省林业产业化龙头企业”“市农业产业化龙头企业”称号。储春生痴情于有机茶生产，被称为“有机傻子”。2016 年获评“岳西县双培双带及农村产业结构调整带头人”，2017 年当选岳西县政协常委。

荣光明

荣光明，1957 年生，安徽省枞阳县人，1978 年 7 月至 1982 年 6 月就读于安徽劳动大学茶业系茶叶专业，1982 年 7 月参加工作，2017 年 2 月退休。一直在县农业系统从事茶叶技术推广工作，先后任技干、多经站副站长、指导员、县茶叶局副局长等职，1996 年 1 月晋升高级农艺师。

20世纪80年代初，参加创制全国名茶岳西翠兰，为该创制研究项目第四完成人。20世纪80年代末至90年代初，参与省级名茶岳西翠尖研制，为第二完成人。2002年春，主导升级岳西翠尖，在包家镇石佛村冯立彬茶厂创制成岳西翠芽（芽茶）。

1989—2010年，与省、市专家一起选育茶树良种，被定为省级良种，2010年石佛翠被定为国家级茶树良种。

2003年，参与制定岳西翠兰茶产品标准和生产、加工技术规程，次年被安徽省质量技术监督局作为省级地方标准颁布实施。2012年，参编《岳西翠兰地理标志保护产品申报书》，2013年岳西翠兰地理标志保护产品获国家质监总局批准。2003年后，县委、县政府作出关于加快茶产业发展的决定，全面启动茶业“二次创业”工程，荣光明和茶叶局同行一道，扩基地、繁良种、建茶厂、壮龙头、创品牌、培市场、抓培训、搞服务，辛勤工作。

钱子华

钱子华，安徽省贵池人，1955年生，1980年安徽省屯溪茶业学校毕业，1987年安庆地委党校大专毕业。先后任岳西县主簿区农技站茶叶技干、白果乡党委副书记、县罐头厂书记、县茶叶局局长、县农业委员会主任科员等职。

在各工作岗位，认真履职，并致力于岳西茶文化的研究，退休后此志依然。先后考证发掘多智茶（宋）、闵山茶（宋）、冬茶（清）、炙茶等岳西县地方名茶、特色茶；考证发现罗源场（宋）、塔儿岭古茶亭等数十处茶文化遗存；发现搜集古剧本《采茶记》及一批先人创作、表现岳西茶事的古诗文民歌等文化作品。撰写茶叶论文、散文、诗词数百篇（首），见载《中国农业考古》《中国茶叶》等刊物。担任茶书《印象·岳西翠兰》执行主编，参编《岳西碑刻拓片集》《岳西文史》等书，主撰岳西县博物馆“岳西茶文化馆”文案，担任五河镇响山等村史馆文案主撰人，主编《岳西翠兰志》。

钱子华曾兼任安徽茶文化研究会和安徽省茶叶行业协会常务理事，岳西县茶业协会理事长，安徽翠兰投资发展有限公司顾问，被授予“新中国70周年徽茶荣耀·十大功勋人物”、“安庆好人”、安庆市“读书之星”等荣誉称号。

第三篇

大事记

第十八章　大事记（一）

秦汉时期

“庐江好茗”见载《桐君录》。约战国时期，茶树由古巴蜀传播到大别山。《桐君录》记载：“西阳、武昌、庐江、晋陵好茗，皆东人作清茗。茗有饽，饮之宜人。”

药典《桐君录》，又名《桐君采药录》，作者无考。其内容多次被后汉《吴普本草》引用，南朝医学家陶弘景（456—536）为其作注，称作“古书”。据此推断，该书编纂年代下限，必不晚于秦汉。陈椽《茶业通史》认为其是战国时代的著作。汉晋前庐江郡辖今安徽安庆、六安等地，治舒州（今潜山市）。

唐宋时期

茶载《茶经》。陆羽《茶经・八之出》载：“淮南以光州上（生光州县黄头港者，与峡州同），义阳郡、舒州次（生义阳县钟山者，与襄州同；舒州生太湖县潜山者，与荆州同），寿州下（生盛唐县生霍山者，与衡州同）。”舒州茶产今安庆各县市及六安舒城县，寿州茶产今安徽六安各县市及岳西县北。

上贡茶蜡。明《安庆府志・食货志》：“唐贡花纱、交梭丝布、茶、蜡、酥、鹿脯、生石斛。”茶出山区，此项唐贡产地含现岳西县东南境。

天柱茶解酒消食。唐代宰相李德裕（787—850）爱天柱茶，曾向好友索赠，说此茶可以消酒解毒。天柱山，霍山县旧志泛指皖西南群山，安庆、潜山历代志书指皖（公）山（即今天柱山），清嘉庆《霍山县志・卷末・杂志》释：“天柱山，旧名南岳，高七千余仞，绵亘数百里，边跨安庆、六安界。其南曰潜山，其北曰霍山，皆此山也。”明嘉靖《安庆府志》载：“西北二十里，曰潜岳，一曰天柱山，一曰潜山，一曰皖山。”

茶自江淮而来，所在山积。唐代封演《封氏闻见记》：“起自邹、齐、沧、棣、渐至京邑。城市多开店铺，煎茶卖之。不问道俗，投钱取饮。其茶自江淮而来，舟车相继，所在山积，色额甚多。”

寿州、舒州茶进西藏。李肇《国史补》记：“常鲁公使西蕃，烹茶帐中，赞普问曰：‘此为何物？’鲁公曰：‘涤烦疗渴，所谓茶也。’赞普曰：‘我此亦有。’遂命出之。以指曰：‘此寿州者，此舒州者，此顾渚者……’”

李肇是唐宪宗李纯元和年间（806—820）的翰林学士。吐蕃（今西藏）赞普（君长的称号）松赞干布在唐贞观十五年（641）娶文成公主，文成公主带茶入藏。寿州茶主产今安徽六安，舒州茶产今安徽安庆，顾渚茶产今浙江湖州顾渚山。

寿阳（即寿州）茶入土贡。唐裴汶《茶述》曰：“茶，起于东晋，盛于今朝。其性精清，其味浩洁，其用涤烦，其功致和……今宇内为土贡实众，而顾渚、蕲阳、蒙山为上，其次则寿阳、义兴、碧涧、滬湖、衡山，最下有鄱阳、浮梁。”

寿州有黄芽茶。李肇《国史补》记：“风俗贵茶，茶之名目亦众……寿州有霍山黄芽。”

这是目前所见霍山黄芽茶名的最早记录。光绪三十一年（1905）《霍山县志》记载：“史记寿春之山有黄芽焉，可煮而饮，久服得仙。”

寿州产霍山小团。唐代杨晔《膳夫经手录》曰：“寿州霍山小团，其色绝好者，上于汉，美所阙者，馨花颖脱。”又云：“此仿制小片龙芽作为贡品，其数甚微，古称霍山黄芽乃取一旗一枪，古人描写其状如甲片，叶软如蝉翼，是未经压抑之散茶也”“睦州鸠坑茶，味薄，研膏绝胜霍山者。”“寿州霍山小团”语，说明在唐代霍山产团茶（即饼茶）。唐《食货志》载：“贞元年江淮茶为大模一斤到五十两。”所谓“霍山小团”系指斤把重的小饼茶。依《膳夫经手录》，霍山黄芽古（或指唐前）为散茶，在唐为饼茶。

舒州有天柱茶。杨晔《膳夫经手录》记：“舒州天柱茶，虽不峻拔遒劲，亦甚甘香芳美，良可重也。”

兵守寿州茶园。王钦若、杨亿编著《册府元龟》记，吴元济叛乱，唐宪宗于元和十一年（816）派李愬讨伐，仲春下诏寿州，以兵三千保其境内茶园。清光绪三十一年（1905）《霍山县志》“淮西叛将吴元济掠取寿州茶山。今县时属寿州，故有茶山。”是说霍山当时属寿州，有茶山。

唐诗赞天柱茶。唐代诗人薛能《谢刘相寄天柱茶》诗：“两串春团敌夜光，名题天柱印维扬。”唐代诗人秦韬玉《采茶歌》曰：“天柱香芽露香发，烂研瑟瑟穿荻篾。太守怜才寄野人，山童碾破团团月。”

舒州太湖因业茶“买婢买奴”。王敷《茶酒论》：“浮梁歙州，万国来求……舒城太湖，买婢买奴……商客来求，船车塞绍。”说舒城太湖一带茶利甚好，甚至可以买得起奴婢。

霍山多虎，采茶人常遭其害。清嘉庆《霍山县志》记，霍山多虎，村民采茶、打柴，常遭虎害，唐代寿春守李绅写诗叙其事。

庐州有“土贡茶”。《新唐书·地理志》载，庐州产“土贡茶”。

天柱茶载《梦溪笔谈》。沈括《梦溪笔谈》：“古人论茶，唯言阳羡、顾渚、天柱、蒙顶之类。”

多智山茶入贡。北宋《太平寰宇记》记：“多智山在怀宁县西北三百里，高九百八十丈，自霍山县西南入怀宁、太湖二县界，西接蕲县，又有小山连太湖县境，迤逦百余里，中有大峡，两岸相去十里，水分两道，一道西北入霍山县界，一道东南入太湖县界，其山有茶及蜡，每年民得采掇为岁贡。”多智山即岳西多枝尖。

北宋茶入榷茶山场。北宋设“六榷货务十三山场”专营茶叶。其舒州罗源场在今岳西县温泉镇资福村，霍山、太湖、王同三场分别在霍山、太湖和舒城县。现岳西境茶叶，在北宋前期分属罗源、霍山、太湖、王同四个榷茶山场收购经营。

据《宋史》记载，十三山场于宋乾德年间（963—968）置，太平兴国初年定型，嘉祐四年废（1059），历时百年。

张掞任罗源山场茶官。张掞（995—1074），字文裕，北宋名臣，累官户部侍郎致仕，约在庆历年间（1041—1048）任罗源山场茶官，之前任衡水税官，之后进入中枢。熙宁七年（1074），张掞卒，文学家宋祁为其撰写碑记《范阳张公神道碑铭》曰：“文裕……太宗时廷陛间将命皆欲得雅才，尚书始应选藉殿前承旨监冀之衡水税、舒之罗源茶官……”文载《四库全书》。

舒州罗源、太湖二场，茶额甚大。陈椽《茶业通史》载："宋代实行榷茶易马……宋太平兴国二年（977）榷茶2306.2万斤，淮南蕲、黄、庐、舒、光、寿6州13山场为865万斤。《宋会要辑稿》载，舒州二场，罗源场年额30.8万斤，太湖场121.4万斤。"

宋史以罗源场茶为例说明贴射法。《宋史》（卷一百八十三）记：天圣元年（1023），枢密副使张士逊考察茶法利害，奏请行贴射法。其方法是，以十三场茶买卖，商人与园户直接交易，官方收息。"如鬻舒州罗源场茶，斤售钱五十有六，其本钱二十有五，官不复给，但使商人输息钱三十有一而已。"意思是，以舒州罗源场茶卖56文/斤为例，过去官府收购，给园户（茶农）本钱25文/斤，官府每斤得净利31文；现在商人直接从园户处买茶，官府不再向园户提供25文本钱，商人仍按每斤31文的标准，向官府贴纳净利。

舒庐寿三州产散茶。《宋史·食货志》说："茶有二类，曰片茶，曰散茶……散茶出淮南、归州、江南、荆湖，有龙溪、雨前、雨后之类十一等。""凡散茶，上中上号以上庐州，上中下号以上寿州，上中下号以上舒州。"《宋会要辑稿》载："舒州罗源场，散茶上号每斤二十八文，中号二十五文，下号二十二文；太湖场，上号三十八文五分，中号三十三文，下号二十七文。"说的是宋代政府对不同山场、不同级别茶叶付不等本金。

六榷货务有无为军。《舒城县志》（清嘉庆）载："宋史食货志，宋榷茶之制，择要会之地为榷货务六，其一曰无为军。茶货任淮南，则蕲、黄、庐、舒、光、寿六州，官自为场置吏。"

生产蒸青茶。《宋会要辑稿》记：宋太祖开宝九年（976），盐铁使王明上书言，鉴于茶市粗制滥造、以陈充新甚至造假使假现象严重，建议严加整饬。"荆湖、两浙、江淮诸州出产茶货处……买诸色茶等人户各有旧额，使臣职员务买数多……拣选不精……多采粗黄晚叶仍（'仍'疑'及'误。编者注）杂木叶蒸造……望禁谕出茶州县人户，将来造茶，须及时采新芽嫩叶蒸造。"这里两次提到"蒸造"，说明当时江淮诸州茶叶是用蒸青工艺生产的蒸青散茶。岳西境也不会例外。

南宋茶产。《宋会要辑稿·食货》载：宋高宗绍兴三十二年（1162），诸路州军县所产茶数1781.18万斤。庐州舒城226.8斤，舒州怀宁、桐城、宿松、太湖1.03万斤（陈椽《茶业通史》）。

闵山，斤茶值四十六钱。明嘉靖三十三年（1554）《安庆府志》记：潜山，"县西八十里，曰开源涧，出罗源，山名。其上有观音崖、石人崖，其石如人。有麟山，曰（疑'四'误）望山，闵山；有果老岭，其涧多茶，其茶佳。《纲目》曰：宋时，茶斤值四十六钱"。闵山在今岳西县田头乡闵山村。

明清时期

霍山黄芽载《本草纲目》。明代李时珍《本草纲目》载："楚之茶……寿州霍山之黄芽。"（明代至1936年前，岳西北部分属霍山、舒城，南部分属潜山、太湖。后不另注。）

炒青兴起，境地茶受人"宝爱"。元朝贡茶仍为团茶，洪武二十四年（1391）朱元璋命罢造龙团凤饼，改制芽茶上贡。许次纾《茶疏》记："炒茶，生叶初摘香气未透，必借火力以发香。然性不耐劳，炒不宜久……久于铛中，过熟则香气散矣，甚至枯焦不堪烹点。”这是炒青绿茶的做法。又说“天下名山，必产灵草。江南地暖，故独宜茶。大江以北，则称六安。然六安乃其郡名，其实产霍山县大蜀山也。茶生最多，名品亦振，河南山陕人皆用之。南方谓其能消垢腻，去积滞，亦甚宝爱”。陈椽《历代名茶》记：明代六安茶，“旧时列为贡品，每年 4 月 8 日进贡后，乃敢先卖”。

《茶疏》首记霍山黄茶工艺。许次纾《茶疏》曰：“霍山……顾彼山中不善制造，就于食铛大薪炒焙，未及出釜，业已焦枯，讵堪用哉，兼以竹造巨笥，乘热便贮，虽有绿枝紫笋，辄就萎黄，仅供下食，奚堪品斗？”茶学家陈椽据此确认，黄茶初创于霍山，年代早于《茶疏》成书年代（1597），其品质形成，是霍山一些茶农“不善制造”炒青绿茶，未等干燥冷却，“乘热便贮”，以致茶叶变成黄色，“歪打正着”，发现黄茶生产工艺。

黄芽茶列为贡茶。明初年贡 20 斤，正德十年（1515），贡宁王府芽茶 1200 斤，细茶 6000 斤。

六安茶品有药效。明代屠隆《茶说》：“六安（茶）品亦精，入药最效。但不善炒，不能发香而味苦。茶之本性实佳。”

六安茶出霍山。明代黄一正《事物绀珠》记，古今名茶有：六安茶出六安霍山，黄芽出霍山。

张谦德《茶经》记寿州黄芽。明代张谦德《茶经》记 31 州 41 茶名，有寿州之霍山黄芽。

《群芳谱》记“寿州霍山黄芽”。明代王象晋《群芳谱》记述景祐以来 20 品目名茶，有“寿州霍山黄芽”。

六安茶私征多于宫贡。明代陈霆《两山墨谈·卷九》记：“六安茶为天下第一，有司包贡之余，例馈权贵于朝士之故旧者……予谪宦六安，见频岁春冻，茶产不能广，而中贵镇守者，私征倍于宫贡，有司督责，头芽一斤至卖白金一两。”

七碗清风自六安。明代陈霆《两山墨谈》载：某年，李东阳、李士实、萧显等文人雅集，以六安茶为题，乘兴联句：

七碗清风自六安（李东阳），每随佳兴入诗坛（萧显）。
纤芽出土春雷动（李士实），活火当炉夜雪残（李东阳）。
陆羽旧经遗上品（萧显），高阳醉客避清欢（李士实）。
何时一酌中泠水（李士实），重试君谟小凤团（萧显）。

霍山茶宜入药。明文震亨《长物志》注：“此茶产六安州霍山县，宜入药品，茶之本性实佳。”

潜山茶多，近六安者佳。明嘉靖《安庆府志》曰：“潜山茶多，近六安者佳。”《潜山县志》（1920 年版）“潜山多茶（注云：近六安者佳）。《山川志》云：‘望山闵山果老岭，其涧多茶。’”此“望山”为今岳西县四望山。

潜山茶岁派供应库。明嘉靖三十三年（1554）《安庆府志》“今上皇帝时”条，“岁派供应库”款，安庆府岁供“芽茶，一千有四百斤。叶茶，如芽茶之数。怀宁，芽茶二百九十斤，叶茶二百八十五斤……潜山，芽茶、叶茶，亦如怀宁之数”。

县令王毗翁作《焙茗诗》。明万历年间霍山县令王毗翁著《六茶纪事》，作《焙茗诗》：“露蕊纤纤才吐碧，即防叶老采须忙。家家篝火山窗下，每到春来一县香。”

田头柳畈有茶园。柳升，明朝重臣，封融国公、安远侯。清康熙戊子年（1708）修《柳氏家谱》：柳鼎一因避战乱，由怀宁清河迁居潜山县田园荡（今岳西县田头乡柳畈）开创基业。生子千二、千三、千四，千三生子汝什、汝升（柳升）、汝修、汝佚。柳汝佚居柳畈茶园。

“闵山茶”入贡。清顺治十二年（1655）《潜山县志》载：“闵山，县西八十里，有果老岭，其山多茶，其茶佳”，“闵山……芽茶。岁派供应库二百九十斤，谷雨前者，岁派供应库二百八十五斤。”康熙二十二年（1683）《安庆府志》载：“茶，六邑俱有，以桐之龙山，潜之闵山为最。”清乾隆三十八年（1773）《皖典类编》载：“闵山，（县）西八十里，有果老岭，产茶甚佳。蟠山，即闵山最深处，蟠如龙，苦丁产焉。”

霍邑茶为贡。《霍山县志》卷之三《贡赋志》：“贡茶。霍邑贡茶，民贡也……明代天下茶以百数，致贡者仅十余处，而上供专用六安。”

霍山黄芽定为内用。《清会典》载：“顺治七年礼部照会：产茶各省布政司每年谷雨后十天起解转送该衙门供用。各有定数具列于后……江南省六安州霍山县芽茶仍另委官起解。于进到时会同光禄寺交送内务府，以供内用。额数……三百斤（原注：实解三百六十袋，每袋一斤十二两，共芽茶六百三十斤）。”

六安茶，六安与霍山并产。六安茶，古六安州茶的总称。六安州贡茶，始于明嘉靖三十六年（1557），到清咸丰年间（1851—1861）贡茶制度终结罢，历三百年。

清康熙三十八年（1699）《六安州志》云：“茶通贸迁，礼遗烹瀹，其用颇广，六安名亦最著，但自霍邑分治后，茶山数十处皆在霍……开市列肆，商贾骈迹者十不及一，乃人习而不察，尽日之为六安，殊不知霍享其实，六当其名耳。”光绪年《霍山县志·地理志·物产》记：“六安茶，六安与霍山所并产也。其以六安名者，当霍未建县已有贡额，从其朔也……六地既广且饶，产茶实浮于霍，而贡额州不及县之什二。考州志有‘州茶黑，县茶黄’之说，恐亦传会。唯产茶之地，东山最早，而东山皆属州境。每年大府荐新及本县贡品，率皆州民于雨前赴县售卖。霍产总出西南，迟在雨后，故不及入贡。则茶之专名六安，亦记实也。”

霍山多名茶。康熙二十三年（1684）《江南通志》载：“特产庐州府茶，六安霍山并产名茶。其最著为白茅贡尖，即芽茶也。”又云：“六安州茶及英、霍二邑并产名茶，而霍邑为多。”

茶出晓天、主簿园。雍正九年（1731）《舒城县志》载：“茶出晓天、主薄园、毛坦厂。昔山家所植不过数株，近日兴种者日多，露芽、雀舌、松萝、毛尖，几乎不减六霍矣。”主簿园今属岳西主簿镇。

白桑园（香炉冲）兰花茶品质最佳。陈椽《历代名茶》载，兰花茶名的来源有不同说法：一是说，芽叶相连在枝上，形状好像一枝兰花；二是说，采制时正当山中兰花盛开，茶叶吸附兰花香。传说，在清朝以前，当地地主阶层对兰花茶生产极为讲究。兰花茶有大小两种。晓天白桑园（含今岳西县姚河香炉冲）产品最著名，为兰花茶的上品。大兰花以 1 芽 4、5 叶品质最好，1 芽 6 叶较差，6 叶以上的就嫌老了。小兰花以 1 芽 2 叶制成。

霍山茶贡额巨大，插龙旗龙袱恭进。乾隆十四年（1749）《霍山县志 · 茶考》记："六安州岁贡芽茶二百袋，每袋重一斤十二两。自明弘治七年分设霍山县后，遂定额分办，州办二十五袋，县办一百七十五袋……至康熙二十三年奉文增办一百袋，州办三十七袋，计六十四斤十二两，县承办二百六十三袋，计四百六十斤四两……六安茶，六与霍并产也，以六安名者，当霍未建县，已有贡额，从其朔也。"又记："本县农户拣雨前极品，新芽一枪一旗，依法择制，以黄绢为袋封贮，共四箱，插龙旗龙袱恭进。康熙四十七年，贡茶一千二百袋，雍正七年增办一百袋，乾隆元年贡茶七百二十袋。"由此可见，茶农负担沉重。

霍邑山货，以茶为冠。乾隆四十一年（1776）《霍山县志 · 物产》记："本山货属，以茶为冠。"霍山茶，上供内府，"岁有定额"。清嘉庆《霍山县志 · 贡赋志》记："邑境纵横广袤……而借以献其芹曝之私者，则有岁贡芽茶，上贡内府，诚斯土斯民之幸也。""霍邑贡茶，民贡也……幸前抚赵公洞察舆情，力为申请，奉恩旨准部议，岁有定额，民乃不致以媚兹之忧自贻厥累……前张令抡申奉宪檄代办，领藩库银，定官价采购。"

高腔戏《采茶记》诞生。岳西高腔剧目《采茶记》，讲述扬州客商来岳西采购茶叶的故事。本剧创作年代在清康乾年间。

茅山小河南立涉茶禁碑。五河镇小河南禁碑，乾隆四十七年（1782）立，规定窃取他人茶、麻者，"定行按究"。

姚范记石盆茶。清代姚范（乾隆七年进士）《援鹑堂笔记》载："六安茶产自霍山。第一蕊尖，无汁；第二贡尖，即皇尖，皇尖只取一旗一枪；第三客尖；第四细连枝；第五是白茶，有毛者虽粗亦是白茶，无毛者即至细是明茶。明茶内有粗老叶，其梗有骨，大小不齐；明茶之后，名曰耳环。耳环之后为封头。封头之后为大运，即老叶，乃隔冬之枝干也。"又记"六安茶以谷雨前为上品，破夏后则无毛而生骨。其产地周回八百里，可用者仅六处。神仙冲、黄溪涧、乌梅尖、佛寺岭、蒙潼湾共五处（脱一）。其不佳者沿口东、西石笋，次则管驾渡、舞旗河、野鸡岭、石盆、傅埠园。"这段文字对霍山茶的产地、采摘时间、质量等做了详细说明：明清时黄芽仅取一芽一叶曰贡尖、皇尖；一芽二叶曰客尖；一芽三叶的细连枝应该就是黄小茶（黄芽之次），黄小茶有白毫，有枝有梗的则为黄大茶了。文中产地"石盆"，今属岳西头陀镇。

霍茶为宫廷常进之品。嘉庆九年（1804）《六安州志》云："茶称瑞草魁，霍茶又为诸茗魁矣。天下产茶州县数十，惟六安茶为宫廷常进之品。"

富商大贾，倾囊以质。嘉庆二十一年（1816）《霍山县志》云："土人不辨茶味，唯燕、赵、豫、楚需此日用，每隔岁经千里，扶资裹粮，投牙预质。及采造时，男女错杂，歌声满谷，日夜力作不休。富商大贾，骑从布野，倾囊以质，百货骈集，开市列肆，妖冶招摇，亦山中盛事。"

霍山县产茗绝佳。道光元年（1821）《皖省志略》卷四载："霍山县……产茗绝佳。"

太湖贡芽茶 130 斤。清道光《太湖县志 · 贡品》记："户部项下本色物料。芽茶一百三十斤十五两一钱九分五厘七毫二丝六忽四微九纤四沙八尘五埃五渺六漠。"

茶产太湖上乡。清同治《太湖县志》（1872）记：“物产……茶多出上乡。”太湖上乡，今岳西县店前、冶溪、河图、白帽一带。

六安州上贡芽茶。清同治《六安州志》记：“土田有赋，方物有贡，隆古莫易也……户部项下本色物料：本色芽茶九十八斤六两四钱八分三毫，每斤原编旧价银二钱，今照康熙十二年题定时价，每斤二钱三分算。”又记：“土贡六安岁贡芽茶，始于明时。原额贡茶二百袋，每袋重一斤，丁二两。弘治七年，分设霍山县，六安产茶之地，半入霍山界内。随定额分办，六安办茶二十五袋，霍山办茶一百七十五袋。国朝因之。至康熙二十三年，奉文增办一百袋，六安承办三十七袋，霍山承办二百六十三袋。康熙五十九年，添办一百袋，州办十二袋，县办八十八袋。雍正七年，暂停。十年，照旧添办，永为例。原办茶例，系茶户各备本色，交官起解。后缘民办，色类错杂，驳换迟误。康熙三十七年，知州王廷曾准士民请，始定官办，州及霍邑俱按茶户征银购买。因霍茶胜州，故知州将茶课银两发交霍邑并办。茶取雨前极品，一枪一旗，依法择制，限谷雨后十日起解。至期，霍邑备齐送州，知州具本拜进解官。州、邑巡检彼此轮流，递年详委。”

白帽亭子岭建茶亭。清《太湖县志》载：同治十三年（1874）乡人徐忠敬倡捐建南庄凉亭会，于亭子岭广佛庵侧建凉亭及僧房数间，四季施茶。

舒城茶赋。光绪三十年（1904）《续修舒城县志》载：“货属，丝、棉、靛、茶、麻、纸、漆……”“赋役，芽茶八十三斤十两三钱一分五毫（同条有注：以上岁办物科，岁办者额无加减；岁派，则彼此多少暂无定规……从部所定）。”

舒城茶税起于光绪。《续修舒城县志》载：“茶课本境茶产无多，向无茶课。光绪初年，商人垄断逐利，始以六安余引溢入县境，设局三七里河、晓天二处，岁报行销千余引，而山民困矣。”

六安茶是霍山茶。张星焕《皖游纪闻》载：“皖省产茶之品甚多，惟六安之名最著，其实皆产于霍山，故茶贡全归霍令，州境则茶棵反少……茶本霍山产，而其名以六安蒙之。盖宋代茶产盛时，霍山为六安县地，后置霍山，又隶六安郡，故此皆以为六安产……霍山茶为六安所冒……古今人物类似者甚多，所当评辨也。”

响肠王姓建塔儿岭茶亭。光绪十六年（1890），王维新之子王经济、孙王家鼎捐地在潜岳古道塔儿岭头建亭施茶。

南乡茶为一邑之最。清《霍山县志》载：“货之属。茶为第一。茶山环境皆有，大抵山高多雾，所产必佳。以其得天地清淑之气，悬岩石罅偶得数株，不侍人工培植，尤清新绝伦，故南乡之雾迷尖、挂龙尖（在今包家乡境——编者注）二山左右所产为一邑之最。采制既精，价亦倍于各乡。”

加收茶税。清《霍山县志》载：光绪三十一年（1905）霍山县奎文书院改建官立高等小学堂，加收茶税 2 厘充经费。

晓天茶行销茶。清《舒城县志》载：清光绪初年，仅晓天、山七河两地茶行，“岁销茶叶已达千余引”（约合 7.15 万千克）。晓天与本境姚河紧邻。是时，茶为同片。

霍山茶香味胜徽茶。清《霍山县志》引《吴志》，称“霍山茶香味胜于徽州茶”。

民国时期

捣毁毛竹园茶税卡。1912年5月26日，舒城县茶商李某集结多人，捣毁毛竹园茶税卡。毛竹园在今舒城县五显镇，与本境姚河乡紧邻。是时，茶为同片。

天堂种茶。《潜山县志》（1920年版）：“天堂沃野平原，然市城寥远，谷运维艰，或艺茶（即种茶）采药，洗蕨种芋，以佐不逮。”

舒城县山岭出茶。《大中华安徽省地理志》（1919年版）载：“舒城县山岭者为桐、栗、竹、漆，而茶亦富。”

茶以皖山为佳。《潜山县志·食货志·物产》（1920年版）载：“茶以皖山为佳产。皖峰高矗云表，晓雾布濩（护），淑气钟之，故其气味不待熏焙，自然馨馥。而悬崖绝壁间有不种自生者，尤为难得，谷雨采贮，不减龙团雀舌也。前河水吼岭种茶味较浓，不逮皖山远甚。”

茶列农村商业合作社经营项目。《岳西县供销合作志初稿》记：1927年，中共地下党员在汤池畈组建合作性质的“丽华商店”，除经商外，还以此店为阵地秘密发售进步书刊，传播马列主义。1930年后，岳西多处组建“红军商店”“供销合作社”，如包家河“鼎新商店”、沈桥“朱自丰杂货店”、凉亭坳“查家商店”等。由中共地下组织组建的农村商业合作社，其运销物品主要有茶叶、桐油、生漆、梓油、茯苓、方铁、皮纸、竹木八项。

胡石夫开“同茂合”茶行。1928年，湖北大冶人胡石夫与其堂弟胡泽履来黄尾河开设“同茂合”茶行，资本过万元。胡石夫去世后，其子胡承启接替经营，业务达到全盛。

苛征茶课引发头陀河暴动。1929年春，县北头陀河大地主胡锡文、胡锡祜拟一律按“二八”（农民2，地主8）收取茶课，引起贫苦茶农强烈不满，共产党人胡祥仁组织农民反抗。1930年春胡锡文、胡锡祜企图杀害赤卫队，赤卫队遂杀死胡锡文、胡锡祜，胡祥仁领导1000多名农民在头陀河举行暴动。

茶厘局、营业税局。1930年，霍山县国民政府在城关、管驾渡、黄栗杪设茶厘局，对全境茶叶经销征收附加税，厘金有入境税、落地税、出境税等名目。1933年4月，在城关、管驾渡、黄栗杪三处于清明到白露期间设短期营业税局，征收茶叶税。包家河茶税归黄栗杪局（在漫水河）征收。

竹木、茶叶纳税。1948年3月19日，岳西民国县府发布训令，凡出售生漆、桐油、皮油、生铁、药材、竹木、茶叶、皮张等一律纳税。

储一石在沪开“中茶公司”。1948年，储一石（岳西头陀河乐道人）在上海与韩钧衡开中茶公司，储任董事长，韩当总经理，购销黄山、大别山茶叶，并以此掩护中共地下组织开展活动。

第十九章　大事记（二）

1950 年

8 月　岳西县人民政府县长李正乾致电安徽省皖北人民行政公署，陈述岳西茶叶优势，要求中国茶叶公司在岳西建厂，生产出口红茶。电说：“岳西以河口、头陀、五河、主簿园 4 区为产茶中心，每年可产干茶 24 万斤。将来只要对茶农多加补助，设立红茶场，改良技术，红茶出产当不难。”

1952 年

是年　征收茶叶改进税。凡属国有公司、合作社、公私联合社、私商，一律征收；所有红绿茶，不论内外销，一律征收。税率为毛茶实际收购金额的 1%。

1953 年

是年　县成立茶叶技术推广站，配备茶叶技干 4 人。成立农业初级社、高级社，土地入股，统一组织农业生产，耕牛、大农具、茶园折价归社集体所有。

境域主产内销黄茶。以河口、头陀两区最丰，占全县总产量 55%以上，品质最好；次为五河、来榜、主簿 3 区，占全县总产量 10%以上；其他 6 大区占总产量 30%左右。店前、白帽 2 区产制一些松萝茶。

1954 年

4 月　18 日，全县茶农代表会议召开，出席代表 66 人，目的是指导生产，做好收购。本年，开启黄大茶改制炒青绿茶工作，以适应出口。

1955 年

是年　全县有茶园 2.38 万亩，其中开采茶园 2.2 万亩，产各类茶 9335 石。

1956 年

4 月　全县全年计划预购茶叶 70.05 万斤。本月 22 日统计，已预购 65.96 万斤，发放定金 3.57 万元，供应粮食 14.7 万斤，供应化肥 13 万斤。

12 月　5—11 日，县农业局在店前区举办茶叶初制机械培训班，学习炒茶机、揉茶机、炒胚机、焙干机的制造修理与使用方法。店前、河图、菖蒲 3 区，每区在农业社选木工、砌工 6 人，衙前木业社 2 人，共 20 人参加学习。

是年　合作化运动，到 5 月底，全县成立农业社 72 个，茶叶随地入社。全年茶叶总产 1.02 万石，其中国家收购 8555 石。

1957 年

4 月　17 日，针对因上年过度采摘造成的可能减产的形势，县委发出通知，要求各农业社加强茶园管理、垦复荒芜茶园，争取当年茶叶产量不减。

1958 年

4 月　头陀区采茶劳力不足，县发动城关工商业户、职工家属等非农人口 20 余人，自带行李、茶篮、路费、粮油票等前往支援。各区、乡、社、队组织劳动竞赛，对在采茶、做茶中表现突出的给予评功表彰。竞赛中采摘要求：红茶 1 芽 2~3 叶，绿茶 1 芽 3~4 叶。

5 月　截至 24 日，全县收购红绿干毛茶共 6.14 万斤（红、绿茶具体数不详）。

夏　开展积肥运动，换陈墙土用于“卫星田”、茶园、栗园。全县撤房屋 1.93 万间，造成部分群众无房居住。

6 月　6 日，县委财贸部、县监察室，就主簿区石关收购点 5 月 12—18 日收购绿茶（炒青）2840 斤，其中 2836.1 斤压一级收购，违反价格政策事件作专题调查，并将调查结果报告县委、县长。形成压价的原因是评茶员业务水平低。

8 月　县农业局提出一年内建新式梯田茶园 8 万亩，1959 年消灭手工茶，全用机器制茶。口号是：“鼓干劲，争上游，三年茶树满山头；架火箭，乘卫星，茶园亩产上千斤。”

是年　追求产量，继续过度采摘，全县产茶 7500 石，收购 4610 石，为此后多年减产留下隐患。当年，推行茶树短穗扦插法，新建茶园 3210.6 亩。

创“天堂云雾”茶，鲜叶采摘标准 1 芽 1 叶。

1959 年

12 月　黄尾公社报告，该公社云峰大队 80 亩茶园亩产茶 471 斤，推广“双手采”技术。

是年　粮食紧缺，农民毁茶种粮，茶园面积由上年的 2.09 万亩减至 1.49 万亩。

1960 年

5 月　美丽公社建成水力机械制茶厂，茶叶杀青、揉捻、炒胚、焙干全程机械生产，提高了效率。

1961 年

5 月　县委印发《和平大队茶叶生产情况调查报告》：1957 年该大队茶叶总产量 1042 斤，1958 年 912 斤，1960 年 470 斤。为遏制产量下降趋势，提出“三定”（定面积：以棵求亩，定底分，定采摘质量）、“四包”（包产、包质、包工、包费用）、“五统一”（统一计划、采制、出售、分配、垦复新茶园）的办法，把茶园管理责任承包到户。

6月　28日，全县生产收购出口绿茶1677石，县委发文要求坚持加工绿茶，若不完成3500石出口任务，不准做黄茶。

是年　包家公社石佛大队60.1亩茶园，常年产茶5000斤上下，本年产7455斤，亩产干茶124斤。

1963年

4月　县供销合作社召开四届二次社员代表大会，到会代表652人，其中，茶农及机关职工代表450人。

1964年

4月　30日，县在莲云召开推广新式揉捻机现场会。推广20部揉茶机，要求由公社或大队使用，专人维护保养。

1965年

8月　下旬，县长王诗豪带领110余人到本省祁门县和浙江杭州梅家坞，参观学习茶叶建园管理经验。

是年　县开展茶叶榜样基地建设，派出工作组进社队督导。天堂镇开展种植“40万棵茶叶运动”，当年新建茶园320亩。

1966年

是年　全县收购茶叶51.06万斤，其中外销绿茶11.87万斤。收购茶籽14万斤。包家公社三个大队自力更生各办起“一条龙水力茶叶初制厂”一座，还自制铁木揉茶机一部。

1975年

是年　县农业局设多种经济作物站，负责全县茶叶生产技术指导。

1977年

是年　县农业局总结生产经验，重点推广茶树修剪和黄大茶改炒青绿茶加工技术（“黄”改“绿”）。

1978年

7月　县革命委员会发文，安排当年新建茶园5000亩，改造茶园5000亩，任务分到各区。要求新建茶园根据规模大小，采取由区统一规划公社施工经营、公社统一规划大队施工经营、大队统一规划生产队施工经营3种形式。以公社、大队规划施工2种形式为主，要集中成片，不准零星分散。

1979 年

是年　农业局、财政局安排茶园补助资金 6.3 万元，先签合同，验收后付款。补助标准: 新开茶园，每亩 10 元，全部石坝，每亩 20 元; 改建茶园，每亩 5~10 元，全部改砌石坝，深挖施肥，每亩 20 元。

1980 年

2—4 月　全县低温，雨雪天气达 2 个多月，茶园、小麦、油菜受灾逾三成。石关八里茶园，冻伤大半。

是年冬　推广三行密植速成茶园。来榜公山、主簿沙埂小面积实现了“头年种，二年摘，三年亩产过一百（即一百斤干茶）”目标。

新建茶园 1 万亩，县供销社、县农牧渔业局派员从福建省乐清、福鼎等县和本省太湖县购茶籽 29 万斤，分发各区种植。

是年　安徽省农业厅组织开展茶树地方品种资源调查，在本县包家、头陀分别布点，调查于 1982 年结束。

安徽省鼓励茶叶生产，县对各区采取“超基数返利减税”的收购政策。

1981 年

6 月　县委县政府下发《关于积极发展农村多种经营的通知》，提出积极发展茶桑等多种经济项目。

是年　全面推行农业生产责任制，大部分茶园由原来的集体经营改为分户经营。

1982 年

是年　县供销合作社共收购茶叶 429.2 吨。

1983 年

4 月　启动新茶创制工作。在包家乡石佛寺试制的“岳西翠峰”样品在安庆地区首届名优茶评比会上获一等奖。

是年　本年，县农牧渔业局编制《岳西县茶桑区划报告》，茶叶区域规划由杨光明执笔。

1984 年

春　县农业局将名茶试制点扩大到 8 处：主簿区竹山、香炉，来榜区石佛寺、公山，头陀区门楼、乐道，五河区徐龙，菖蒲区田头。

3 月　全县取消派购任务，允许茶叶多渠道流通。

5月　　26—27日，县召开茶叶审评会议，对全县8个区19个点选送的3个类型共31只春茶样品（其中，毛峰样9个，兰花样8个，炒青样14个）进行评比。头陀区门楼茶场毛峰样，来榜区石佛茶场兰花样和炒青样，分获该类茶第一名。被评为毛峰样第二和第三名的，分别是来榜区公山茶场、主簿区黄树茶场。被评为兰花样第二名和第三名的，分别是主簿区的香炉茶场和头陀区的乐道茶场。被评为炒青类第二名和第三名的，分别为公山茶场和沈桥茶场。同月，参加安庆行署名茶评比，公山、黄树两茶场的毛峰样分获安庆地区地方名茶一等奖和二等奖，石佛兰花茶样获兰花茶类一等奖。

6月　　县委召开会议，部署将责任山、自留山并为自营山，山上附着物茶、桑、竹、木、药，随山场交农户自主经营，进一步明确允许个体商贩经销茶叶。

茶叶因冷害减产。全县春茶总产7000石，比上年8500石减产17.6%。本月县召开会议，要求各区举办培训班，培养名茶采制技术骨干，为1985年恢复“天堂云雾”扩大“岳西翠峰”生产奠定技术基础。

12月　　扩大名茶生产。主簿区上报，计划1985年生产天堂云雾150斤，岳西翠峰750斤。

是年　　县供销社收购干茶5600石，其中炒青1200石，黄大茶4400石。

1985年

春　　县供销社组织红茶生产。

5月　　姚河竹山、包家石佛寺所制茶样获安庆地区名优茶评比前两名。会上，根据该茶“色泽翠绿、形似兰花”的特点，定名“岳西翠兰”。

6月　　在第一次全国名茶评比中，岳西翠兰被评为11种新名茶，农牧渔业部颁发“优质农产品”证书和奖杯。6月10日《人民日报》予以报道：

新华社南京6月8日电：（记者周俊增）农牧渔业部农业局负责人今天在即将结束的全国优质名茶评选会上宣布，经过来自全国茶叶界八十余位专家、教授、学者五天评比，新评出十一种全国名茶，十六种部级优质茶。新评出的十一种全国名茶有（以笔划为序）：天柱剑毫（绿茶，安徽）、开化龙鼎（绿茶，浙江）、文君绿茶（四川）、金山翠芽（绿茶，江苏）、雨花茶（绿茶，江苏）、岳西翠兰（绿茶，安徽）、径山茶（绿茶，浙江）、洞庭春（绿茶，湖南）、黄花云尖（绿茶，安徽）、安溪黄金桂（乌龙茶，福建）、紫笋茶（绿茶，浙江）。这些名茶在色香味形等方面都各具特点和风格。

是年　　组建岳西县名茶开发公司，国有性质，公司员工多为县农业部门茶叶技术人员。

岳西被列为安徽省重点贫困县、全国重点贫困县。县委决定“茶、桑、牛”为优先发展的扶贫项目。

1986 年

是年　茶叶市场全面放开，农产品统购统销全面停止。县农牧渔业局岳西翠兰研制项目获安徽省农牧渔业厅技术改进三等奖。岳西县与云南昌宁、福建安溪、浙江富阳同时列入首批全国名优茶商品生产基地建设县。

1987 年

6 月　全县名优茶评比，48 只样来自 32 个生产场。

8 月　县组织“四改”工作队，督导冷浸田、老茶园、老桑园、老竹园改造。

中央、地方对岳西各投资 60 万元，实施“全国名茶基地县建设”项目。县农牧渔业局在重点茶区圈定 58 片 3600 亩，派人驻点督导茶园改造。当年全县产干茶 624 吨，炒青 300 吨，黄大茶 279.25 吨，红茶 30 吨，翠兰 2.25 吨，翠春 2.5 吨，毛峰 5 吨，兰花 5 吨。全县多渠道流通格局初步形成，县供销系统、县名茶公司、乡镇企业、个体经营户，均参与茶叶销售。其中个体经营者购销茶叶 123.5 吨。

1988 年

是年　县农牧渔业局岳西翠兰研制项目获安庆地区科技进步一等奖。

来榜镇花墩村王晔光被县政府授予“茶叶状元”称号，被安徽省政府授予“茶叶大王”称号。

1989 年

3 月　省农科院茶叶科学研究所、安庆市农业局、岳西县农牧渔业局合作，在岳西开展“茶树品种资源利用”和“大别山区早生、优质、抗寒茶树新品种选育”课题研究。课题由江济和、汪士杰、查道生共同主持。

6 月　查道生、荣光明、冯立彬等在包家石佛寺制作的岳西翠兰样品，通过农业部复评，再获农业部“优质农产品”称号。

8 月　省委书记卢荣景到岳西调研，对岳西茶园质量不满意，认为“下功夫不够”，要求学习霍山县诸佛庵茶区经验。县委、县政府组织人员前往霍山县学习取经后，采取 3 条整改措施：坚持政府推动，抓点带面；开展“茶改会战”，落实“四改”技术（改园、改树、改土、改管理），县长汪泽和包点督查；补助肥料，保证质量。对完成改土工程的 2701 亩，每亩补助 50 元，统一采购肥料投入茶园。当年，带动面上秋挖垦复 2.3 万亩。

1990 年

1 月　省农科院茶叶研究所费明煦研究员针对岳西茶叶存在不足，向县委政府提出 5 点建议：1. 加强茶园管理。2. 改造低产茶园。3. 有计划地发展新茶园。4. 改进茶叶初制技术。5. 调整茶类结构，扩大岳西翠兰生产。

10 月　　县罐头厂原料基地科推广“坎边茶”，实行茶果立体栽培，在主簿余畈、姚河龙王、温泉龙井等猕猴桃基地种植坎边茶 1000 余亩。

12 月　　岳西翠兰获安徽省优质食品奖。

1991 年

2 月　　县委提出“一切为了脱贫致富”，抓好“粮、林”两大基地，建设“茶、桑、药”三大支柱产业。

岳西翠兰茶由县名茶公司注册“翠兰”商标。

是年　　县供销社细分业务，成立县茶畜茧公司。

1992 年

4 月　　研制新名茶。查道生、华世仁、荣光明先后赴头陀镇门楼、田头乡田头、包家乡石佛，以 1 芽 1 叶鲜叶为原料，创制成岳西翠尖茶，在省第三届名茶评审会上被评为安徽名茶，并获“安徽省优质农产品”称号。

10 月　　汪士杰、查道生在中关乡土星村储诚华户布置选育茶树品比试验园，选 8903 等品系 5 个，开展物候期观测，产量、品质、抗性测定，种苗繁育等工作。

秋　　中关乡土星村储诚华在省茶科所老师指导下，用短穗扦插法繁育安徽 7 号茶苗 1.2 亩，1993 年冬出圃茶苗 9 万株。

1994 年

3 月　　安徽茶科所王文杰在东至茶树良种场布置茶树品系省内跨江区域试验，8903 等 3 个品系入选。

11 月　　创制省级名茶岳西翠尖项目获岳西县科技进步三等奖。

是年　　岳西翠尖获全国第二届农业博览会金奖。

1995 年

是年　　全县撤销茶叶进出境税收关卡。茶叶特产税由过去从加工销售环节征收改为源头征收，一次核定到茶场及农户。

中德合作有机农业发展项目（德国 GTZ 公司与中国国家环保总局）落户岳西，总投资 400 万马克，由县环保局牵头实施。

1996 年

是年　　岳西县头陀水保开发公司大滑岭 100 亩茶园获国家环保局有机食品发展中心有机（天然）食品认证。

1997 年

是年　中德合作有机农业发展项目启动，选包家乡石佛村茶园组 154 亩茶园作有机茶试验基地。1999 年获有机转换认证，2001 年获有机（天然）食品认证。项目实施期间，中方有机专家肖兴基、席运官，德方有机专家理查德、罗马可、裴兰芝等先后多次来石佛村考察、实验、培训，组织石佛村茶园、大坪、沙坪 3 个生产组 100 多户农民，成立岳西县石佛有机茶协会，尝试依靠农民协会解决“小农户”与大市场对接问题。这是中国首个农民有机茶协会。

1998 年

是年　县推进扶贫开发“六大工程”，茶叶为“绿色工程”中的骨干项目。

1999 年

11 月　岳西县承办安庆市茶叶工作会议，全市农口茶叶技术工作者及重点茶场负责人 110 人出席。

2000 年

2 月　县出台《岳西县茶叶产业化经营实施意见》，提出“以创品牌、壮龙头为总抓手，围绕优质高效做文章，推进茶叶产业结构优化调整，实现岳西茶业经济持续、稳定、快速发展”。

11 月　石佛翠、石佛香 2 个茶树品种经安徽省农作物品种审定委员会审定，成安徽省级茶树良种。

县神雁公司在冶溪乡建 42 亩无性系良种茶苗繁育基地，繁育舒茶早、乌牛早、龙井 43 等 6 个品种，出圃茶苗 600 多万株。

12 月　王镇恒、詹罗九主编《中国名茶志》出版，查道生《岳西翠兰》一文收入其中。

2001 年

2 月　由县神雁公司申报，包家、青天二乡境内 5500 亩茶园获绿色食品基地认证，其翠兰牌岳西翠尖、岳西翠兰获绿色食品认证。

4 月　县神雁公司翠兰牌岳西翠尖获中国（芜湖）国际茶博会金奖，并以 6900 元 /50g 的高价成功拍卖。

11 月　神雁公司翠兰牌岳西翠兰在北京举办的中国国际农业博览会上被评为“名牌产品”。

是年　神雁公司成为安庆市首批农业产业化龙头企业，获“安庆市品牌工程先进单位”称号。

2002 年

4 月 县成立茶叶产业化建设指挥部，分管副县长任指挥长。

县农业局操声熠提出创意，荣光明、冯立彬以壮硕顶芽为原料创岳西翠芽。自此，以单芽、1 芽 1 叶初展、1 芽 2 叶初展为主的岳西翠兰系列产品形成。

8 月 “翠兰”商标由县名茶公司转让到岳西县神雁有机食品开发有限公司。

10 月 县茶业协会成立，县农委主任郑大国兼任理事长，钱子华任秘书长，胡颂扬为名誉理事长。

11 月 县人大副主任胡颂扬带队前往皖南及浙江茶区考察，钱子华执笔撰《新昌、休宁、石台三县茶产业考察报告》，提出岳西实施茶业“二次创业”设想，得到县委充分认可，全文印发。

是年 全县小流域治理项目在姚河乡梯岭村实施，完成茶园“坡改梯”345 亩。

《岳西茶业》简报创刊，每期 100 份，赠县领导和有关部门。2005 年“岳西翠兰网”开通，简报停办。

2003 年

2 月 县委书记汪一光召开会议，启动岳西茶叶二次创业，决定把茶叶作为全县农业主导产业，大力发展。

4 月 包家石佛村冯立彬茶厂以 1 芽 1 叶未展鲜叶（当地称“壳儿”）为原料，创“翠毫”（又名“绿剑”）新品。

6 月 县茶业协会恢复县茶叶评比，包家冯立彬茶厂生产的岳西翠尖、姚河竹山茶厂岳西翠兰，分获翠尖、翠兰类一等奖。

7 月 县内机构改革，组建县农业委员会茶叶局（行政副科建制），设编 5 名。全县配备茶叶技干 12 人。

8 月 安庆市经济作物站将岳西石佛香、石佛翠、901 三个茶树品种申报参加全国第三轮茶树新品种区域试验。

11 月 石佛翠、石佛香茶树新品种选育获省农科院科技进步二等奖。

12 月 省农业委员会安排资金 6 万元（2002 年 5 万元），扶持岳西实施“无公害茶叶生产示范县”项目。

神雁公司“翠兰”商标被认定为“安庆市著名商标”。

是年 岳西古坊林兰茶厂生产的长岭兰芽茶，获中国茶叶学会第五届“中茶杯”名优茶评比特等奖。

县安排扶贫资金 150 万元，以工代赈资金 160 万元，奖励发展高标准无性系茶园 2845 亩，常规茶园 4200 亩，改造低产茶 10000 亩，新（扩）建茶叶加工厂 50 座。

县神雁公司制定岳西翠尖、岳西翠兰（绿茶）企业标准，在岳西县技术质量监督局备案。

2004 年

2 月　县出台《关于加快茶产业发展的决定》（岳发［2004］6 号），提出“做大做强茶业经济，使之成为岳西农业结构调整的第一主线，农民增收的第一渠道和农村经济的第一产业”。强力支持茶园建设，每新建一亩高标准无性系茶园，补助 810 元；每新建一亩高标准茶籽直播茶园，补助 510 元。

3 月　由查道生、荣光明、钱子华等起草制定的首版岳西翠兰茶产品标准和生产加工技术标准，作为安徽省地方标准，由安徽省质量技术监督局颁布实施。

5 月　县茶叶局组织 12 家茶叶企业参加第二届中国芜湖（国际）茶博会，姚河香炉茶厂、天鹅集团公司生产的岳西翠兰茶同获金奖。

9 月　县神雁公司翠兰牌岳西翠兰被省政府认定为“安徽省名牌农产品”。2007 年该品牌再次被认定为“安徽省名牌农产品”。

12 月　菖蒲镇港河茶厂生产的岳西绿月茶，获中国（福建）茶叶博览会茶王赛金奖。

2005 年

元月　国家质量技术监督总局批准实施岳西翠兰茶国家级标准化示范区建设项目。

2 月　《中共岳西县委关于 2005 年度茶产业发展的实施意见》出台，决定 20 亩以上联片开发的高标准茶园，政府补贴在岳发［2004］6 号文件规定基础上，每亩再增 420 元，即高标准无性系茶园补助 1230 元 / 亩，高标准茶籽直播茶园 930 元 / 亩。

3 月　县政府组织 100 多人分组赴各乡村对新建茶园测量验收。上年底至本月，全县新建茶园 1.28 万亩。其中，无性系茶园 1.01 万亩，栽植茶苗 3715.4 万株；茶籽直播茶园 0.27 万亩，播茶籽 8.39 万公斤。茶苗、茶籽由县政府采购中心统一采购，乡镇、村发放到户。

全县 7 万亩茶园新获无公害农产品（茶叶）产地认证。

经协商，县神雁公司“翠兰”商标以 7.2 万元低价转让给县茶业协会。

5 月　神雁公司川岭香牌炒青在安庆市首届茶叶博览会上获“优质农产品”称号，6 月在安徽省首届茶叶博览会上被评为“安徽省市场畅销品牌”。

县茶业协会召开年会，改选协会理事会，县委副书记任理事长，县农委主任、副主任、茶叶局长任副理事长。

安庆市首届茶博会举办，岳西茶叶获 5 金 4 银，占该茶博会所颁金奖数量的一半。

6 月　安徽省首届茶博会评出“安徽省十大品牌名茶”，县茶业协会翠兰牌岳西翠兰以 96.57 的高分位列第一。

农业部制定《全国茶叶优势区域发展规划》，岳西被列入“全国百个茶叶发展优势县”。

7 月　全县新（扩）建茶叶加工厂 70 座，其中，中心茶厂 10 座。

10月　　新建茶厂通过县茶叶产业化建设指挥部验收。

11月　　县神雁公司“神雁”商标被认定为“安庆市著名商标”。

12月　　中国书法家协会会长沈鹏、原中华诗词学会常务副会长梁东，为岳西翠兰题名。梁东另作《茶·赠“岳西翠兰”》五言诗2首、《浣溪沙·采茶》《天净沙·煎茶》《鹧鸪天·呼唤岳西翠兰》词各1首。

2006年

1月　　岳西翠兰国家级农业标准化示范区建设项目，经国家质量技术总局批准实施。

3月　　县委宣传部、县农委牵头组建“岳西翠兰七仙女”茶艺表演队，参加安徽卫视岳西翠兰茶宣传片拍摄。

县茶业协会年会召开，改选常务理事会，钱子华、荣光明、杨新华、王长生、胡知佐、储福生、朱团结、王晔光、朱读凯为常务理事。

神雁公司岳西翠兰入选安徽省邮政系统“徽乡茶”系列，当年销售收入50万元。

4月　　县茶业协会授权120家本县企业使用“翠兰”商标。

5月　　岳西翠兰在2006’中国（安庆）茶业博览会名茶评比中，获6金5银。

9月　　县农委主任储昭柱带队赴福建省安溪县考察，钱子华撰写《福建安溪县茶产业考察汇报》，《安庆农情》全文刊发。

来榜镇花墩村晔光茶厂生产秋翠兰1500斤。

10月　　岳西翠兰被评为安庆市最受欢迎的十大农业名产。

12月　　县神雁公司岳西翠尖被认定为“安徽省名牌农产品”。

是年　　全县茶叶总产2160吨，产值1.2亿元，跻身全国茶叶百强县。

2007年

3月　　县茶业协会召开年会，会员代表180人参会。

安徽农业大学宛晓春校长、夏涛副校长来岳西，启动国家和省在我县实施的茶叶清洁化科技攻关项目。

岳西翠兰再次入选全省邮政“徽乡茶”，获130万元订单。此后十余年，“徽乡茶—岳西翠兰”由良奇公司供货，年货值均在170万元左右，最高年份达200万元。

4月　　县委、县政府在南京、合肥举办“好山好水好翠兰，生态岳西欢迎您”大型宣传推介活动。茶界著名专家王镇恒、朱自振、宛晓春、夏涛等莅临指导，王镇恒教授向岳西县赠“茶旅融合”题词。

安庆市茶叶产业化工作推进会在岳西召开。

请寨茶机厂“请寨”牌茶机（杀青机、烘干机）50 台出口缅甸，货值 40 万元人民币。

5 月　古老岳西高腔剧本《采茶记》被发现，2011 年 4 月钱子华《岳西高腔〈采茶记〉茶文化赏析》一文在《农业考古》杂志上发表（2011 年第 2 期）。

6 月　岳西召开首届“翠兰茶王”评选会，包家乡冯立彬茶厂岳西翠兰获“茶王”称号。同时评出金奖 3 个、银奖 5 个，优质奖 11 个。

8 月　岳西县农技推广体制改革，撤销 28 个乡镇农业技术推广站，成立温泉、石关、头陀、来榜、中关、菖蒲、店前、白帽 8 个农业综合服务站。石关、头陀、来榜、中关、菖蒲 5 站同时挂“茶叶服务站”牌。

11 月　由县茶叶局申报的“岳西翠兰手工制作技艺”入选“岳西县非物质文化遗产名录”。

岳西县承办安徽省茶业学会年会，会议在明堂山度假村召开，省茶学会会长、安徽农业大学校长宛晓春等领导专家出席。

12 月　由安庆市种植业局申报，茶树品系 8902 参加全国第四轮区试。试验地点分别为福建、湖南、湖北。

2008 年

1—2 月　岳西遭有气象记录以来最大暴雪，平均降雪 136.5 毫米，茶园全面受冻。三级冻害茶园占 70%，国家投放茶叶救灾款 390 万元。

4 月　岳西翠兰证明商标由国家工商行政管理总局商标局核准注册，证号：5578268。

县委县政府在武汉、合肥举行“翠兰茶香风光美，杜鹃花开映山红”大型茶叶、旅游推介会。此前，应钱子华之请，中国茶学泰斗王镇恒教授题“岳西翠兰，茶中上品”，在合肥推介会上，王镇恒将此题词赠岳西县委书记。会上，詹罗九教授对岳西翠兰茶作点评推介。

岳西正方茶叶机械厂获 4 项国家专利。

5 月　县 37 家茶叶企业参加中国（安徽）第三届茶叶博览会，岳西茶获 6 枚金奖，居全省之首。

6 月　县茶叶局陈庆昌在姚河乡香炉村竹山茶园发现一棵径围 45 厘米粗的大茶树，此后刘会根又在当地发现与此类似的大茶树 100 余株。次年 6 月，经茶学家詹罗九教授鉴定，树龄在 300~500 年。

8 月　岳西翠兰茶在韩国首尔“第七届国际名茶评比暨国际茶学研讨会”上获得金奖。这是岳西翠兰获得的首个国际奖项。样茶由包家乡冯立彬制作。

9 月　县茶业协会举办第二届“岳西翠兰茶王”评比，姚河乡香炉冲牌岳西翠兰茶获“茶王”称号。

12 月　　县茶业协会钱子华随省茶叶行业协会参访团考察台湾茶业，撰《台湾茶产业考察报告》，由《安徽茶叶》杂志发表。

是年　　花墩晔光、绿月、康生源、小山村、头陀水保、四达、山城人家等公司（茶厂）获“QS”认证。

2009 年

2 月　　县茶业协会被评为岳西县“2008 年度优秀农村经济合作组织”。

春　　高山茶园遭冻害。3 月 11 日，国家茶叶产业技术体系首席科学家、中国农业科学院茶叶研究所所长杨亚军到岳西指导救灾。

3 月　　农业部在潜山县召开“大别山地区名优茶优质高产协作会议”，3 省（鄂、豫、皖）6 市 26 个主要产茶县（市）及中国茶科所等 7 个技术支撑单位人员参会。确定将岳西县列入农业部“大别山名优茶优质高产协作县”，率先实施“全国标准茶园创建示范”项目。

4 月　　在合肥举行茶叶旅游推介会。

县茶业协会组织“岳西翠兰茶王”及茶叶包装评比，包家乡河上岭茶厂岳西翠兰夺“茶王”称号，良奇公司岳西翠兰包装获一等奖。

农业部发布《全国茶叶重点区域发展规划（2009—2015 年）》，岳西县列入“长江中下游名优绿茶区”。

5 月　　头陀镇三道河茶厂、来榜镇斑竹茶厂引进福建乌龙茶加工机械试制乌龙茶，斑竹厂生产 900 多公斤，其“放风尖”牌乌龙茶在省第四届茶博会上被评为“安徽省十大创新品牌名茶”。

6 月　　省第四届茶产业博览会组委会授予县茶叶局钱子华“2009 年安徽省茶产业十大杰出人物”称号。

9 月　　县政府与安徽黄山徽畅集团签订《投资建设岳西翠兰集团框架协议》，徽畅集团投资建岳西茶叶大市场。

10 月　　国家启动“百个标准茶园创建示范点”项目，2009 年全国安排七处，菖蒲镇水畈村在列。

2010 年

1 月　　全省茶叶标准园创建工作启动会在岳西召开。会议期间，与会人员参观了菖蒲镇水畈村全国茶叶标准园创建现场。

4 月　　安徽农业大学专家对岳西初选的 10 只“入围茶王”茶样进行终评，竹山茶厂岳西翠兰夺“茶王”桂冠。该“茶王”茶在“第三届大别山（安徽 · 岳西）映山红旅游文化月合肥旅游农特产品推介暨茶王竞拍会”上拍卖，100 克以 3.9 万元被徽州商会馆竞得，拍卖所得由县茶叶协会现场捐给青海玉树地震灾区。

5月　安徽良奇生态农业科技有限责任公司秦名祥、冶溪农技站胡知佐获首届岳西县“十大杰出青年”称号。

6月　“中国(安徽)第五届‘祁眉红茶杯’国际茶产业博览会暨‘首届岳西翠兰茶’文化节”在合肥开幕，安徽云林茶叶公司茶艺表演队获金、银奖各一枚。

县进行机构改革，县农委茶叶局改为岳西县茶叶局（事业副科建制）。

7月　安徽省政府公布，岳西翠兰（绿茶）手工制作技艺被列为安徽省第三批非物质文化遗产名录。

8月　“石佛翠”茶树品种成为国家级茶树良种。

9月　安徽翠兰投资发展有限公司与县职教中心联办茶叶班，首届招生52人。

安徽翠兰投资发展有限公司岳西翠兰茶由国家主席胡锦涛赠俄罗斯总统梅德韦杰夫及其代表团成员。外交部礼宾司致信安庆市委、市政府祝贺，岳西县人民政府致信翠兰公司祝贺。茶叶由姚河乡竹山刘会根手工制作。

10月　茶书《印象·岳西翠兰》（胡颂扬主编，钱子华执行主编）面世。

11月　岳西县委、县政府在合肥举行“国宾礼茶·岳西翠兰”新闻发布会。

全县茶叶产值过3亿元大关，达3.1亿元，茶园13.1万亩，产茶3150吨。

2011年

1—2月　茶园遭受冻害，4月县拨款50万元救灾。

2月　安徽翠兰投资发展有限公司百年·翡冷翠岳西翠兰入选全国政协十一届四次会议用茶。2月22日，县农委举行“两会茶”进京发车仪式。全国政协办公厅机关事务管理局向安庆市委、市政府和岳西县委、县政府致感谢信，为安徽翠兰投资发展有限公司颁发荣誉证书。

4月　竹山古茶园茶厂落成暨古茶园开园，外交部服务中心、全国政协办公厅、安徽农业大学茶与食品学院领导专家，以及安庆市、岳西县相关领导参加落成开园庆典。

舒霍岳三县“首届名优茶手工炒制擂台赛”在舒城县晓天镇举行。岳西选手刘会根、冯立彬、张克银分别获得一、二、三等奖。

5月　著名茶学家詹罗九教授出任安徽翠兰投资发展有限公司首席顾问。

6月　国家主席胡锦涛对俄罗斯进行国事访问并出席圣彼得堡国际经济论坛，将百年·翡冷翠牌岳西翠兰作为国礼赠予俄方。

6月　岳西翠兰参加中国茶叶区域公共品牌价值评估，估值5.58亿元。

10月　中国茶叶流通协会授予岳西县“2011年度全国重点产茶县”称号。

岳西县“国家级茶叶标准化示范县建设项目”通过验收，并获“全国农业标准化示范县”称号。

中国茶叶流通协会评选“2011年度中国茶叶行业百强企业”，岳西良奇公司在列。

王镇恒教授为岳西县翡冷翠茶业有限公司题词“千里大别山，百年翡冷翠”。

11 月　省茶业学会、省徽茶文化研究会、省有机茶研究会年会在岳西联合召开，会议由岳西县政府承办，安徽翠兰投资发展有限公司协办。安徽省政协副主席、省徽茶文化研究会会长张学平，安庆市委副书记、市长肖超英出席。

12 月　岳西翠兰茶叶获“2011 年消费者最喜爱的中国农产品区域公用品牌”称号。此次全国共评出 100 个农产品区域公用品牌，安徽 4 个。

岳西云林、林兰两茶企荣获“中茶杯”全国名优茶评比一等奖。

通过竞争申报，中央财政支持现代农业生产发展资金（茶叶）项目落户岳西。

2012 年

3 月　中央电视台七套推出《乡约·安徽岳西》，安徽翠兰投资发展有限公司董事长崔栋梁作为“牛人”在节目中亮相。

宋代茶叶“六榷货务十三山场”中的舒州罗源场遗址被发现，在温泉镇资福村罗源山。随后，罗源山资福塔遗址发掘，出土金函、舍利等一批珍贵的北宋文物。2012 年 5 月，钱子华、汪同元《罗源场考述》一文在《中国茶叶》杂志发表。

3 月　国家主席胡锦涛访问柬埔寨，将百年·翡冷翠牌岳西翠兰赠予柬埔寨国王西哈·莫尼。

4 月　农业部种植业司封槐松调研员到岳西，考察竹山古茶园标准化生产车间和菖蒲镇铁滩茶园。

岳西三道河茶厂胡忠满获第二届大别山区名优茶传统工艺制作大奖赛一等奖。

金翠兰茶叶大市场开工建设。

5 月　省委书记张宝顺走访姚河乡梯岭村、马石村，访茶情，问茶事，住茶农朱鸣东家，与当地干部群众一起修剪茶树，体验生活。

在贵州省贵定县举办的“全国职业院校技能大赛”中，县职业技术教育中心茶叶班学生汪兰获“手工制扁形绿茶”二等奖，杨慧云获“手工制卷曲形绿茶”二等奖，骆为家、王家兴获“手工制卷曲形绿茶”三等奖。

6 月　县组织 24 家茶叶企业，参加中国（安徽）第六届国际茶产业博览会。会上，岳西翠兰再获“安徽十大品牌名茶”称号。

国家主席胡锦涛访问丹麦，将百年·翡冷翠岳西翠兰赠予丹麦女王玛格丽特二世。

7 月　良奇公司在莲云开发区创办县内第一家茶叶出口企业——安徽天水茶业公司。

8 月　岳西县获“安徽省茶产业十强县”称号。全省 29 个产茶县（区）15 个入围，岳西以总分第二胜出。

9 月　国家茶叶产业技术体系首席科学家、中国茶叶研究所所长杨亚军来岳西，指导云林茶业公司开展茶树良种筛选与示范基地建设。

10 月　翠兰公司在岳西“奥运冠军参赛物品拍卖会暨扶贫助学仪式”上，以 70.2 万元义拍得击剑冠军雷声的手套（7 万）、面罩（17.2 万）、花剑（46 万）三件珍贵比赛用品，善款由政府用于石关乡贫困助学。雷声为翠兰公司翡冷翠茶题字“百年翡冷翠，四海振雷声”。

县政府邀请国家男子举重队担任“岳西翠兰形象大使”。

农业部科教司副司长刘艳、安徽农业大学校长宛晓春教授来岳西调研特色经济发展情况。

11 月　安徽香炉冲茶业有限公司香炉冲牌岳西翠兰茶获中国茶叶学会“国饮杯”茶叶大赛特等奖。

12 月　国家质量监督检验检疫总局发布第 203 号公告，“岳西翠兰”成为安庆市首例地理标志证明商标。

是年　县政府投入支农资金 50 万元、退耕还林资金 46 万元、标准化茶叶加工厂奖扶资金 76 万元，以及部分整村推进项目资金，支持清洁化茶厂建设。

全县共有中小型茶叶加工厂 497 家，其中获 QS 认证 30 家。当年新建茶园 1.3 万亩，其中 5 亩连片、政府验收并提供无性系茶苗的茶园 2000 亩，政府采购并发放茶籽、农户自建 1.1 万亩。全县建茶叶苗圃 550 亩，出圃无性系茶苗 8000 余万株。

岳西县《标准化茶叶加工厂建设规范》由县农委、质监局、工商局制定下发，供全县茶企参照实施。

2013 年

4 月　6—7 日，遭遇严重“倒春寒”天气，春茶受损严重，部分茶园减产一半。

“第三届大别山区名优茶传统工艺制作大赛暨第五届岳西翠兰茶王大赛”在岳西县职教中心举行，包家乡河上岭茶叶公司吴财有获大赛一等奖，三道河茶厂岳西翠兰茶获“茶王”称号，县职教中心叶雅翠、王萍、闻炎锋分获学生组条形茶、扁形茶、卷曲形茶一等奖。

中央电视台七套《乡村大世界》栏目摄制组进菖蒲镇水畈村，拍摄情景短剧，宣传推介岳西茶产业。

县茶业协会选送的岳西翠兰茶，在第三届中国国际茶业及茶艺博览会名茶评比活动中获金奖。

5 月　农业部《农村工作通讯》以《岳西倾力主打“岳西翠兰”》为题，宣传报道岳西推进茶产业工作经验。

7 月　农业部“第三批全国一村一品示范村镇”名单公布，岳西县姚河乡梯岭村（岳西翠兰）、河图镇南河村（岳西翠兰）、菖蒲镇水畈村（岳西翠兰）榜上有名。

8月　岳西县灵山合作社卉兰牌岳西翠兰、联圣茶业有限公司闵山贡茶牌岳西翠兰、川岭茶叶专业合作社川岭牌岳西翠兰和川岭香（炒青），获中国（安徽）第七届国际茶博会金奖。

岳西林兰名茶厂林兰牌岳西翠兰茶获"中茶杯"特等奖，香炉冲茶业有限公司香炉冲牌岳西翠兰、安徽云林茶业有限公司御指庭香牌岳西翠兰，同获一等奖。

安徽翠兰投资发展有限公司跻身安徽省级农业产业化龙头企业。

9月　岳西翠兰参加国家质检总局在合肥召开的"地理标志产品保护审查会"，县长刘中汉率队参加，并作陈述答辩。

10月　中国茶叶流通协会授岳西县"2013年全国重点产茶县"荣誉称号。

11月　在安徽省茶叶行业协会2013年会上，良奇公司岳西翠兰获"中国徽茶十大著名品牌"称号。

12月　省委副书记李锦斌考察岳西特色农产品，高度评价岳西翠兰入选"国宾礼茶"。

国家质检总局175号公告：岳西翠兰列入国家地理标志产品保护。

国家工商总局公告：岳西县茶业协会"岳西翠兰"证明商标为中国驰名商标；良奇公司"良奇"商标为中国驰名商标。

2014年

1月　岳西翠兰广告密集亮相高速公路。安徽翠兰投资发展有限公司、安徽良奇生态农业科技有限责任公司、安徽聚丰生态农业有限公司、岳西县振兴茶业有限公司、安徽绿月茶业有限公司、安徽天赋生物科技有限公司，在合安高速公路沿线投放高炮广告10块，宣传岳西翠兰，县政府提供一半资金支持。

4月　岳西网面向全国征得岳西翠兰宣传歌词530余首，经评比，广东袁晨光《翠色兰香》获一等奖。

5月　江苏卫视拍摄岳西翠兰专题片《一茶一江南·翠质兰心》，在该台国际频道《走读江南》栏目播出。

在来榜镇花墩村选育的茶树品种"梦茗"，通过全国茶树品种鉴定委员会审定，成国家级茶树良种。

5月　岳西翠兰获评中国"最具经营力品牌"，国家课题组估值9.18亿元。

7月　岳西获2014年现代农业（茶叶）生产发展资金项目资金1100万元、县财政配套资金220万元，主要用于新茶园建设。冶溪镇实施本项目新建茶园1700亩。

姚河乡列农业部"全国一村一品示范乡"，茶叶为该乡主导产品。

8月　县振兴茶业有限公司"鑫荣昌"牌岳西翠兰，获安徽省第八届国际茶叶博览会金奖。

县政府推动秋茶机采，在冶溪镇召开全县秋茶机采现场会，分管县长、各乡镇分管负责人，县农委、茶叶局、农机局负责人，以及乡镇农业综合服务站、重点茶叶企业代表近百人与会。

“中国—翠兰”歌曲《翠兰说》在北京举办新歌发布会，知名歌手黄堃演唱《翠兰说》。

9 月　以“走进红色岳西，享受绿色骑行”为主题，岳西县首届“石翠杯”环天堂湖全国山地自行车赛举行。来自全国近 200 名车手参加比赛。

10 月　中央电视台开展“寻找中国最美乡村活动”，菖蒲镇水畈村胜出，获“中国十大最美乡村”称号。

良奇牌岳西翠兰在第十二届中国国际农交会暨第三届中国山东国际农产品交易会上获金奖。

11 月　岳西县获“中国名茶之乡”称号。县长刘中汉带队在陕西咸阳受牌，《中国茶叶学会大事记（1964—2014）》记其事。

12 月　安徽农业大学、安徽省农科院茶叶研究所、安徽翠兰投资发展有限公司、岳西县市场监督管理局制定的《山地茶园冻害防护技术规程》（DB34 / T2201—2014）、《山地茶园机械采摘技术规程》（DB34 / T2202—2014）两项安徽省地方标准发布实施。

2015 年

1 月　省农委公布安徽省第七批一村一品专业示范村，岳西县菖蒲镇水畈村榜上有名，主导产业为茶叶。

3 月　安徽省第五批省级非物质文化遗产项目代表性传承人公布，岳西县刘会根为绿茶制作技艺（岳西翠兰）传承人。

4 月　安庆市农委、岳西县政府对国家级茶树良种——石佛翠母树立碑保护。

第五届大别山区名优茶传统工艺制作大赛在舒城县舒茶镇举行，岳西县惠根家庭农场岳西翠兰以最高分获金奖，绿剑和川岭茶叶合作社分别获银奖。

国家新闻出版广电总局邀请巴基斯坦、孟加拉国、斯里兰卡三国电视台记者到岳西竹山古茶园、良奇公司采访。

“美丽乡愁　茶香水畈——主流媒体暨旅游达人走进‘CCTV 中国十大最美乡村’”活动举行，来自中央驻皖及安徽省内 20 多家主流媒体、知名旅游达人、摄影家、旅游体验师共 30 多人，探访“CCTV 中国十大最美乡村”水畈村。

5 月　岳西徽宏茶业开发公司出口第一批红茶。本年共生产出口红茶 90 吨、珍珠绿茶 60 吨。

6 月　农业部在河南信阳召开大别山地区名优茶优质高产协作总结表彰大会，岳西县茶叶局焦丰宝、陈庆昌获“先进工作者”称号。

2015年度“美好安徽舞起来”第二届安徽省广场舞大赛（安庆赛区）在望江开赛，岳西县文化馆参赛作品《茶乡五月》获一等奖。

省经信委公布第4批安徽省产业集群专业镇名单，姚河乡“岳西翠兰加工”名列其中。

7月　《安庆之茶 · 岳西篇》在安庆电视台播出。

8月　应县政府邀请，有“世界茶王”之称的天福集团董事局主席李瑞河来岳西参观考察。

12月　在安徽省“赢在江淮”创业创新大赛中，岳西县岳红生态农业发展有限公司韩重德获岳西赛区三等奖，安庆赛区优秀奖。

是年　岳西翠兰茶入选《2015年度全国名特优新农产品目录》，推荐生产单位为岳西县茶业协会、安徽良奇生态农业科技有限公司、安徽翠兰投资发展有限公司。

2016年

2月　县委、县政府提出推进“十大产业”扶贫，把茶叶产业作为脱贫攻坚首选产业。

3月　岳西创建省级现代生态农业（茶叶）产业化示范县实施方案和发展规划通过评审。

4月　“岳西翠兰手工制作大赛暨农特产品展示展销会”在金翠兰茶城举办。安徽农业大学茶与食品科技学院张正竹院长、高级实验师华再欣、安庆市种植业局查道生研究员等出席。岳西海松茶叶专业合作社查海松获社会组大赛金奖，县职教中心储贝贝获学生组大赛一等奖。

5月　县政府在冶溪镇西坪村召开茶叶生产全程机械化技术推广演示现场会。

岳西县开展首届“岳西工匠”推荐评比，竹山古茶园公司刘会根、礼宾茶业公司冯立彬、林兰茶厂刘友林，同获“岳西工匠”称号。

安徽省第十届国际茶产业博览会在安徽国际会展中心举行，县组织28家茶叶企业参展。

9月　农业部中国农业国际合作促进会茶产业委员会和中国合作经济学学会旅游合作专业委员会，评选出“全国30座最美茶园”，安徽省石佛寺生态农业开发有限公司的石佛寺有机茶园名列其中。

岳西县获“2016年度全国重点产茶县”称号，良奇公司获“2016年度中国茶叶综合实力百强企业”称号。

是年　岳西县参与安徽农业大学“茶叶质量安全与加工利用技术的开发与集成应用”项目，获农业部“全国农牧渔业丰收奖”，县茶叶局焦丰宝作为项目完成人之一，获荣誉证书。

同发机械有限公司热红外箱炉一体式全自动茶叶烘干机，获国家科技型中小企业技术创新基金（110万元）支持。

据县农机局统计，本年度全县有茶叶生产机械 7727 台（套），茶叶保鲜库 185 座。

2017 年

4 月　　安徽翠兰投资发展有限责任公司投资建设的金翠兰茶叶市场建成使用。

5 月　　首届中国国际茶叶博览会在杭州国际博览中心举行，副县长许洪斌率县农委主任王学放、副主任方再友及茶叶局负责人、省级农业产业化龙头企业翠兰公司和良奇公司负责人参会。

8 月　　19 日，在日本举办的 2017 世界绿茶评比大会上，良奇牌岳西翠兰获世界绿茶金奖。

钱子华发现岳西县主簿镇生产冬茶，其产生年代不晚于清乾隆时期。

9 月　　在第四届中国茶叶大会中，岳西获“全国茶乡旅游特色区”称号。

10 月　　冶溪镇琥珀村将其现代农业(茶叶)示范园，建成大别山自行车骑行基地，10 月 1 日开业，上海、合肥、武汉及岳西周边地区 1000 多名骑行爱好者参加开业庆典。

11 月　　岳西再获“中国名茶之乡”和“全国重点产茶县”称号。

12 月　　国家旅游局、中国旅游协会举办“2017 中国旅游商品大赛”，安徽省石佛寺生态农业开发有限公司生产的石翠牌岳西翠兰胜出。

17 日，安庆市委常委、岳西县委书记周东明带队到中国农科院开展科技合作对接活动，双方就加强院地战略合作签署协议。中国农科院副院长刘现武，中国农科院茶叶研究所副所长江用文等出席。

是年　　在安徽第十一届国际茶业博览会上，岳西振兴茶业公司鑫荣昌牌岳西红茶获金奖。第五届中国茶博会（济南）在山东济南召开，鑫荣昌牌岳西翠兰获该茶博会“全国斗茶大赛”银奖。

岳西茶叶新增 2 个省级著名商标：安徽省石佛寺生态农业开发有限公司“石翠”商标，安徽绿月茶业有限公司“绿月”商标。

岳西茶产业发展被农业部作为全国 18 个“一县一业”扶贫典型案例予以宣传。

中央财政支持现代农业生产发展资金（茶叶）项目实施圆满收官。该项目在岳西县连续实施 6 年，累计获中央财政 4618 万元资金支持，县利用该资金新建无性系 50 亩以上连片茶园 1.7 万余亩，改造茶园 2 万余亩，建设茶树良种繁育基地 1400 亩，组建茶叶社会化服务组织 17 个，建立良奇、云林、琥珀、菖蒲等高标准示范茶园 13 片，改善了茶园道路等基础设施，推动了茶园病虫草害绿色防控。

2018 年

4 月　新修订省级地方标准《地理标志产品岳西翠兰》和《岳西翠兰茶生产加工技术规程》公布实施。

岳西选手参加第八届大别山区名优茶手工制作大赛，头陀镇古岭茶厂查海松、包家乡川岭茶叶专业合作社王业先分获金奖和银奖。

全县 15 家企业参加省第十二届国际茶产业博览会，金翠兰公司特装展示，安徽绿月公司“绿月”牌岳西翠兰获本届博览会评比金奖和“2018 年安徽名牌”称号。

5 月　县委副书记、县长江春生率队参加在杭州举办的第二届中国国际茶叶博览会，举办“岳西翠兰品牌专场推介会”。浙江大学教授、浙江大学茶叶研究所所长王岳飞，中国茶叶学会理事长、中国茶叶研究所副所长江用文参加推介会，并对岳西翠兰茶作权威点评。姚河竹山惠根牌岳西翠兰获本届茶博会名茶评比金奖。

6 月　第十二届中国西安国际茶业博览会举办，岳西县碧涛农林公司生产的金桂兰牌岳西翠兰获博览会名茶评比金奖。

中央电视台七套广告部拍摄的宣传片《巍巍大别山　岳西翠兰茶》，于 2018 年 5 月 14 日至 6 月 30 日在中央电视台七套农业栏目播出。

7 月　安庆市茶叶生产加工全程机械化技术现场会在冶溪镇召开。市、县领导及全市各产茶县农委负责人、农机大户代表 100 余人参会。

8 月　8 日，安徽省政府宣布岳西县退出贫困县序列，在全省实现率先脱贫。2015—2018 年实现脱贫攻坚期间，全县新建无性系茶园 1.37 万亩，改造茶园 2.8 万亩，新（扩）建标准化茶叶加工厂 62 座，3.64 万户贫困户、65 个贫困村中有 2.89 万户、52 个贫困村茶叶面积分别达到人均 0.8 亩、0.5 亩的省级发展标准。

岳西县撞钟种养专业社皖农合牌岳西翠兰，在中国安徽名优农产品暨农业产业化交易会上获金奖。

9 月　省科技厅厅长宛晓春到岳西考察指导茶叶新产品开发，建议重视黄茶，布点恢复黄大茶生产。

10 月　菖蒲镇现代农业示范区（茶叶）入选 2017 年安徽省产业扶贫先进典型—全省产业扶贫十大园区，县农业农村局蒋本勤获“安徽省产业扶贫先进工作者”称号。

第六届中国茶叶博览会在济南举行，县政府、县农委茶叶局率安徽翠兰投资发展有限公司参会展销。

第 23 届澳门国际贸易投资展览会和 2018 年葡语国家产品及服务展在澳门举办，岳西县碧涛农林有限公司的岳西翠兰特装展示。

12 月　“国茶杯”第五届中华茶奥会茶品鉴及茶技能大赛在杭州举行，岳西县饴兰茶业有限公司饴兰牌岳西翠兰获铜奖。

2019 年

3 月　省茶叶产业技术体系首席专家、安徽农业大学张正竹教授等到岳西，调研茶叶社会化服务组织培育与发展情况。

4 月　姚河乡举办第二届（岳西翠兰）茶文化旅游节。

来榜镇举办第二届公界尖千亩茶园采茶文化节。

岳西县出席浙江义乌第二届茶文化节，县政府与义乌市政府达成协议，义乌方投资帮助姚河乡发展茶叶。10 月，注册组建安徽义岳茶业有限公司，义乌方派员驻岳西主持经营。

5 月　县委副书记、县长江春生，副县长艾中华率团参加第三届中国国际茶叶博览会。江春生应邀参加茶博会组织的“国际茶咖对话”，艾中华出席“第三届当代中国茶文化发展论坛”，岳西茶业扶贫做法入选论坛经验材料汇编。县金翠兰、良奇、徽宏、碧涛农林四家企业参展，岳西舞蹈《翠兰茶香》在博览会主场演出。

10 月　副县长艾中华率队参加在广东英德市召开的第十五届中国茶业经济年会。会上，岳西县获“中国十大生态产茶县”和“2019 中国茶业百强县”称号，安徽绿月茶业公司获“2019 中国茶叶百强企业”称号。

冶溪琥珀村被农业部评为全国“一村一品”（茶叶）示范村。滑岭尖家庭农场“沁云香”牌岳西翠兰获中国合肥农交会金奖。

11 月　岳西饴兰茶业有限公司生产的岳西翠兰，在杭州举办的第六届中华茶奥会茶品鉴及茶技能大赛（绿茶类）上获铜奖，这是岳西翠兰在这项茶事竞赛中第二次获得奖牌。

12 月　4 日，岳西县承办“安徽省茶叶行业协会四届三次理事会暨精准扶贫产业兴旺岳西论坛、新中国 70 周年徽茶荣耀颁奖盛典”，省人大常委会副主任厉德才，农业农村部封槐松，安徽茶文化研究会会长丁以寿，省茶叶行业协会会长兼秘书长朱飞鸣，安庆市委常委、岳西县委书记周东明，岳西县县长江春生等领导、专家出席，江春生致欢迎辞。会上，岳西县获“茶产业扶贫先进县”荣誉称号，县农业农村局、县茶业协会获“产业扶贫先进集体”称号，安徽翠兰投资发展有限公司、安徽良奇生态农业科技有限公司、岳西县振兴茶业有限公司获“产业扶贫先进企业”称号，县农业农村局钱子华获“新中国 70 周年徽茶荣耀・功勋人物”称号，徐卫兵获“新中国 70 周年徽茶荣耀・先进工作者”称号，刘会根、冯立彬获“新中国 70 周年徽茶荣耀・杰出贡献个人”称号。

2020 年

3 月　21 日，因新冠疫情影响，岳西茶叶销售困难，县长江春生通过抖音平台直播推销岳西翠兰。平台直播 3 小时，成交 9804 单，货值 116.8 万元。

5月　　安庆市文联组织市作协、摄协、美协二十余人到岳西包家乡石佛村开展脱贫攻坚主题创作采风，宣传岳西茶产业。

6月　　安徽省农业科学院茶叶研究所与姚河乡共建“茶叶专家工作站”，唐小见所长与岳西县委常委、副县长李伟伟共同为工作站揭牌。

国家知识产权局公布“2020年地理商标运用促进工程项目名单”，岳西翠兰列入其中。

8月　　28日，第十三届安徽国际茶博会岳西翠兰专场推介会在合肥举行，茶学家、省科技厅原厅长宛晓春，安庆市副市长刘克胜，岳西县县长江春生，副县长许洪斌出席。江春生致推介辞。本届茶博会上，竹山古茶园公司惠根牌岳西翠兰、林兰名茶厂林兰芳牌岳西翠兰、川石家庭农场大川岭牌岳西翠兰分别获五星金奖，康生源茶业公司皇封闵山贡牌岳西翠兰获金奖。岳西县“亲山茶路·云上之旅”茶旅线被评为“安徽省首届十大最美茶旅线路”。

10月　　岳西茶企参加济南“第八届中国茶叶博览会”名茶评比，岳西振兴茶叶公司“徽芽”牌岳西翠兰获金奖。

省茶科所廖万友专家率团队到岳西开展茶叶绿色生产技术应用试验，“岳西县绿色发展先行先试（茶叶）项目”正式启动。

11月　　中国茶叶流通协会发布“2020中国茶业百强县榜”，岳西县名列第40位，较去年进八位。

12月　　16日，县政府与中国茶科所签订“专家工作站建站合作协议”，合作期3年（2020年12月至2023年12月），聘请江用文研究员为首席专家，在适制翠兰茶树品种遴选、茶叶加工、新茶研发、人才培训等方面，为岳西提供帮助，岳西县每年支付工作站工作经费20万元。

是年　　包家乡石佛村茶产业脱贫故事入选中国农业出版社《产业扶贫故事（上）——100个产业帮扶典型》一书。

全县茶园面积18.29万亩，其中开采面积16.28万亩，茶叶产量6100吨，产值7.32亿元，综合产值20.43亿元。2020中国茶叶区域公共品牌价值评估，岳西翠兰品牌价值19.63亿元。

2021年

3月　　县政府实施茶产业链链长制，明确责任单位、重点任务和保障措施。县委副书记任链长，农业农村局、科技局等单位领导为成员，下设办公室，县农业农村局局长兼任办公室主任。

中国农科院茶叶研究科所江用文专家工作站揭牌暨岳西县茶产业绿色发展座谈会在岳西举行，中茶所副所长江用文等专家，岳西县委书记、县长江春生出席。

县政府出台《关于印发岳西县推行化肥农药减量增效、创建绿色有机农产品示范基地实施意见》（岳政办秘〔2021〕19号），在茶园重点推广“粘虫板＋生物农药＋生态农艺”绿色防控配套技术，茶园应用全降解天敌友好型粘虫板，县政府补贴总费用的2/3。

5月　第三届中国茶乡旅游发展大会在杭州举行。会上，岳西“亲山茶路·云上之旅”被评为“中国百条红色茶乡旅游精品路线”。该茶路从彩虹瀑布茶园起，经黄尾、青天、包家3乡镇，串联彩虹瀑布、悦溪茶谷、青云峡、道元古村、青天国共和谈旧址、鹞落坪国家森林公园、红28军军政旧址、岳西翠兰非遗（包家）传承基地、石佛有机茶园等精品景点。姚河乡梯岭村集体茶园入选“中国茶产业T20最美生态茶园”。

开展茶叶绿色高质高效行动，县政府成立领导小组，争取中央财政发展资金200万元，在县内建技术攻关区1个，攻关面积102亩；建绿色高质高效示范区7个，示范面积3750亩，辐射推广区10个乡镇39个村，辐射面积61000亩。重点示范推广茶园高效施肥、病虫草害绿色防控技术。

国企安徽皖岳投资集团有限公司与黄山徽畅投资有限公司达成合作协议。

6月　副县长许洪斌率队参加2021年上海茶博会，召开“岳西—上海茶乡之旅”对接会。县农业农村局局长王业彬、副局长方再友及岳西县部分茶企负责人参加。

18日，第14届安徽国际茶博会开幕，岳西组织十余家茶企业参会。本届茶博会上，来榜镇入选“首届安徽美丽茶镇”，石佛村入选“首届安徽美丽茶村”。

7月　4日，岳西县茶产业高质量发展座谈会在响肠新浒村召开，副县长储爱华，安徽农业大学李叶云、韦朝领、宁井铭，省茶科所黄建琴等专家出席会议。

8月　13日，中国茶叶学会公布“2021全国茶叶品质评价排行榜”，岳西林兰名茶厂生产的林兰牌岳西翠兰以93.65分的成绩，在参评113只茶样中位列第三，获“五星级”品质评价。

姚河乡首行“茶长制”，乡、村、茶企联建责任制度，共保茶园投入品安全。

全国“百县·百茶·百人茶产业助力脱贫典型评选”揭晓，岳西县、岳西翠兰茶、县农业农村局蒋本勤上榜。

9月　3日，县委书记江春生率队赴中国石化集团对接茶产业发展工作，相关县领导及县农业农村局、皖岳集团、安徽翠兰投资公司负责人参加。

11日，皖西南（岳西）茶树病虫害绿色防控及茶叶绿色高质高效行动观摩培训会在岳西召开。中茶所、安徽茶科所专家，金寨、桐城、潜山、岳西等6县茶叶技术人员参会。

皖岳集团旗下岳西县农村发展投资有限公司注资徽畅公司旗下安徽翠兰投资发展有限公司（国有资本占51%），致力推动岳西茶产业发展。

11月　国家知识产权局公告：岳西翠兰入选“地理标志运用促进重点联系指导名录”。

12 月　　以弘扬茶文化为主旨的岳西县林兰诗社成立，刘友林当选社长。该诗社由岳西县林兰名茶厂发起。

是年　　岳西县《强化绿色科技支撑，促进茶产业高质量发展》材料，入选《2021年全国农业绿色发展典型案例汇编》。

第四篇

文献辑

第二十章　古代文献

西阳、武昌、庐江、晋陵，好茗，皆东人作清茗。茗有饽，饮之宜人。凡可饮之物，皆多取其叶。天门冬、拔揳取根，皆益人。又巴东别有真茗茶，煎饮令人不眠。俗中多煮檀叶并大皂李作茶，并冷。又南方有真瓜芦木，亦似茗，至苦涩，取为屑茶饮，亦可通夜不眠。煮盐人但资此饮，而交、广最重，客来先设，乃加以香芼辈。

——汉 · 桐君《桐君采药录》

淮南，以光州上（生光山县黄头港者，与峡州同）。义阳郡、舒州次（生义阳县钟山者，与襄州同；舒州，生太湖县潜山者，与荆州同）。寿州下（盛唐县生霍山者，与衡山同也）。

——唐 · 陆羽《茶经 · 八之出》

茶，古不闻食之。近晋、宋以降，吴人采其叶煮，是为茗粥。至开元、天宝之间，稍稍有茶，至德、大历遂多，建中以后盛矣。茗丝盐铁，管榷存焉。今江夏已东，淮海之南，皆有之。今略举其尤处，别为二品总焉。

新安茶，今蜀茶也，与蒙顶不远，但多而不精，地亦不下。故析而言之，犹可以首冠诸茶。春时，所在吃之皆好。及将至他处，水土不同，或滋味殊于出处。惟蜀茶南走百越，北临五湖，皆自固其芳香，滋味不变，由此尤可重之。自谷雨已后，岁取数百万斤，散落东下，其为功德也如此。

饶州浮梁茶，今关西山东、闾阎村落皆吃之。累日不食犹得，不得一日无茶也。其于济人，百倍于蜀茶，然味不长于蜀茶。

蕲州茶、鄂州茶、至德茶，以上三处出处者，并方斤厚片，自陈、蔡已北，幽、并已南，人皆尚之。其济生、收藏、榷税，又倍于浮梁矣。

衡州衡山，团饼而巨串，岁取十万。自潇湘达于五岭，皆仰给焉。其先春好者，在湘东皆味好，及至湖北，滋味悉变。然虽远自交趾之人，亦常食之，功亦不细。

潭州茶，阳团茶（粗、恶），渠江薄片茶（有油、苦硬）、江陵南木茶（凡下），施州方茶（苦、硬），已上四处，悉皆味短而韵卑。惟江陵、襄阳皆数十里食之，其他不足记也。

建州大团，状类紫笋，又若今日大胶片。每一轴十片余，将取之，必以刀刮，然后能破，味极苦，唯广陵、山阳两地，人好尚之，不知其所以然也，或曰疗头痛，未详（以上以多为贵）。

蒙顶（自此以降，言少而精者）。始，蜀茶得名蒙顶也，于元和以前，束帛不能易一斤先春蒙顶。是以蒙顶前后之人，竞栽茶以规厚利。不数十年间，遂斯安草市，岁出千万斤。虽非蒙顶，亦希颜之徒。今真蒙顶有鹰嘴、牙白茶，供堂亦未尝得其上者，其难得也如此。又尝见书品，论展陆笔工，以为无等，可居第一。蒙顶之列茶间，展陆之论，又不足论也。

湖（州）顾渚，湖南紫笋茶，自蒙顶之外，无出其右者。

峡州茱萸簝，得名近自长庆，稍稍重之，亦顾渚之流也。自是碧涧茶、明月茶、峡中香山茶，皆出其下。夷陵又近有小江源茶，虽所出至少，又胜于茱萸簝矣。

舒州天柱茶，虽不峻拔遒劲，亦甚甘香芳美，可重也。

岳州浥湖所出亦少，其好者，可企于茱萸簝。此种茶性有异，唯宜江水煎得，井水即赤色而无味。

蕲州、蕲水团黄、团薄饼，每斤（捆）至百余斤，率不甚麄弱。其有露消者，片尤小，而味甚美。

寿州霍山小团，其绝好者，上于汉美。所阙者，馨花颖脱。

睦州鸠坑茶，味薄，研膏绝胜霍山者。

福州正黄茶，不知在彼，味峭□上下，及至岭北，与香山、明月为上下也。

崇州宜兴茶，多而不精，与鄂州团黄为列。

宣州鹤山茶，亦天柱之亚也。

东川昌明茶，与新安含膏，争其上下。

歙州、婺州、祁门、婺源方茶，制置精好，不杂木叶，自梁、宋、幽并间，人皆尚之。赋税所入，商贾所赍，数千里不绝于道路。其先春含膏亦在顾渚茶品之亚列，祁门所出方茶，川源制度略同，差小耳。

——唐·杨晔《膳夫经手录·茶》

风俗贵茶，茶之名品益众。剑南有蒙顶石花，或小方，或散芽，号为第一。湖州有顾渚之紫笋，东川有神泉、小团、昌明、兽目，峡州有碧涧、明月、芳芷、茱萸簝，福州有方山之露芽，夔州有香山，江陵有南木，湖南有衡山，岳州有浥湖之含膏，常州有义兴之紫笋，婺州有东白，睦州有鸠坑，洪州有西山之白露，寿州有霍山之黄芽，蕲州有蕲门团黄，而浮梁之商货不在焉。

——唐·李肇《唐国史补·卷下》

茶，早采者为茶，晚采者为茗。《本草》云："止渴，令人不眠。"南人好饮之，北人初不多饮。开元中，太山灵岩寺有降魔师大兴禅教，学禅务于不寐，又不夕食，皆恃其饮茶。人自怀挟，到处煮饮。从此转相仿效，遂成风俗。自邹、齐、沧、棣，渐至京邑，城市多开店铺，煎茶卖之，不问道俗，投钱取饮。其茶自江、淮而来，舟车相继，所在山积，色额甚多。

楚人陆鸿渐为《茶论》，说茶之功效并煎茶炙茶之法，造茶具二十四事，以都统笼贮之。远远倾慕，好事者家藏一副。有常伯熊者，又因鸿渐之论广润色之。于是茶道大行，王公朝士无不饮者。御史大夫李季卿宣慰江南，至临淮县馆，或言伯熊善茶者，李公请为之。伯熊著黄衫、戴乌纱帽，手执茶器，口通茶名，区分指点，左右刮目。茶熟，李公为啜两杯而止。既到江外，又言鸿渐能茶者，李公复请为之。鸿渐身衣野服，随茶具而入。既坐，教摊如伯熊故事，李公心鄙之。茶毕，命奴子取钱三十文酬煎茶博士。鸿渐游江介，通狎胜流，及此羞愧，复著《毁茶论》。伯熊饮茶过度，遂患风气，晚节亦不劝人多饮也。

吴主孙皓每宴群臣，皆令尽醉。韦昭饮酒不多，皓密使以茶茗自代。晋时谢安诣陆纳，纳无所供办，设茶果而已。按此，古人亦饮茶耳，但不如今人溺之甚。穷日尽夜，殆成风俗。始自中地，流于塞外。往年回鹘入朝，大驱名马市茶而归，亦足怪焉。

《续搜神记》云：有人因病能饮茗一斛二斗，有客欢饮过五升，遂吐一物，形如牛胰。置柈中，以茗浇之，溶一斛二斗。客云"此名茗瘕。"

——唐・封演《封氏闻见记・卷六・饮茶》

窃见神农曾尝百草，五谷从此得分；轩辕制其衣服，流传教示后人。仓颉制其文字，孔丘善化儒因。不可从头细说，撮其枢要之陈。暂问茶之酒，两个谁有功勋？阿谁即合卑小，阿谁即合称尊？今日各须立理，强者光饰一门。

茶乃出来言曰："诸人莫闹，听说些些，百草之首，万木之花。贵之取蕊，重之摘芽。呼之茗草，号之作茶。贡五侯宅，奉帝王家，时新献入，一世荣华。自然尊贵，何用论夸？"

酒乃出来："可笑词说！自古至今，茶贱酒贵。单醪投河，三军告醉。君王饮之，叫呼万岁；群臣饮之，赐卿无畏。和死定生，神明歆气。酒食向人，终无恶意。有酒有令，仁义理智。自合称尊，何劳比类！"

茶为（谓）酒曰："阿你不闻道：浮梁歙州，万国来求。蜀川蒙顶，其（骑）山蓦岭。舒城太湖，买婢买奴。越郡余杭，金帛为囊。素紫天子，人间亦少。商客来求，舡车塞绍。据此踪由，阿谁合少？"

酒为（谓）茶曰："阿你不闻道，剂酒乾和，博锦博罗。蒲桃九酝，于身有润。玉酒琼浆，仙人杯觞，菊花竹叶，君王交接。中山赵母，甘甜美苦。一醉三年，流传今古。礼让乡闾，调和军府。阿你头恼，不须干努。"

茶为（谓）酒曰："我之名草，万木之心，或白如玉，或似黄金。名僧大德，幽隐禅林。饮之语话，能去昏沉。供养弥勒，奉献观音。千劫万劫，诸佛相钦。酒能破家散宅，广作邪淫，打却三盏已后，令人只是罪深。"

酒为（谓）茶曰："三文一缸，何年得富？酒通贵人，公卿所慕。曾遣赵主弹琴，秦王击缶，不可把茶请歌，不可为茶（教）舞。茶吃只是腰疼，多吃令人患肚。一日打却十杯，腹胀又同衙鼓。若也服之三年，养虾蟆得水病报。"

茶为（谓）酒曰："我三十成名，束带巾栉。蓦海骑江，来朝今室，将到市廛，安排未毕，人来买之，钱财盈溢。言下便得富饶，不在明朝后日。阿你酒能昏乱，吃了多饶啾唧，街中罗织平人，脊上少须十七。"

酒为（谓）茶曰："岂不见古人才子，吟诗尽道：渴来一盏，能养性命。又道：酒是消愁药。又道：酒能养贤。古人糟粕，今乃流传。茶贱三文五碗，酒贱盅半七文。致酒谢坐，礼让周旋。国家音乐，本为酒泉。终朝吃你茶水，敢动些些管弦！"

茶为（谓）酒曰："阿你不见道，男儿十四五，莫与酒家亲。君不见猩猩鸟，为酒丧其身。阿你即道：茶吃发病，酒吃能养贤。即见道有酒黄酒病，不见道有茶疯茶癫。阿阇世王为酒蠱（煞）父害母，刘零为酒一死三年。吃了张眉竖眼，怒斗宣拳。状上只言粗豪酒醉，不曾有茶醉相言。不免求首（守）杖子，本典索钱。大枷磕项，背上抛椽。便即烧香断酒，念佛求天，终生不吃，望免迍邅。”

两个政争人我，不知水在旁边。水为（谓）茶曰：“阿你两个，何用忿忿？阿谁许你，各拟论功！言词相毁，道西说东。人生四大，地水火风。茶不得水，作何相貌？酒不得水，作甚形容？米曲干吃，损人肠胃。茶片干吃，只砺喉咙。万物须水，五谷之宗。上应乾象，下顺吉凶。江河淮济，有我即通。亦能漂荡天地，亦能涸煞鱼龙。尧时九年灾迹，只缘我在其中。感得天下钦奉，万姓依从。由自不说能圣，两个何用争功？从今以后，切须和同。酒店发富，茶坊不穷。长为兄弟，须得始终。若人读之一本，永世不害酒癫茶疯。”

——唐 · 王敷《茶酒论》

茶，起于东晋，盛于今朝。……参百品而不混，越众饮而独高。今宇内为土贡实众。而顾渚、蕲阳、蒙山为（最），其次则寿阳、义兴…最下有鄱阳、浮梁。

——唐 · 裴汶《茶述》

宣城县有丫山小方饼，……太守常荐于京洛……杜牧《茶山诗》云：“山实东吴秀，茶称瑞草魁。”……常州义兴紫笋、阳羡春，……寿州霍山黄芽。

——唐 · 毛文锡《茶谱》

昔有人授舒州牧，李德裕谓之曰：“到彼郡日，天柱峰茶可惠三数角。”其人献之数十斤，李不受退还。明年罢郡，用意求精，获数角投之。德裕阅而受，曰：“此茶可以消酒食毒。”乃命烹一瓯，沃于肉食内，以银合闭之。诘旦，因视其肉，已化为水。众服其广识。

——唐 · 无名氏《玉泉子 · 李德裕辨天柱茶》（潜山、霍山旧志亦载）

茶宋榷茶之制：择要会之地，曰江陵府，曰真州，曰海州，日汉阳军，曰无为军，曰蕲州之蕲口，为榷货务六。初，京城、建安、襄复州皆置务，后建安、襄复州务废，京城务虽存，但会给交钞往还，而不积茶货。在淮南则蕲、黄、庐、舒、光、寿六州，官自为场，置吏总之，谓之山场者十三；六州采茶之民皆隶焉，谓之园户。岁课作茶输租，余则官悉市之。其售于官者，皆先受钱而后入茶，谓之本钱；又民岁输税愿折茶者，谓之折税茶。总为岁课八百六十五万余斤，其出鬻皆就本场。

……

天圣元年，命三司使李谘等较茶、盐、矾税岁入登耗，更定其法。遂置计置司，以枢密副使张士逊、参知政事吕夷简、鲁宗道总之。首考茶法利害，奏言：“十三场茶岁课缗钱五十万，天禧五年才及缗钱二十三万，每券直钱十万，鬻之售钱五万五千，总为缗钱实十三万，除九万余缗为本钱，岁才得息钱三万余缗，而官吏廪给杂费不预，是则虚数多而实利寡，请罢三说，行贴射法。”其法以十三场茶买卖本息并计其数，官给本钱，商人与园户自相交易，一切定为中估，而官收其息。如鬻舒州罗源场茶，斤售钱五十有六，其本钱二十有五，官不复给，但使商人输息钱三十有一而已。然必辇茶入官，随商人所指予之，给券为验，以防私害，故有贴射之名。若岁课贴射不尽，或无人贴射，则官市之如旧。园户过期而输不足者，计所负数如商人入息。旧输茶百斤，益以二十斤至三十五斤，谓之耗茶，亦皆罢之。

——《宋史》卷一百八十三志

黄州麻城场，年额二十一万七千四百八斤；蕲州三场，洗马场年额百二十二万一千八百八十七斤，石桥场，二百万四千七百二十九斤，王祺场，五十七万三千八百三十二斤；寿州三场，霍山场年额八十四万五千六十四斤，麻步场四十二万三千六百斤，开顺场三十六万八千八百三十八斤；光州三场，光山场年额十八万八千一百九十一斤，商城场三十八万三千二百六十三斤，子安场十三万三千五百六十二斤；舒州二场，罗源场年额三十万八千一百五十斤，太湖场百二十一万四千一百四十八斤；庐州王同场年额七千七万六千一百二十七斤七千七万（疑“七十七万”之误）。凡十三场，皆课园户焙造输卖或折税，以备榷货务商旅算请。

——《宋会要辑稿》

国朝六榷货务，十三山场，都卖茶歳一千五十三万三千七百四十七斤半，祖额钱二百二十五万四千四十七贯一十。

十三山场祖额钱共二十八万九千三百九十九贯七百三十二，共买茶四百七十九万六千九百六十一斤……舒州罗源场买茶一十八万五千八十二斤，卖钱一万四百六十九贯七百八十五。

——北宋 · 沈括《梦溪笔谈》

舒州怀宁县，多智山，县西北三百里，山高九百八十丈，自寿州霍山县西南入怀宁太湖界，西接蕲州，其山两岸相去十里，北有水一道入霍山县界，小山迤逶一百里连太湖县，山南有水一道流入太湖县界，其山有茶及蜡，每年民得采掇为岁贡。

——宋《太平寰宇记》

多智山，寰宇记淠水源出此，盖多智山即今多枝山，其山，西界英山，南界太湖、潜山。

——清光绪《霍山志 · 地理志 · 山川》

请革芽茶疏

明 · 曹琥

为节贡献，以苏民困事。臣闻：天之生物，本以养人，未闻以其所养人者害人也。历观古昔帝王，忍嗜欲节贡献，或罢或欲诏戒丁监，盖不欲以一人之举而困天下之民，以养人之物而诒害人之患。此所以泽及生民，法垂后世，而王道成矣。

臣查本府额贡芽茶岁不过二十斤，祖宗以来，圣贤相承，不闻以为不足而益其常额。迩年以来，额贡之外有宁王府之贡，有镇守太监之贡，是二贡者，有芽茶之征，有细茶之征。始于方春，迄于首夏。官校临门，急如星火。农夫蚕妇，各失其业，奔走山谷，以应诛（殊）求者，或相对而泣，或困怨而怒。殆有不可胜言者，如镇守之贡岁办千有余斤，不知实贡朝廷者几何？今岁太监黎安行取回京，未及征派，而百姓相贺于道，则往岁之为民病从可知已，臣姑未暇论矣。宁府正德十年之贡，取去芽茶一千二百斤，细茶六千斤，不知实贡朝廷者几何？今岁之贡，取去芽茶千斤，细茶八千斤，又不知实贡朝廷者几何？臣亦不暇论也。今日抚州守御千户所千户吴隆，赍执牌面到府内，称舍人秦钦传奉令旨，去年进贡不敷，要得加添数目，等因在内，其令旨之有无，臣不得而知。若传奉之应否，臣不能不为之寒心也。

凡此自关国体，臣不敢过为之虑。乃若此贡之害，臣不容不为陛下悉数之：方春之时，正值耕蚕，而男妇废业，无以卒岁，此其为害一也；二麦未登，民艰于食，旦旦而促之，使不聊生，此其为害二也；及归之官，又拣择去取十不中一，遂使射利之家，先期采集，坐索高价，芽茶一斤卖银一两犹恐不得，此其为害三也；抑或采取过时，括市殆尽。取无所应，计无所出，又科敛财物，买求官校，百计营求，恐不免祸，此其为害四也；官校乘机私买货卖，遂使朝夕盐米之小民，相戒而不敢入市，此其为害五也。凡此五不韪者，皆切民之深患，致祸之本源。今若不言，后当有悔，臣又安得不为陛下悉数之？

臣今窃禄署府，目观民患，苟有所虑，不敢不陈。伏望陛下扩天地生物之心，悯闾阎穷苦之状，特降纶音，罢此贡献，使方春之时，农蚕不至于失期，草木得全其生意，民物欣欣，颂声斯作，实一方万万年无疆之福，诸福之臻，可致之祥无不毕至，而王道终矣！区区犬马之心，管蠡之见，冒干天威，不胜战栗之至。

——清光绪三十一年《霍山县志》

《安庆府志卷之十二·食货志·贡》：“唐：贡花纱、交棱丝布、茶、蜡、酥、鹿脯、生石斛。”

同志《食货志·产》载“潜山多茶。近六安者佳。有漆。有绵。有纸。多石耳……”。

同志《食货志·岁派供库》：“（安庆府，明——录者注）黄蜡，一千斤。芽茶，一千有四百斤。叶茶，如芽茶数。怀宁，芽茶，二百九十斤。叶茶，二百八十五斤……潜山，芽茶，叶茶，如怀宁之数。”

同志《食货志·川·潜山》：“（县）西八十里，曰开源涧。出罗源。山名。其上有观音崖、石人崖。其石如人。有麟山，曰望山（疑‘四望山’误—录者注）、闵山，有果老岭，其涧多茶，其茶佳。（《纲目》曰：宋时，茶斤值四十六钱。）”

——明嘉靖三十三年《安庆府志》

天下名山，必产灵草。江南地暖，故独宜茶。大江以北，则称六安，然六安乃其郡名，其实产霍山县之大蜀山也。茶生最多，名品亦振。河南、山陕人皆用之。南方谓其能消垢腻，去积滞，亦共宝爱。

顾彼山中不善制造，就于食铛大薪炒焙，未及出釜，业已焦枯，讵堪用哉。兼以竹造巨笱，乘热便贮，虽有绿技紫笋，辄就萎黄，仅供下食，奚堪品斗？

——《中国古代茶叶全书 · 明 · 许次纾 · 茶疏》

今天下产茶处不下数百，致贡者仅十余处，而明朝上供专用六安，其余悉以市焉。每岁上供，霍多至三百六十封，又有副封以补其乏。州额不及什二，是霍倍其力，而六享其成。

——清顺治十七年《霍山县志 · 贡茶》

茶，本山货属，以茶为冠。其品之最上者曰银针（仅取枝顶一枪），次曰雀舌（取枝顶二叶微展者），又次曰梅花片（择最嫩叶为之），曰兰花头（取枝顶三、五叶为之），曰松萝（仿徽茗之法，但徽制截叶，霍制全叶），皆由人工摘制，俱以雨前为贵。其任枝干之天然而制成者最上，曰毛尖。有贡尖、蕊尖、雨前尖、雨后尖、东山尖、西山尖等名（西山尖多出雨后，枝干长大，而味胜东山之雨前）；次曰连枝，有白连、绿连、黑连数种，皆以老嫩分等次也。至茶既老而不胜细，摘则并其宿叶捋而薙（同“剃”）之，曰翻柯，皆为头茶。至五月初复茁新茎，其叶较头茶大而肥厚，味稍近涩。价不及头茶连枝之半，是为子茶。亦有粗细数等。

——清乾隆四十一年《霍山县志 · 产志》

六安州岁贡芽茶二百袋，每袋重一斤十二两。自明弘治七年分设霍山县后，随定额分办，州办茶二十五袋，县办茶一百七十五袋……

国朝因之，至康熙二十三年奉文增办一百袋，州承办三十七袋，计六十四斤十二两，县承办二百六十三袋，计四百六十斤四两。每年州备价发县代买一色芽茶……

本县农户拣雨前极品，新芽一枪一旗，依法择制，以黄绢为袋封贮，共四箱，扛用龙旗龙袱恭进。康熙四十七年，贡茶一千二百袋，雍正七年增办一百袋。乾隆元年贡茶七百二十袋。

——清乾隆十四年《霍山县志 · 茶考》

六安州岁芽茶二百袋，每袋重一斤十二两，明制也。自弘治七年分设霍山县，后随定额分办。州办二十五袋，县办一百七十五袋，送州汇进。以县属州统，而贡茶系本州拜进也。

国朝因之。康熙十七年，经御史条奏，请各省贡茶由藩司差官汇解礼部议准，惟六安岁贡芽茶，仍照旧委员另解至。康熙十年，奉部文增办一百袋，州承办三十七袋，计六十四斤十二两，县承办二百六十三袋，计四百六十斤四两。每年州备价发县代买一色芽茶，详请勘合，委官解送。州县递年输值。州解，则县夫送至州，本州雇夫送至金斗驿。县解，则县夫径送金斗驿。交替。其茶，从前着落本县农户派拣雨前极品，新芽一枪一旗，依法摘制，以黄绢为袋封贮。共四箱。扛用龙旗龙袱。茶进本州，每岁申报各宪，叙明在案。

历来例进贡茶三百袋，每袋重一斤十二两。原系茶户办纳本色，委官起解。每窠正征水脚费银二钱二三分不等，后因粮户办纳，色味不能画一，累次换补，民不堪命。康熙三十七年，前令徐据士民公请，纳银官办。每窠折银三钱五分，官民称便。康熙四十六七年，茶被水冲豁去一千二百余窠，不敷办解。复议每窠征银四钱五分。于康熙五十九年奉部文添办芽茶一百袋，州办十二袋，县办八十八袋，共四百袋。又议按窠增银一钱五分，每窠共征银六钱。至雍正七年，奉文将添办一百袋之茶暂行停止。雍正十年，礼部奏明仍添办芽茶一百袋，永著为例。乾隆元年，王公等分家部檄，再添办芽茶七百二十袋。又于正额外，征银办解。乃产茶之地无增于前，而办茶之银屡加于后，民力未免竭蹶。经生员汪有本、李毓堂、宋瓒、里民陈应彪、张采一等赴宪沥陈下悃，蒙抚宪赵公国麟奏请，王大臣等议奏，恩准每年仍额办芽茶四百袋，每窠止征银四钱五分。又因乾隆元年添办芽茶七百二十袋，着将应办芽茶四百袋，自乾隆三年为始，停解二年，以舒民力。于乾隆五年起，循照二年改例办解。官民愈戴德奉公矣。各奉议告附后。

康熙十七年，御史蒋鸣龙疏请各州县芽茶汇解总差官吏进贡礼部议云：江南、浙江、江西、湖广、福建五省芽茶，每岁采摘装封，钤印封固，俱限谷雨后十日起解，程途远近，各有限期，已经题定。嗣后浙江省应解芽茶，照江西省例，布政司汇齐封固，缮疏起解。又江南、湖广、福建此三处应解芽茶，系各该州县委员解进。今此三省所解芽茶，亦应俱照江西省例，汇齐起解。内有江南省六安州及霍山县所进六安茶，该地方进到，随即陈部，会同光禄寺交送总管内务府内用，非别样芽茶可比，应此，六安州茶仍照前例，另委解进。奉旨依议。

乾隆二年五月，巡抚安庆等处地方、提督军务、都察院右副都御史赵为知会事，乾隆二年二月三十日，内阁抄出巡抚赵奏称：窃照六安州霍山县每年例解进贡芽茶三百袋，始系茶户办纳，本色交官起解，每窠正征水脚费银二钱二三分不等，后因民办本色，不能画一，每年发换补解，民多苦累，于康熙三十七年据士民公请纳银官办，每窠议折银三钱五分。康熙四十六七年茶被水冲，豁去一千二百余窠，不敷办解，复议每窠征银四钱五分。雍正十年，部文添办芽茶一百袋，永著为例，每窠又议增银钱五分，每窠共征银六钱。乾隆元年，王公等分家部行，添办芽茶七百二十袋，又增征办解在案。伏思产茶之地，不加于前，而办茶之银，屡增于后。旧为四钱五分者，忽征六钱，民力自觉艰难。至光禄寺内务府遇有公事，需索添解，地方官不得再加征派。现今江浙粮河，逢鲥鱼折价，悉蒙豁免。兹芽茶一项，似应仰邀圣恩，嗣后每年以三百袋为额，每窠止征银四钱五分。其奉文新添一百袋，动存公银两添补办解。如奉文额外需用者，亦领存公银两采办，永不加征茶户。等因具奏，于乾隆二年二月二十八日奉朱批，总管内务府王大臣议奏，钦此钦遵，该臣等查得江南六安州霍山县每年额解茶三百袋，每袋重一斤十二两，因库贮六安州茶不敷应用，于康熙五十九年移咨该抚添办一百袋。至雍正七年，因库内节年存贮茶斤颇多，经臣衙门移咨该处，将添解之茶暂行停止存案。嗣于雍正十年，各处需用茶斤甚多，不敷应用，恐一时采办，系粗茶，不堪内廷应用，是以臣衙门仍照前例移咨该处，添增芽茶一百袋。今该抚奏称，添解茶斤，民力未免艰难等语。但查该省所增芽茶一百袋，原自康熙五十年加增，并非近年添增之项，节年遵行已久，应令该抚仍行照旧办解。再乾隆元年添办芽茶七百二十袋，缘王公等分家需用之项，臣等遵照皇上爱惠元元之至意，请将额解芽茶四百袋，自乾隆三年为始，停解二年，以舒民力。其六安州解到芽茶七百二十袋，相应贮库，以抵二年供用。仍行文该抚，出示晓谕，务令小民均沾实惠。至请动用存公银两办解之处，毋庸议，可也。为此谨奏，请旨等因，于乾隆二年四月十五日具奏，奉旨依议。钦此等因，移咨到院，准此。除行江宁布政司转行饮遵外，合行出示晓谕，为此示仰办茶园户人等知悉，即便钦遵毋违。

（茶窠正额贡茶以窠名，未详何义。其窠数向未定额，增减之权，邑长得主之。至乾隆二年，奉部核定州县进贡芽茶袋数，并定每窠征银四钱五分。随奉宪檄，每窠银数照八折钱算，即以本年在册茶窠为准。于是茶窠侔于粮亩，莫能增减矣。计在册茶窠现共三千七百四十一窠，共征八折钱一千七百八十三两八钱一分二厘。制办雨前极品芽茶，并解官盘缠，及夫脚扛箱等杂费。解官以州县巡检司间年输解。）

——清嘉庆《霍山县志》

旧志云：霍之产茶，大利大害也。境内山多田少，茶户藉以抵田粮之半，故催征动俟茶春后。土人不辩茶味，唯燕赵豫楚需此日用，每隔岁经千里挟资裹粮，投牙预质。及采造时，男妇错杂，歌声满谷，日夜力作不休。富商大贾，骑从布野，倾囊以质。百货骈集，开市列肆，妖冶招摇，亦山中盛事。然事关献纳，大尹或过为郑重，左右遂乘其意，变乱黑白，簧鼓小民，以规厚利。又云贡茶自解京而后，民间已无多藏。而上官买茶，动以千百斤计，其发价未必抵寻常之半。而仓促搜索民间，其价必三倍之。官责之衙役，衙役凭报茶户，任情那移。富者贿免，仍出藏茶以邀倍价。贫者勒赔，破产倾家以完公事。其交茶又须贿赂左右，不然一茶而俄指为荆和，俄认为燕石，致令当事者东西易面，而不知民始为茶所累。而兴作无资，则茶愈荒芜。所出之茶，不足以供茶粮。僦以与人，人又畏其负累，卒之日夕不谋，而茶粮犹在。噫！亦苦矣！《己巳志》吴令学山云："今幸上宪加恩，民免前累。而茶贾茶行，朋结为奸，侵削日甚。诸贾隔岁挟资投行，预质牙侩，负诸贾子母，每刻削茶户以偿之。诸贾所携白金，间有自带小炉，镕改低色，不与足纹（近概用制钱，不虞诈伪矣，又苦有扣折之病。）茶秤过大，与市秤迥不相符。罔顾国家画权衡之定制，且茶品之高下，茶值之低昂，随口任心，茶户莫能与较。又格外多取样茶，与茶贾均分，视正茶不啻十分之一。每茶市罢后，茶贾以轻价获重货，捆载而归。牙侩亦饱囊橐。而茶户虽终年拮据，不免竭资枵腹，终叹磬悬。则奸蠹之为厉深哉！"吴公学山既已洞悉其弊，谆谆告诫，申详各宪。幸各宪轸念民艰，屡次申饬乡保稽查，茶户稍沾实惠。究竟弊端尚未能悉除，惟留心民瘼者不时加察焉。

——清嘉庆《霍山县志·利病》

按，古无茶字，茶荈之赐，始见于《三国·吴（志）》。至晋著饮乃盛，而霍茶黄芽之名已肇于西汉。史记云，寿春之山有黄芽焉，可煮而饮，久服得仙。则茶称瑞草魁，霍茶又为诸茗魁矣。六霍旧隶寿春，天柱石室古为仙窟，故其茶又名仙芽。唐李德裕遗书舒州牧曰："到郡日，天柱茶可惠三数角"。献数十斤，李谓易视，此茶不受。明年精求之，以数角投，悦而受之。曰："此茶能消滞物。"因命烹一瓯，沃肉食内，以银合闭之。诘旦视肉，已化为水。众服其广识。则霍茶功效，当在阳羡诸品上。宋裴汶云："寓内以茶为土贡者实众，而顾渚蕲阳蒙山为上，其次者寿阳义兴（即宜兴阳羡茶）碧涧邕湖衡山，最下有郡阳浮梁。"寿阳即寿春也。明代天下产茶以百数，致贡者仅十余处，而上供专用六安，谓寿阳居次，恐亦非定论也。

——清嘉庆《霍山县志·茶考》

货之属。茶为第一。茶山环境皆有，大抵山高多雾，所产必佳。以其得天地清淑之气，悬岩石罅偶得数株，不待人工培植，尤清新绝伦，故南乡之雾迷尖、挂龙尖（在包家乡境——编者注）二山左右所产为一邑之最。采制既精，价亦倍于各乡。茶商就地收买，请女工检提分配花色，装以大篓，运至苏州。苏商薰以珠兰、茉莉，转由内洋至营口，分售东三省一带。近亦有与徽商出外洋者。次者东北乡与西南近城一带，多北运至亳州及周家口，半薰茉莉，转售京都、山西、山东。而西乡自土地岭以西，迤逦而南，茶叶厚，微苦，枝杆粗大，采焙不精，皆青齐茶商于在大化坪、五溪河收买，运销山东一路。诸佛庵以北数保，则由土人运潮枝至州境之流波潼，西商收买，自行焙制，运销山西、外蒙古等处。极西之九五保，所出极微，味制俱逊，多为鄂人收买。至前志所载诸名目花色，如银针、雀舌，则茶始萌者；梅花片、兰花头、松萝春，则茶初放叶者也，统名之为小茶，价既数倍，采亦维艰。故惟近城及柳林河、诸佛庵数处有之，运售京都为多。气候则东南稍暖，谷雨前即可采摘，故有雨前、毛尖之名。西山谷雨后始能开山，间数日，采摘一次，须二旬始毕。故有头道、二道、三道、四道之分。最后，并宿叶而撷之，曰翻柯老茶，为民间常用。春茶既毕，五六月复生新苗，谓之子茶。其干扁而味微涩，价亦半减。然爱惜茶株者，恒蓄不采，取次春茶必茂盛。

——清嘉庆《霍山县志·货之属》

天柱山，旧名南岳，高七千余仞，绵亘数百里，连跨安庆、六安界。其南曰灊山，其北曰霍山，皆此山也。《史记》武帝登礼灊之天柱山，号曰南岳。

——清嘉庆《霍山县志·卷末》

予少年嗜六安茶，中年饮武夷而甘，后乃知岕茶之妙，此三种可以终老，其他不必问矣。岕茶如名士，武夷如高士，六安如野士，皆可为岁寒之交。六安尤养脾，食饱最宜。但鄙性好多饮茶，终日不离瓯椀。

——清·张英《聪训斋语》

史记称：寿春之山有黄芽焉，可煮而饮，久服得仙。六霍旧寿春故也。一曰仙芽，又称寿州霍山黄芽。六安州小岘春，皆茶之极品，明朝始入贡。自弘治七年分设霍山县，州茶县贡。县户采办者例应汇州总进。

——清同治十一年《六安州志·物产》

茶 赋

清·潘子嘉

惟山川之鸠秀，育群卉而有茶。会坤灵之清淑，感岁纬之真华。润风雨之知泽，饫椒冢之烟霞。阅百年以延寿，贯四序而柔嘉。护鬌发以金线，傲元英于素葩。惊蛰虫于未启，占百草之先花。干瓜芦以有类，叶蒼落卜而相枒。花蔷薇而一色，实并榈以同夸。肖丁香以带缀，状胡桃而根赊。植烂石与砾壤，上阳崖而次注。是以气挹芝兰之清茀，味加橄榄之余佳。功平羞珍之城府，德倾黄老之骄奢。虽天工之酝美，亦不力之精加。开物先于致用，备武器于纷拏。故其采也，挹重岚，曳湛露，载朝暾，饮晨务。絜独足以（打不出，上“叔”下“虎”）蹲，广一笭等而襁负。拂众叶之纷披，捡灵芽之纤露。陟革岵之危升，扪藤崖之险度。历一掬之盈盈，裰群据之□□。其制也，爇松青，灼荆紫，炙金铛，乘笙篚。抻苦泽之淋漓，揵残枝之霍靡。犟�之溟濛，绩文螭之逶逦。征兽炭之柔蒸，勤鸧杓之辗举。燥叶底于群回，焠突头之烟缕。其烹也，然活火，汲清流，荡宿器，浴新瓯。听羊肠之宛转，眠蟹眼之咿呦。沸松涛之三点，逗武火之连遛。别离于迤逦，依坤惠于迟留。浮云花之掩映，凝沫饽之夷犹。其品也，雀舌为始，翻科为终。清明上谷雨之考，耳环奏风头之功。旗展群萌之帜，鎗伸数日之锋。

毛蕤以白秀，色□□而青蒙。其候也，季春肇举，仲秋乃残。旷浃旬而一举，历周月而相旋。畏熏风于易老，感商意而先殚。异精粗于朝暮，辨葰莾于兰珊。其庋也，篁笼器密，箬荐功深。喜焙光之近暖，惮日色之留腥。远突宦之气湿，固罂□之香新。既因天于有艺，又启众于谋成。虽群勋之莫述，聊诸利于一陈。若乃□醺舞权，□□肆崇。头云眩以岑岑，目花飞而瓢瓢。邻醭率酢而翻脾，川椴寄辛而烦胃。引吾茶而一酌，则沉耐自释，宿酲为退。恶逆载降，哕馀尽废。刘伶忘五斗之思，阮籍回百朝之醉。若乃华胥呈治，黄粱试术；目既开而重暝，神终倦而忘复；气萧索以心昏，魂飘杨而体出；引吾茶而一酌，则觉动眉衡，清生肌骨。菖蒲无颜，枕簟常裀。希夷起数月之蛰龙，君寔谢一帏之圆木。若乃周浆未迎，颜瓢不举；喉燥燥以腾烟，唇焠焠而腱起；津无泽以舌枯，液收滆而肺疻；引吾茶而一酌，则井洌歛寒，庶浆藏美，五内荣滋，三焦火弛。相如斶病渴之虞，孟德雪望梅之耻。若乃肥甘献鲭，滫髓尽餘；食彭亨以久蟠，脍□□而求释；气中结而懑烦，腋四充而一郁；引吾茶而一酌，则轻汗发肤，残腥回力。菜菔增惭，鸡苏自失。惠饭却东坡之饱，斗米破廉公之积。若乃青精乏□，胡麻不至，肠霍霍以虚鸣，腹嘈嘈而待饲，朵颐象以垂涎，染指羹而丛意；引吾茶而一酌，则饥胃暂忘，餐心亦慰。残炙何求，一餐非利。翳桑无倒戟之恩，冥报止觞玉之馈。是以甲天下以为良，冠众芳而独异。既方域之限殊，宜臭味之莫对。至若雷鸣吐秀，仙掌虚荣。玉蝉声震，金沙水空。铁色潭隐，黄围靳封。鹅顶西山以敛味，兽目东川而输雄。露设钱芽而丧气，绿英紫笋而无功。明月歌芳于碧涧，紫茸过秀于东风。鸠坑惨，阳坑穷。凤岭愧，龙焙凶。火前寂，雨前槽。麦颗置，谷芽芃。悉四方之庑产，成一善之无崇。较勋庸于有利，屏下类于荒丛。是以陆羽交深，王濛契厚。志崇忘形，卢仝缔旧。君漠録美以告，君文锡谱奇而著。后龟蒙定盟于顾渚，伯熊表能于准右。滞壅矜景休之消释烦腻，珍子瞻之浓漱此英。产所以留情而图经，为之腾茂也。虽一物之杳征，亦二五之异受也。历唐宋而或遗，候昭代而独遘也。嗟人才之用否，独吾茗之拚漏也。翕大小于敷施，正人君之旁求而待售也。爰材用之崇卑，举大化之所甄囿也。能除戒而豫思，则无微之不器授也。信迩言之静正而同，道之包贯乎宇宙也。

——清同治《六安州志·艺文》

霍山……物产富博，厥为上上，大宗如芽茶、竹木、茯苓、木耳、丝、麻、山纸。

——清光绪三十一年《霍山县志》

定额岁贡茶三百六十封，茶时由县官在茶粮项下征银价买采办雨前极品芽茶，取一枪一旗依法拣制。又代办六安贡额四十封，由州官给银发价，合县额共四百封（又内有里袋七十二封，每封十四两）……盛以绢袋，用黄白封为箱，共四箱为扛，标以旌袱……龙旗，县官焚香拜进，识其缄，曰守土臣某谨贡。岁遣官由驿解达。

——清光绪三十一年《霍山县志》

清康熙三十八年（1699年）《六安州志》云：茶通贸迁，礼遗烹沦，其用颇广，六安名亦最著，但自霍邑分治区，茶山数十处皆在霍……开市列肆商贾骈迹者十不及一，乃人习而不察，尽自之为六安，殊不知霍享其实，六当其名耳。

——清光绪三十一年《霍山县志》

《潘志》：六安茶，六与霍所并产也，以六安名者，当霍未建县，已有贡额，从其朔也。《天启志》谓以六安寨得名似凿（寨本名六万，讹称六安）。顾霍山多硗确，六地既广且饶，产茶实浮于霍，而贡额不及什二。考州志有州茶黑、县茶黄之说，恐亦附会。惟产茶之地，东山最早，而东山皆属州境，每年大府荐新及本县贡品，率皆州民于雨前赴县售卖；霍产悉西南，迟在雨后，故不迭入贡，则茶之专名六安，亦纪实也。

《吴志》：土着土偶不辨茶味，唯燕、齐、豫、楚需此日用。每隔岁，经千里挟资而来，投行预质。牙狯负诸贾子母，每刻削茶户以偿之：银则熔改低色，秤则任意轻重，价则随日低昂，且多取样茶。茶户莫能与较；虽迭经告诫，申详各宪，严饬乡保稽查，茶户稍沾实惠，然弊病犹未能尽除也。按茶之为利虽厚，工则最勤苦：日采摘，夜炒焙，恒兼旬不得安枕。人力不足，又须厚雇客工，茶值稍昂，犹可相偿。军兴后，厘捐日益浮费繁多。商人本钱既重，则转而抑减民值。近日行户渐增，竟有汇缘茶商，预计价值操纵行市者。黠贩收买，则又搀老叶加水潮，茶商得以借口，故茶价愈趋愈下。光绪以来，每斤银不外钱余，贱时才七八分，以是民用益绌。近徽郡仿外洋以机器烘焙，制精工省，颇获其利。本邑绅商，如能集股，设公司，精其制作，则利权操之于我，诸弊不禁自除矣。西人亦云：霍茶香味较胜徽产。

——清光绪三十一年《霍山县志·地理志下》

闵山，县西八十里，有果老岭，其山多茶，其茶佳。

——清顺治十二年《潜山县志》

茶类。有芽茶，谷雨前者，岁派供应库二百九十斤，今折价。有叶茶，立夏采者，岁派供应库二百八十五斤，今折价。有苦茶，出皖山，叶似茶而大，非茶种，可却暑疾。

按旧食货志云，潜山多茶，注，近六安者佳。山川志云，望山，闵山有果老岭，其涧多茶，其茶佳。注，纲目云，宋时一觔值四十六钱。

——清康熙《安庆府潜山县志 · 方物》

茶，六邑俱有，以桐之龙山、潜之闵山为最。

——清康熙二十二年《安庆府志》

茶以皖山为佳。产皖峰高矗云表，晓雾布护，淑气钟之，故其气味不待薰焙自然馨馥，而悬岩绝壁间有不种自生者，尤为难得。谷雨采贮，不减龙团雀舌也。前河水吼岭种茶味较浓不逮皖山远甚。

按，旧《食货志》："潜山多茶。"注云："近六安者佳。"《山川志》云："望山、闵山果老岭，其涧多茶。"注：《纲目》云："宋时茶，一斛值四十六钱。"又，《玉泉子》云："有人授舒州牧，李德裕谓之曰：'到彼郡日，天柱茶，可惠数角。'其人献数十斤，李不受。明年罢郡，用意精求，获数角，李悯而受之。曰：'此茶可消食毒。'乃命烹一瓯，沃肉食内，以银合闲之。诘旦开视，其肉已化为水矣。众服其广识。"又，唐秦韬玉有咏天柱茶诗，观此，则天柱茶又最佳矣。

——民国九年《潜山县志 · 卷四 · 物产》

凡茶引，限预年请领，年办年销，商人入山制茶，不论粗细，每引征纸价银三厘三毫。其征收茶课，例于经过各关，按照例则，验引征收，汇入关税项下解部。

同治元年，两江总督曾国藩颁定新章，茶一百二十斤为一引，每引缴正项银三钱、公费银三分、捐银八钱、厘银九钱五分，给发三联引票、捐票、厘票，准将捐项银两照筹饷例一律请奖，各属茶局派员会同地方官办理。二年，每引加捐银四钱。五年，署督李鸿章裁去引捐厘，三票改用落地税票，以归简便。每引仍共完银二两四钱八分，于内划出一两二钱，准作捐项请奖（以上通志）。

安徽茶课，惟潜山、太湖、歙县、休宁、黟县、宣城、宁国、太平、贵池、青阳、铜陵、建德、芜湖、六安、霍山、广德、建平产茶十七县有之，本县产茶无多，向无茶课。光绪初年，商人垄断逐利，始以六安余引溢入县境，设局山七里河、晓天二处，岁报行销千余引，而山民困矣。

——清光绪三十年《续修舒城县志》

西水岭茶亭碑记

清 · 储光祀

周官遗人掌道路之委积，凡国野之道，十里有庐，三十里有宿。而司空又以时平易道路，此王政也，万人之利也。若穷乡僻壤，非冠盖游宦之冲，而多崇山峻岭以阻之，则或为王政之所略矣。居其地者，有能为之设方术以便行人，仿先王之遗意而经纪之。岂非济人之一事，而修善于乡者乎？天堂处天柱之北，北通舒霍，西接太湖暨湖北诸府，虽非冠盖游宦之冲，而多崇山峻岭以阻之，然实行人商旅往来之所必经，则亦为通衢矣。西水岭正当西北要道也。累年沙崩水颓，且当盛夏酷暑无憩息之所以解渴烦，行者苦之。今诸君子敛钱伐石，使险隘之地修砌宽平，而又于岭之中腰，买地数亩，建置亭宇，施茶以。盖周官之庐，犹今之茶亭也。兹之茶亭，即十里有庐之遗法也。亭房赁人居之，令职其事。约用工若干，约用费共六百金，阅年而告竣。其余钱约百金，公积为久远之计。吁！亦义举矣。夫为善，岂以为名？然古人造桥修路，施济一方之事，必著之而不容没其实，且使后之君子见而慕焉。相劝而继续之也。爰立石勒姓名于其上，缀词而为之记。皇清道光二年岁在壬午仲夏月吉日储光祀撰

塔儿岭茶亭文公碑记

清 · 王味羹

闻之十里设庐舍，鸿恩播及萍踪；七碗备琼浆，鹿汤庸何梅指？况兰亭饮佳，便欲咏吟；岂茶台香浓，尤嫌小住。皖北塔儿岭，往来要道也。境原僻壤，路属康衢；险异羊肠，程经驿足。问征夫以前路，折梅偏赏庄南；访过客兮后尘，往〇曾通河北。望黄沙半岭，步步骈来；笑红雨一肩，人人鳞至。足期云托，腋愿风生。前此茅屋数椽，风清月冷；怜那草亭几柱，人淡花闲。浊茗虽煎烟，原炊乎土灶；春芽欲酌价，必偿夫金钱。每遇大雅名流，青铜不惜；奈有穷途逆旅，碧囊亦空。对彼乳液流香，苦我腰缠无钞；即喜云腴雪脚，莫供绣口诗肠。我辈闲观，情难坐视。处一襟寒士，未能舍食而施衣；凭半点良心，宁云济人以利物。亭既改造岭际，茶并施设其间。座绕风檐，暂息游肩之苦；壶藏春叶，欣润汤肺之甘。仰看天柱峰前，对堪醉饮；倚向木栏杆外，听乐高谈。盏底流黄，也胜杯中橘赠；瓯浮泛绿，何须梦里钱还。纵非雪落飞飞，芳流齿颊；但得风吟嫋嫋，凉沁心脾。结构愧鸟革之华，烹松乏鸦山之味。竹期款客，奚妨谢以好歌；草室书怀，切勿羞兹俚语。

立杜捐契维新公裔经济仝侄燮羹：今将塔儿岭头，草屋一所，屋头上地一处，杜捐与祖文公茶局名下，建亭施茶．其界东凭燮羹山坳脚干沟，节节直上至坳向北曲转直上至凸曲转向西，由大岗脊分水直下至石土地庙下坎，抵人形大路，曲转向南南由人形大路至下微转凭屋搧外坎下，余地横过抵干沟口上坎超东起首为界．界内听茶局之用，刻石勒碑永垂不朽。

皇清光绪十六年岁次庚寅季秋月上浣之六日立

杜捐契维新公裔经济仝侄燮、羹俱押，奉书男味羹

第二十一章　标准　荣誉

第一节　技术标准

（一）地理标志产品岳西翠兰

安徽省地方标准

DB34/T430—2018
代替 DB34/T430-2004

2018-04-16 发布　　2018-05-16 实施

安徽省质量技术监督局　发布

前　言

本标准按照 GB/T17924《地理标志产品标准通用要求》和 GB/T1.1-2009 给定的规则起草。

本标准代替 DB34/T430-2004《岳西翠兰茶》。

本标准与 DB34/T430-2004 相比主要变化为：

——根据国家质量监督检验检疫总局颁布的《地理标志产品保护规定》，修改标准名称；

——增加了地理标志产品保护范围，见 4；

——调整了鲜叶分级标准，见 7.1；

——修改了感官指标项目，见 7.2；

——修改了理化指标项目，见 7.3；

——增加了质量安全指标，见 7.4。

本标准由岳西县市场管理监督局提出。

本标准由安徽省农业标准化技术委员会归口。

本标准起草单位：岳西县茶业协会、岳西县农业委员会、岳西县茶叶局、岳西县市场监督管理局。

本标准主要起草人：徐卫兵、焦丰宝、钱子华、方再友、丁天生、胡流芳、蒋本勤、陈庆昌、王长生、荣光明。

地理标志产品　岳西翠兰

1. 范围

本标准规定了地理标志产品岳西翠兰保护范围、产地、分级、要求、试验方法、检验规则、标志标签、包装、运输、贮存。

本标准适用于国家质量监督检验检疫总局根据《地理标志产品保护规定》批准保护的岳西翠兰。

2. 规范性引用文件

下列文件对于本文件的应用是必不可少的。凡是注日期的引用文件，仅所注日期的版本适用于本文件。凡是不注日期的引用文件，其最新版本（包括所有的修改单）适用于本文件。

GB/T191 包装储运图示标志

GB2762 食品安全国家标准食品中污染物限量

GB2763 食品安全国家标准食品中农药最大残留限量

GB5009.3 食品安全国家标准食品中水分的测定

GB5009.4 食品安全国家标准食品中灰分的测定

GB7718 食品安全国家标准预包装食品标签通则

GB/T8302 茶取样

GB/T8303 茶磨碎试样的制备及其干物质含量测定

GB/T8305 茶水浸出物测定

GB/T8310 茶粗纤维测定

GB/T8311 茶粉末和碎茶含量测定

GB/T23776 茶叶感官审评方法

GB/T30375 茶叶贮存

SB/T10035 茶叶销售包装通用技术条件 SB/T10037 红茶、绿茶、花茶运输包装

JJF1070 定量包装商品净含量计量检验规则

DB34/T431 岳西翠兰茶生产加工技术规程

3. 术语和定义

下列术语和定义适用于本文件。

3.1

岳西翠兰 Yuexicuilan

选用岳西县境内栽培的适制岳西翠兰的茶树良种鲜叶，采用岳西翠兰特定的加工工艺制作而成的茶。具有“翠绿鲜活、芽叶相连、舒展匀整、清香持久、鲜醇爽口”的品质特征。

4. 地理标志产品保护范围

地理标志产品岳西翠兰保护范围限于国家质检总局 2013 年第 175 号《关于批准对戎子酒庄葡萄酒等产品实施地理标志产品保护的公告》批准的范围。

岳西翠兰产地范围为安徽省岳西县现辖行政区域，见附录 A。

5. 产地及加工工艺

5.1 产地

应符合 DB34/T431 的规定。

5.2 加工工艺

鲜叶、摊放、头锅、二锅、摊凉、毛火、摊凉、足火、包装。

具体要求应符合 DB34/T431 的规定。

6. 分级

岳西翠兰分为特一级、特二级、一级、二级。

7. 要求

7.1 鲜叶

各级鲜叶质量标准符合表 1 的规定。

表 1　各级鲜叶质量指标

级别	芽叶嫩度	芽叶质量要求	叶色
特一级	一芽一叶初展及以上	芽头肥壮，匀齐	嫩黄绿
特二级	一芽一叶开展及以上	芽叶完整，匀齐	嫩绿
一级	一芽二叶初展为主	芽叶完整，较匀齐	绿
二级	一芽二叶开展为主	芽叶完整，较匀齐	绿

7.2 感官指标

各级感官指标应符合表 2 的规定。

表 2　各级感官指标

级别	外形	内质			
		汤色	香气	滋味	叶底
特一级	芽头壮实，色泽翠绿鲜活，匀净	嫩绿、明亮	嫩香、清鲜	鲜爽、回甘	嫩黄绿、匀亮
特二级	芽叶肥壮，翠绿鲜润，匀净	嫩绿、明亮	清香、高爽	鲜醇、回甘	嫩绿、匀亮
一级	芽叶成朵，舒直，翠绿鲜润，较匀净	绿、清亮	清香、高长	醇厚、回甘	黄绿、匀亮
二级	芽叶成朵，舒展，翠绿较润，较匀净	黄绿、明亮	清香、纯正	醇厚	黄绿、较匀亮

7.3 理化指标

理化指标应符合表 3 的规定。

表 3 理化指标

项目	指标
水分（%）	≤ 6.0
水浸出物（%）	≥ 36.0
总灰分（%）	≤ 6.0
粗纤维（%）	≤ 14.0

7.4 安全卫生

7.4.1 污染物限量指标应符合 GB2762 的规定。

7.4.2 农药残留限量指标应符合 GB2763 的规定。

7.5 净含量

包装的净含量负偏差应符合 JJF1070 的规定。

8. 试验方法

8.1 取样按 GB/T8302 的规定执行。

8.2 制样按 GB/T8303 的规定执行。

8.3 感官检验按 GB/T23776 的规定执行。

8.4 水分检验按 GB5009.3 的规定执行。

8.5 水浸出物检验按 GB/T8305 的规定执行。

8.6 总灰分检验按 GB5009.4 的规定执行。

8.7 粗纤维检验按 GB/T8310 的规定执行。

8.8 碎末茶检验按 GB/T8311 的规定执行。

8.9 安全卫生指标检验按 GB2762 和 GB2763 的规定执行。

8.10 包装的净含量负偏差检验按 JJF1070 的规定执行。

9. 检验规则

9.1 交收（出厂）检验

9.1.1 交收（出厂）检验内容为感官品质、水分、粉末和碎茶、净含量和包装标签。

9.1.2 每批产品交收（出厂）前，生产单位应按本标准进行检验，经检验合格，并附有合格证的产品方可交收（出厂）。

9.2 型式检验

有下列情况时，应对产品质量进行型式检验：

a）首次批量生产前；

b）原料、工艺、机具有较大改变，或能影响产品质量时；

c）国家质量监督机构或主管部门提出型式检验要求时。

9.3 判定规则

9.3.1 凡劣变、污染、有异味或卫生标准不合格的产品；不严格按照岳西翠兰的鲜叶要求及制作工艺制作，或在制作过程中添加色素、香味等物质，均判为不合格产品。

9.3.2 除卫生指标外，理化指标有一项不合格的或感官指标不符合判定级别的，应在原批产品中加倍抽取样品复检，复检仍不符合标准要求的，则判该批为不合格产品。

9.3.3 对检验结果有争议的，应对留存样进行复检，或在同批产品中重新按 GB/T8302 规定加倍抽样，重新抽样应由争议的双方共同进行，对有争议项目进行复检，以复检结果为准。

10. 标志、标签、包装、运输、贮存

10.1 标志、标签

标志应符合 GB/T191 的规定，标签应符合 GB28050 的规定。

10.2 包装使用要求

销售包装应符合 SB/T10035 的规定，运输包装应符合 SB/T10037 的规定。

10.3 运输

运输工具应清洁、干燥、无异味、无污染；运输时应防潮、防雨、防曝晒；装卸时轻装轻卸，防撞击、防重压，严禁与有毒、有害、有异味、易污染的物品混装混运。

10.4 贮存

岳西翠兰应贮存于清洁、干燥、低温、无异味的专用仓库中，严禁接触有毒、有害、有异味物质。贮存条件符合 GB/T30375 的要求。

附录 A

（规范性附录）

岳西翠兰地理标志产品保护范围

A.1 岳西翠兰地理标志产品保护范围

岳西翠兰地理标志产品保护范围见图 A.1。

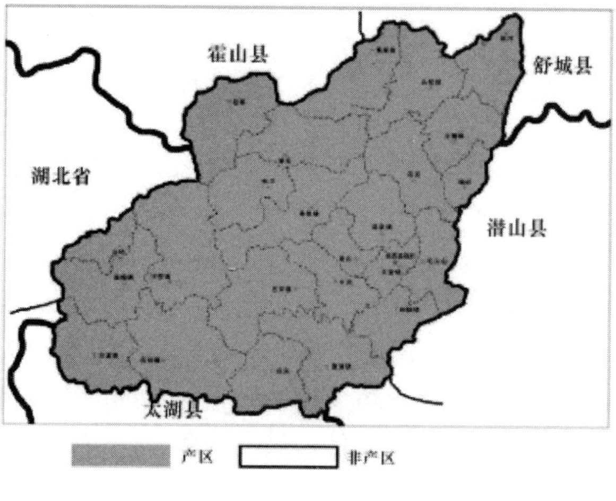

岳西翠兰地理标志产品保护范围

（二）岳西翠兰茶生产加工技术规程

安徽省地方标准

DB34/T431—2017
代替 DB34/T431-2004

2017-12-30 发布　　2018-01-30 实施

安徽省质量技术监督局　发布

前　言

本标准按照 GB/T1.1-2009 给出的规则起草。

本标准代替 DB34/T431-2004《无公害岳西翠兰茶生产加工技术规程》。

本标准与 DB34/T431-2004 相比主要变化为：

——根据国家质量监督检验检疫总局颁布的《地理标志产品保护规定》，修改标准名称；

——增加了岳西翠兰机械加工内容。见条款 7.2.4。

本标准由安徽省岳西县市场管理监督局提出。

本标准由安徽省农业标准化技术委员会归口。

本标准起草单位：岳西县茶业协会、岳西县农业委员会、岳西县茶叶局、岳西县市场监督管理局。

本标准主要起草人：焦丰宝、徐卫兵、钱子华、荣光明、方再友、蒋本勤、陈庆昌、王长生。

岳西翠兰茶生产加工技术规程

1. 范围

本标准规定了地理标志产品岳西翠兰茶的基地选择与规划、茶树种植、茶园管理、鲜叶采摘装运、鲜叶加工。

本标准适用于批准范围内岳西翠兰茶生产、加工。

注：地理标志产品岳西翠兰茶保护范围限于国家质检总局 2013 年第 175 号《关于批准对戎子酒庄葡萄酒等产品实施地理标志产品保护的公告》批准的范围，岳西翠兰茶产地范围为安徽省岳西县现辖行政区域。

2. 规范性引用文件

下列文件对于本文件的应用是必不可少的。凡是注日期的引用文件，仅所注日期的版本适用于本文件。凡是不注日期的引用文件，其最新版本（包括所有的修改单）适用于本文件。

GB14881 食品安全国家标准食品生产通用卫生规范

NY/T5010 无公害农产品种植业产地环境条件
NY/T5018 茶叶生产技术规程
NY/T5019 无公害食品茶叶加工技术规程
DB34/T430 岳西翠兰茶

3. 基地选择与规划

3.1 自然环境条件

岳西翠兰茶限定在岳西县境内特定的自然环境条件下生产；基地选择在岳西县境内适宜茶树生长、生态环境良好、具有可持续生产能力的区域；其生态环境指标应符合 NY/T5010 的规定。

3.2 基地规划与建设

基地规划与建设应符合 NY/T5018 的有关规定，有利于保护和改善茶区生态环境，维护茶园生态平衡，发挥茶树良种的优良种性，保证岳西翠兰茶品质稳定和提高，有利于茶园管理和作业。

4. 茶树种植

应符合 NY/T5018 的要求。

5. 茶园管理

应符合 NY/T5018 的要求。

6. 鲜叶采摘、储运

6.1 鲜叶采摘

6.1.1 开采期

根据茶树生长状况及采摘标准确定，当 10%的芽叶达到适合制作岳西翠兰茶的标准时适时开采。

6.1.2 采摘标准

各级茶的采摘标准应符合 DB34/T430 的规定。

6.1.3 采摘方法及要求

按标准采，要求提采，保持芽叶完整、新鲜、匀净，不允许捋采、抓采和掐采。每批采下的鲜叶要求芽叶完整，嫩度、匀度一致。

6.2 鲜叶装运

6.2.1 采用清洁卫生、通气良好的网眼茶篮、篓筐硬包装材料制成的工具盛装鲜叶，禁用塑料袋、编织袋等透气性差以及软包装工具装运鲜叶。

6.2.2 鲜叶运送必须及时，避免日晒雨淋，防止发热、机械损伤，严禁混入有毒、有害、有异味物质。

7. 加工

7.1 加工条件

7.1.1 环境条件

应符合 NY/T5019 的规定。

7.1.2 卫生条件

应符合 GB14881 的要求。

7.2 加工工艺

7.2.1 工艺流程

鲜叶、摊放、杀青、整形、摊凉、毛火、摊凉、足火、摊凉、包装。

7.2.2 鲜叶摊放

至叶质发软，发出清香，含水量以 68% ~70% 为宜。

7.2.3 手工制作

7.2.3.1 工艺流程

鲜叶、摊放、头锅、二锅、摊凉、毛火、摊凉、足火、摊凉、包装。

7.2.3.2 头锅

锅温 120℃ ~130℃。每锅投叶量 100g~150g。采用“抓、抖、撒、理”等手法，待叶质变软、青气消失、茶香出现时，用茶把扫入第二锅。

7.2.3.3 二锅

锅温 80℃ ~100℃。采用“拢、带、撒、理”等手法，直到茶条成形，用茶把扫出锅面。

7.2.3.4 摊凉

将二锅叶均匀薄摊，待余温散尽，叶质回软即可。

7.2.3.5 毛火

采用炭火烘焙。烘笼顶部温度 80℃ ~90℃。适度轻翻，待烘至七成干时，下烘摊凉。

7.2.3.6 摊凉

将下烘茶叶倒入竹匾中，摊放时间 1h 以上。

7.2.3.7 足火

采用低温慢烘。烘笼顶部温度为 50℃ ~70℃。烘焙中要适度轻翻，烘至茶香散发，手捻成末，下烘摊放备装。

7.2.3.8 包装

充分摊凉后密封包装。

7.2.4 机械制作

7.2.4.1 工艺流程

鲜叶、摊放、杀青、整形、摊凉、初烘、摊凉、复烘、包装。

7.2.4.2 杀青

温度达到 220℃ ~300℃时，即可投叶杀青。投叶量、投叶速度视机械性能、鲜叶质量不同适当调整，杀青时间 2min~3min。

7.2.4.3 整形

整形机温度达 80℃ ~90℃时即可投叶。至茶香显现、条形自然收紧为宜。

7.2.4.4 初烘

烘干机温度 110℃ ~130℃投叶，高温快烘，摊叶厚度以 1.0cm~1.5cm 为宜。烘至手抓茶叶有刺手感，手捏茶梗不断，叶片易碎即可。

7.2.4.5 摊凉

摊至余温散尽，叶质回软，方可复烘。

7.2.4.6 复烘

采用低温、慢烘，温度 70℃ ~80℃，摊叶厚度 3cm 左右。至手捻成末，即可下烘备装。

7.2.4.7 包装充分摊凉密封。

（三）岳西翠兰茶企业标准

安徽省地方标准

Q/CL0001S-2012

2012-10-01 登记　　2012-10-25 实施

安徽翠兰投资发展有限公司　发布

前　言（略）

岳西翠兰茶

1. 范围

本标准规定了岳西翠兰茶的术语与定义、分级、实物标准样、要求、食品添加剂、生产加工过程卫生要求、试验方法、检验规则、标志、标签、包装、运输、贮存。

本标准适用于本公司生产的岳西翠兰茶。

2. 规范性引用文件

下列文件对于本文件的应用是必不可少的。凡是注日期的引用文件，仅所注日期的版本适用于本文件。凡是不注日期的引用文件，其最新版本（包括所有的修改单）适用于本文件。

GB/T191 包装储运图示标志

GB2762 食品中污染物限量

GB2763 食品中农药最大残留限量

GB4789.3 食品安全国家标准食品微生物学检验大肠菌群计数

GB5009.12 食品安全国家标准食品中铅的测定

GB/T5009.19 食品中有机氯农药多组分残留量的测定

GB/T5009.20 食品中有机磷农药残留量的测定

GB/T5009.94 植物性食品中稀土的测定

GB/T5009.103 植物性食品中甲胺磷和乙酰甲胺磷农药残留量的测定

GB/T5009.146 植物性食品中有机氯和拟除虫菊酯类农药多种残留的测定

GB5749 生活饮用水卫生标准

GB7718 食品安全国家标准预包装食品标签通则

GB/T8302 茶取样

GB/T8304 茶水分测定
GB/T8305 茶水浸出物测定
GB/T8306 茶总灰分测定
GB/T8310 茶粗纤维测定
GB/T8311 茶粉末和碎茶含量测定
GB/T14487 茶叶感官审评术语
GB14881 食品企业通用卫生规范
GB26130 食品中百草枯等 54 种农药最大残留限量
GB28050 食品安全国家标准预包装食品营养标签通则
NY5244 无公害食品茶叶
GH/T1070 茶叶包装通则
SB/T10157 茶叶感官审评方法
DB34/T430 岳西翠兰茶
DB34/T431 无公害岳西翠兰茶生产、加工技术规程
JJF1070 定量包装商品净含量计量检验规则
国家质量检验检疫总局令第 75 号（2005）定量包装商品计量监督管理办法

3. 术语与定义

岳西翠兰茶：产自岳西县境内茶区，用岳西翠兰茶特定工艺精制而成的，具有岳西翠兰特定品质特征的茶叶。

4. 分级和实物标准样

4.1 分级

岳西翠兰茶分茶王级、极品级、特一级、特二级、特三级、一级、二级、三级八个级别。

4.2 鲜叶标准

茶王级：单芽≥ 95%，非标准叶低于 5%。
极品级：单芽≥ 90%，非标准叶低于 10%。
特一级：一芽一叶初展≥ 90%，非标准叶低于 10%。
特二级：一芽一叶初展≥ 80%，非标准叶低于 20%
特三级：一芽一叶、一芽二叶初展≥ 90%，非标准叶低于 10%
一级：一芽二叶初展≥ 80%，非标准叶低于 10%
二级：一芽二叶初展≥ 70%，非标准叶低于 30%
三级：一芽二叶初展≥ 60%，非标准叶低于 40%

4.3 实物标准样

岳西翠兰茶每级设一个实物标准样，每三年换样一次。

5. 要求

5.1 原辅料要求

5.1.1 鲜叶质量要求

岳西翠兰茶制作采用茶树的幼嫩新梢为原料，要求无劣变，无异味，无非茶类夹

杂物。各等级鲜叶质量符合本标准“4.2”本款要求。茶鲜叶应符合 GB2762、GB2763 和 GB26130 的要求。生产加工用水应符合 GB5749 的要求。

5.1.2 采摘

5.1.2.1 开采期：在每年 3 月中、下旬开采。

5.1.2.2 采摘方法：采用提手采，保持芽叶完整。

5.1.3 装运

5.1.3.1 使用清洁卫生、通气良好的竹篮、篓筐等用具装鲜叶原料，禁用布袋、塑料袋等紧压装运。

5.1.3.2 鲜叶运送应及时，避免闷热、机械损伤和混入有毒、有害物质。

5.2 感官要求

5.2.1 具有该茶类应有的品质，无劣变，无异味，不得含有非茶类夹杂物，不得使用食品添加剂。

5.2.2 各等级茶叶的感官要求应符合表 1 规定。

表 1　感官要求

类别/级别	茶王	极品	特级			一级	二级	三级
			特一级	特二级	特三级			
外形	茶芽壮硕，饱满，舒直匀齐	茶芽饱满，匀齐	芽叶肥壮，舒直匀齐	芽叶相连，舒展匀齐	芽叶相连，自然成朵，	芽叶完整，舒展	芽叶尚完整，舒展	芽叶较完整
色泽	翠绿鲜活	绿鲜，微黄	翠绿鲜活	翠绿鲜活	色绿	色绿微黄	色绿微黄	色绿微黄
香气	清香持久	清香持久	清香持久	清香持久	清香	清香	有清香	有清香
滋味	鲜爽浓醇，回甘	鲜爽浓醇，回甘	鲜醇，回甘	鲜醇，回甘	鲜醇	鲜醇	醇和	
汤色	浅绿明亮	浅绿明亮	黄绿清明	黄绿清明	黄绿清明	黄绿尚清明	黄绿尚明	黄绿
叶底	嫩黄匀亮	嫩黄匀亮	嫩黄明亮	嫩黄明亮	嫩黄尚匀齐	嫩黄尚匀	嫩黄欠匀齐	嫩黄欠匀

5.3 理化指标

理化指标应符合表 2 规定。

表 2　理化指标

项目	指标
水分（%）≤	6.5
碎末茶（%）≤	4.0

续表

总灰分（%）≤	6.5
水浸出物（%）≥	35
粗纤维（%）≤	10
铅（以 Pb 计）（mg/kg）≤	4.5
稀土总量（以稀土氧化物总量计）（mg/kg）≤	2.0
六六六（mg/kg）≤	0.2
滴滴涕（mg/kg）≤	0.2
联苯菊酯（mg/kg）≤	5.0
氯氰菊酯（mg/kg）≤	0.5
溴氰菊酯（mg/kg）≤	5.0
乙酰甲胺磷	不得检出
乐果（mg/kg）≤	0.1
敌敌畏（mg/kg）≤	0.1
杀螟硫磷（mg/kg）≤	0.5
喹硫磷（mg/kg）≤	0.2
顺式氰戊菊酯（mg/kg）≤	2
氟氰戊菊酯（mg/kg）≤	20
氯菊酯（mg/kg）≤	20
注：1. 根据《中华人民共和国农药管理条例》，剧毒和高毒农药不得在茶叶中生产使用。 2. 检验项目可以根据产品质量安全状况和监督抽检工作需要调整。	

5.4 微生物指标

微生物指标应符合表 3 规定。

表 3　微生物指标

项目	指标
每 g 大肠菌群（个）≤	3

5.5 净含量负偏差

单件定量包装茶叶的净含量负偏差应符合《定量包装商品计量监督管理办法》。

5.6 食品添加剂

本产品不使用食品添加剂。

5.7 生产加工过程的卫生要求

应符合 GB14881 和 DB34/T431 的规定。

6. 试验方法

6.1 取样

按 GB/T8302 规定执行。

6.2 感官指标

按 GB/T14487 和 SB/T10157 规定执行。

6.3 理化指标

6.3.1 水分按 GB/T8304 规定执行。

6.3.2 水浸出物按 GB/T8305 规定执行。

6.3.3 总灰分按 GB/T8306 规定执行。

6.3.4 粗纤维按 GB/T8310 规定执行。

6.3.5 粉末按 GB/T8311 规定执行。

6.3.6 六六六、滴滴涕按 GB/T5009.19 规定执行。

6.3.7 溴氰菊酯、氯氰菊酯、联苯菊酯、顺式氰戊菊酯、氟氰戊菊酯、氯菊酯按 GB/T5009.146 规定执行。

6.3.8 乙酰甲胺磷按 GB/T5009.103 规定执行。

6.3.9 敌敌畏、乐果、杀螟硫磷、喹硫磷按 GB/T5009.20 规定执行。

6.3.10 稀土总量按 GB/T5009.94 规定执行。

6.4 微生物指标

6.4.1 大肠菌群按 GB4789.3 规定执行。

6.5 净含量负偏差

按 JJF1070 规定执行。

7. 检验规则

7.1 检验批次

同一产地、同一等级、同一时间段为一批。

7.2 抽样

每批产品随机抽取。

7.3 出厂检验

7.3.1 每批产品出厂前，生产单位应进行检验，检验合格后并附有合格证的产品方可出厂。

7.3.2 出厂检验项目为：感官品质、水分、碎末、净含量和包装标签。

7.4 型式检验

7.4.1 型式检验为全项目检验。

7.4.2 型式检验周期为每年不少于 2 次，在下列情况之一时也应进行：

a）首次批量生产期；

b）原料、工艺、机具有较大改变，可能影响产品质量时。

c）国家质量监督机构提出型式检验要求时。

7.5 判定规则

7.5.1 凡劣变、有污染、有异味或卫生指标有一项不符合标准要求，均判为不合格产品。

7.5.2 除卫生指标外，理化指标有一项不合格或感官指标不符合规定级别的，应在原产品中加倍抽取样本复检，复检中理化指标不合格的，判该产品为不合格产品，感官指标不合格的降级处理。

7.5.3 对检验结果有争议的，应对留存样进行复检，或在同批产品中重新按 GB/T8302 规定加倍抽样，重新抽样应由争议双方会同进行，对有争议项目进行复检，以复检结果为准。

8. 标志、标签、包装、运输、贮存

8.1 标志、标签

8.1.1 标签应符合 GB7718 和 GB28050 规定，应注明产地，企业通过 QS 认证后还应标明生产许可证编号和标志。

8.1.2 运输包装箱的图示标志应符合 GB/T191 的规定。

8.2 包装

8.2.1 包装容器应干燥、清洁、无异味、无毒，不影响茶叶品质。

8.2.2 接触茶叶的包装材料应符合 GH/T1070 的规定。

8.2.3 包装要牢固、防潮、整洁，能保护茶叶品质，便于装卸、仓储和运输。

8.3 运输

运输工具应清洁、干燥、无异味、无污染；运输时应防潮、防雨、防曝晒；装卸时轻装轻卸，防撞击，防重压，严禁与有毒、有异味、易污染的物品混装混运。

8.4 贮存

8.4.1 应贮存于清洁、干燥、低温、无异味的专用仓库中，仓库周围无异味。在当年 5 月底之前未能销售完的岳西翠兰茶，应及时贮存于专用的冷藏保鲜库，防止黄化变质。

8.4.2 贮存仓库不得使用化学合成的杀虫剂、灭鼠剂及防霉剂。

8.4.3 在本标准规定的运输、贮存条件下，岳西翠兰茶的保质期不得低于 18 个月。

第二节 荣誉、历年产量产值

（一）岳西县企业茶叶历年参赛评比获奖

年份	获奖单位	备注
1984	第一名头陀区门楼茶厂，第二名来榜区公山茶厂，第三名主簿区竹山茶厂	县评
1985	翠峰组：第一名主簿区竹山茶厂，第二名来榜区石佛茶厂，第三名头陀区门楼茶厂，来榜区石河、主簿区沙埂、五河区永丰三茶厂分获四至六名。 兰花组：第一名头陀区汪畈茶厂，头陀区乐道与严家茶厂并列第二名，第三名头陀区大滑岭茶厂。 炒青组：第一名头陀区大滑岭茶厂，第二名头陀区王贻让茶厂，头陀区乐道茶厂、主簿区铁铺茶厂分获第三、四名。	县评
1986	第一名三道河茶厂，第三名徐龙茶厂。	县评
1987	第一名来榜公山茶厂，第二名三道河茶厂，土星茶厂、徐龙茶厂并列第三名。	县评

续表

1988	第一名石佛茶厂，门楼茶厂、三道河茶厂并列第二名。	省复评
1989	第一名石佛茶厂，第二名三道河茶厂。	国家复评
1990	第二名石佛茶厂，第三名三道河茶厂，第五名门楼茶厂。	县评
1991	第一名头陀打鼓茶厂，第二名石佛茶厂。	县评
1992	第一名石佛茶厂，第二名头陀打鼓茶厂，第三名沙帽茶厂，第四名门楼茶厂。	县评
1993		
1994	第一名长岭茶厂，第二名五河石畈茶厂，第三名刘家胜茶厂。	县评
1995		
1996	第二名头陀大凸茶厂（陈积善制样）。	县评
1997	第二名头陀大凸茶厂（陈积善制样）。	县评
1998		
1999		
2000		
2001	中国（芜湖）国际茶博会，县神雁公司翠兰牌岳西翠尖获金奖。	
2002		
2003	翠兰组：第一名竹山茶厂。 翠尖组：第一名立彬茶厂。 中国茶叶学会第五届“中茶杯”名优茶评比，古坊林兰茶厂“长岭兰芽”获特等奖。	县评
2004	翠兰组：第一名冯立彬茶厂，第二名石佛公司，天仙河龙头茶厂和雪山庵茶厂并列第三名。 翠尖组：冯立彬茶厂、花墩晔光茶厂、田头联营茶厂分获第一、二、三名。	县评
2005	翠兰组：竹山茶厂、长岗茶厂、港河茶厂（绿月公司）分获前三名。 翠尖组：花墩晔光茶厂、长岗茶厂、储德三茶厂分获前三名。	县评
2006	市茶博会金奖：神雁公司、竹山茶厂、冯立彬茶厂、花墩晔光茶厂、三峰茶厂、天仙河龙头茶厂。 市茶博会银奖：姚河乡梯岭茶厂、姚河乡香炉冲茶厂、头陀镇香草尖茶厂、头陀镇徐记茶厂、店前镇净坪茶厂。 省茶博会金奖：泰复公司“泰复”牌岳西翠兰、岳西县司空山茶厂“地道”牌岳西翠兰、岳西县天仙河龙头茶厂“林苗”牌岳西翠兰、岳西县放风尖茶厂“旺岳”牌岳西翠兰。	省、市评
2007	茶王：冯立彬茶厂。 金奖：石佛村茶厂、储德三茶厂、竹山茶厂。 银奖：水畈茶厂、香炉冲茶厂、公山名茶精制厂、康生源公司、腊石茶厂。 优质奖：岳西县诚信茶行、松毛尖茶厂、花墩晔光茶厂、泰复公司、上壶茶行、放风尖茶厂、石佛翠公司、河上岭茶厂、中蠹茶厂、东渡茶厂。	县评
2008	茶王：香炉冲茶厂。 金奖：三道河茶厂、礼宾公司。 银奖：文宪茶厂、公山茶厂、河上岭茶厂。 优质奖：三棵半茶业合作社、杨湾精制茶厂、南岳公司、花墩晔光茶厂、闻奇公司、水畈茶厂、良奇公司、东渡前进茶厂、放风尖茶叶专业合作社、泰复公司、翠峰茶厂。	县评

续表

2009	茶王：河上岭茶厂与鹞落坪茶叶合作社。 金奖：包家乡冯立启茶厂、立才茶厂、礼宾公司。 优质奖：良奇公司、先节茶厂、公山名茶精制厂、储德三茶厂、南河村茶业合作社、放风尖茶叶专业合作社、徐龙茶厂（三个）、竹山茶厂、南岳公司、双峰寨茶厂、云青茶叶专业合作社、田头联营茶厂、鹞落坪茶叶合作社与河上岭茶厂、天仙河龙头茶厂、三道河茶厂、岚里香茶叶合作社、绿月公司、前进茶厂、惠民茶厂、梯岭茶厂。	县评
2010	茶王：姚河乡竹山茶厂。 金奖：岳西县茶叶专业合作社、包家乡河上岭茶叶公司、主簿镇南田村陈卫平茶厂。 银奖：头陀镇三道河茶厂、来榜镇公山名茶精制厂、古坊乡中心茶厂、岳西县大茗堂茶叶公司、姚河乡梯岭茶厂、安徽礼宾茶业有限公司。 优质奖：菖蒲镇水畈茶厂、岚里香茶叶专业合作社、岳西县花墩畔光茶厂、响肠镇金山茶厂、康生源生态农业开发有限公司、天仙河龙头茶厂、田头乡田头茶厂、岳西县绿月茶业有限公司、安徽南岳茶业有限公司、岳西县放风尖茶叶专业合作社、安徽良奇生态农业科技有限责任公司、岳西县竹山古茶园茶业有限公司、岳西县河口茶厂、菖蒲镇溪沸村前进茶厂、岳西县泰复茶业有限公司、岳西县长岗茶厂。 首届“恒信杯”安徽省茶艺大赛金奖：安徽云林岳西翠兰茶艺表演队。 中国（安徽）第五届“祁眉红茶杯”国际茶产业博览会暨“首届岳西翠兰”茶文化节金奖：安庆市群芳最茶业有限公司“端木赐”牌岳西翠兰、岳西县川岭茶叶专业合作社“川岭”牌岳西翠兰，岳西放风尖茶叶专业合作社“放风尖”牌大壶茶（乌龙茶类）三家产品。 中国市场畅销品牌：岳西县川岭茶叶专业合作社“川岭”牌川岭香。	县、省评
2011	2011' 舒 · 霍 · 岳首届名优茶手工炒制擂台赛一等奖：安徽岳西县竹山古茶园茶业有限公司刘会根；二等奖：安徽礼宾茶业有限公司冯立彬；三等奖：安徽良奇生态农业科技有限责任公司张克银。 第九届“中茶杯”全国名优茶评比一等奖：安徽云林茶业有限公司、岳西县林兰名茶厂。 第七届中国茶业经济年会，“2011 年度中国茶叶行业百强企业”：安徽良奇生态农业科技有限责任公司。	
2012	第二届大别山区名优茶传统工艺制作大奖赛一等奖：岳西县三道河茶厂胡忠满；二等奖：安徽岳西县竹山古茶园茶业有限公司刘会根；三等奖：安徽云林茶业有限公司程书霞、安徽岳西河上岭茶业公司吴财有；优秀奖：安徽良奇生态农业科技有限责任公司张克银。 中国（安徽）第六届国际茶产业博览会“安徽茶产业十强企业”：安徽良奇生态农业科技有限公司；“安徽十大品牌名茶”：安徽翠兰投资发展有限公司“百年翡冷翠”牌岳西翠兰；“博览会优质金奖”：岳西县泰复茶业有限公司“泰复”牌岳西翠兰；“中国优秀历史品牌名茶”：安徽天赋生物科技有限公司“司空山”茶。 中国茶叶学会举办的第二届“国饮杯”全国茶叶评比特等奖：安徽香炉冲茶业有限公司	

续表

2013	第三届大别山区名优茶传统工艺制作大赛一等奖：岳西河上岭茶叶公司的吴财有；二等奖：岳西县良奇公司秦名祥；三等奖：三道河茶厂胡忠满、竹山古茶园刘会根、礼宾茶厂冯立彬。 第五届岳西翠兰茶王大赛茶王：岳西县三道河茶厂；金奖：安徽良奇生态农业科技有限责任公司、岳西县包家乡河上岭茶厂；银奖：安徽省香炉冲茶业有限公司、岳西县包家乡黄栗雾春茶厂、岳西县中关锦云茶厂；铜奖：岳西县五河镇储德三茶厂、岳西县林兰名茶厂、岳西县供销社云杉茶叶专业合作社、岳西县石佛寺毛岭茶厂；优质奖：岳西县石佛立启茶厂、岳西县中关徐龙茶厂、岳西县头陀镇虎形王业根茶厂、岳西县川岭茶叶专业合作社、安徽岳西县竹山古茶园茶业有限公司、岳西县朱铺有机茶厂、岳西县菖蒲镇水畈茶厂、岳西县来榜镇石冲茶厂、岳西县大川岭有机茶厂、岳西县绿月茶业有限公司、岳西县金鹏茶厂、岳西县岚里香茶叶专业合作社、菖蒲镇溪沸村东渡前进茶厂。 第十届“中茶杯”全国名优茶评比特等奖：岳西县林兰名茶厂生产的林兰芳牌岳西翠兰茶；一等奖：安徽省香炉冲茶业有限公司生产的香炉冲牌岳西翠兰，安徽云林茶业有限公司生产的 2 个茶样。 中国（安徽）第七届国际茶博会茶叶评比金奖：岳西县灵山合作社“卉兰”牌岳西翠兰、联圣茶业有限公司“闵山贡茶”牌岳西翠兰、川岭茶叶专业合作社“川岭”牌岳西翠兰。	
2014	第四届大别山区名优茶传统工艺制作大赛，岳西 5 家茶叶企业参赛，取得一等奖、二等奖、三等奖各一个，优秀奖两个。	
2015	第五届大别山区名优茶传统工艺制作大赛金奖：岳西县惠根家庭农场选手刘会根、朱霞玲；银奖：岳西县绿剑茶叶专业合作社选手甘圣发、倪良义和岳西县川岭茶叶专业合作社选手王业先、王焱两组选手同时获得。	
2016	岳西县茶业协会、安徽良奇生态农业科技有限公司、安徽翠兰投资发展有限公司一并获得《全国名特优新农产品证书》。 岳西翠兰手工制作大赛（金翠兰茶城）金奖：岳西县海松茶叶专业合作社查海松；银奖：岳西县来榜镇公山茶厂储德泉、岳西县中关乡徐龙茶厂徐义炉，铜奖：安徽岳西河上岭茶业公司吴财有、岳西县青天乡名山茶厂储国华、岳西县川岭茶叶专业合作社王焱；制茶能手：岳西县包家署刚茶叶合作社万光署、安徽云林茶业有限公司王厚尧、岳西县溪沸村东渡前进茶厂余来权。 2016 年中国茶业综合实力百强企业候选名单：安徽良奇生态农业科技有限责任公司。 “全国三十座最美茶园”：安徽省石佛寺生态农业开发有限公司石佛寺有机生态茶园。	
2017	第七届大别山区名优茶传统工艺制作大赛金奖：头陀镇三道河茶厂；银奖：安徽礼宾茶业有限公司。 日本举办的 2017 年世界绿茶评比最高金奖：“良奇”牌岳西翠兰。 2017 年度中国茶业综合实力百强企业：安徽良奇生态农业科技有限责任公司。 内蒙古自治区包头市举办的首届特色旅游商品博览会中国特色旅游商品大赛银奖：安徽石佛寺生态农业有限公司生产“石翠”牌岳西翠兰。 安徽第十一届国际茶业博览会金奖：岳西振兴茶业公司鑫荣昌牌岳西红茶。 第五届中国茶博会（济南）全国斗茶大赛优质银奖：岳西振兴茶业公司鑫荣昌牌岳西翠兰。 省级著名商标：安徽省石佛寺生态农业开发有限公司“石翠”、安徽绿月茶业有限公司“绿月”。	

续表

2018	第八届大别山区名优茶传统工艺制作大赛金奖：岳西县古岭茶厂，银奖：岳西县川岭茶叶专业合作社。 第二届中国国际茶博会名优茶评比金奖：安徽岳西县竹山古茶园茶业有限公司“惠根”牌岳西翠兰。 第十二届中国西安国际茶业博览会名茶评比金奖：岳西县碧涛农林生态农业科技有限责任公司“金桂兰”牌岳西翠兰。 安徽省第十二届国际茶产业博览会金奖：安徽绿月茶业有限公司“绿月”牌岳西翠兰获，同期获得 2018 年度安徽名牌称号。 2018 年中国安徽名优农产品暨农业产业化交易会（合肥）金奖：岳西县撞钟种养专业合作社皖农合牌岳西翠兰。 第六届中国茶叶博览会（济南）全国红 · 绿茶斗茶大赛绿茶类优质奖：岳西县金翠兰茶业有限公司“翡冷翠”岳西翠兰。	
2019	中国合肥农交会金奖：岳西县滑岭尖家庭农场“沁云香”牌岳西翠兰茶。 第六届中华茶奥会茶品与鉴茶技能大赛铜奖：岳西县饴兰茶业有限公司汪涌泉“饴兰”牌岳西翠兰茶。	
2020	第八届中国茶叶博览会“全国名优茶”评比绿茶类金奖：岳西县振兴茶业有限公司选送的“徽芽”牌岳西翠兰。	
2021	2021 中国（黄山）茶业发展大会暨“黄山杯”首届全国传统名茶推选活动金奖：岳西县竹山古茶园茶业有限公司惠根牌“岳西翠兰”。 全国绿茶五星级品质评价：岳西县林兰名茶厂“林兰芳牌岳西翠兰”。	
说明：因资料缺失，统计不够完整。		

（二）岳西县茶叶历年产量产值统计表

单位：面积（亩）；产量（吨）；产值（万元）

年份	面积	开采面积	总产量	总产值	年份	面积	开采面积	总产量	总产值
1949	14000	14000	225		1986	49695	36000	551.6	
1950	14200	14200	350		1987	50060	36000	665.6	
1951					1988	49435	36000	818.9	
1952	14465		358		1989				
1953					1990	49440	41595	1091	
1954	16066	14200	450	29.4	1991	52348	36000	1296	
1955	23815	22000	466		1992	44833	36000	868	
1956	18161		513		1993	49042	36508	966	
1957	19431		440		1994	55095	36500	1096	1550
1958	20853	17469	375		1995	64500	39000	1223	
1959	14920	14920	300	50.9	1996	64005	39000	1215	1750
1960					1997	64620	39000	1228	1900
1961	15441	14920	195	27.4	1998	64600	39000	1300	2000
1962	6251	6251	171	25.3	1999	64600	41000	1400	2200

续表

1963	6066				2000	64605	40995	1300	2400
1964					2001	64605	40995	1500	4508
1965	11052	6066	280	36.6	2002	88995	61005	1540	5940
1966	17979	6066	256	37.2	2003	93133.	53820	1438	4283
1967	11502	6066	290	37.2	2004	95979.	66480	1750	7200
1968					2005	108853	73995	1970	9040
1969					2006	117439	77310	2160	12000
1970	9681	6300	328	43	2007	123957	100000	2500	15000
1971	14530	6283	319	48.2	2008	127696	100000	2500	20000
1972	24022	9528	311	50.1	2009	128736	115000	2810	26100
1973	31255	11789	361	51.6	2010	131000	115000	3150	31000
1974					2011	135000	120000	2900	34900
1975	38446		351		2012	148000	125000	3800	60000
1976	42941	18539	432	69	2013	150400	130000	4100	68600
1977					2014	154400	134500	4450	70960
1978	51491		398	65.2	2015	158100	136500	4680	58660
1979					2016	162800	138900	5050	59000
1980	62244	27055	365	68.9	2017	169700	147500	5100	63000
1981	55708	25241	403	68.3	2018	171800	154400	5655	66400
1982					2019	174000	158100	5910	70100
1983	57000	29000	400	90	2020	182900	162800	6100	73200
1984	57000	29000	502	95.4	2021	185000	169200	6300	80000
1985	53388	29000	499.2	172	2022				

注：空格部分为数据缺失。

后 记

岳西县产茶历史悠久，文化灿烂，却又鲜为人知。其原因主要是建县较晚（1936年），史料散落各处，以致很多人以为“岳西茶叶无文化”。这与岳西茶业强县目标极不相称。

我来岳西工作40余年，有机会长期事茶。这里的山水之胜让我心仪，茶的神韵让我心倾，无数志士为岳西茶业的发展不懈努力让我心动，而这里大量茶事、茶品，一如荆山之玉，长期识者无多，又让我很是心伤。于是，在2000年初，萌发一个心愿，为岳西茶修一部专志。

以前，职事在身，并没能完全静下来编写，主要做些资料搜集、史事考证等准备工作，志稿80%以上的文字是本人在2010年离岗之后写成的。此时，因编志是自定的目标，是“私事”，过程中遇到的困扰甚至尴尬自不在少。所幸，由于社会广泛支持，最终编纂成书。

说到社会支持，我便情难自禁，不得不向在此书编写过程中，给予过热情相助的许许多多的领导和朋友，一并表达最诚挚的谢意！

岳西县人大原副主任胡颂扬，县文联主席储劲松，安徽翠兰投资发展有限公司董事长崔栋梁等，最早知道我在编写茶志，并一直默默支持。2021年7月，县委、县政府主要领导动议出一部茶书，用以提升岳西茶业的软实力，县文联立即提议出版茶志。2020年底至2022年春，胡颂扬先生在多个场合呼吁县有关方面支持本人编修茶志。在资料搜集过程中，更得到汪同元、柯万英、查道生、储青、方再友、王贻峰、宋必硕、陈正新、王统一、朱雨霖、朱诵发、杨效东、刘在成、徐松华等专家好友，以及茶界热心人士的无私帮助。特别是柯万英先生，不仅提供过许多有价值的资料线索，还经常拨冗陪我四出采访，调查考证。如果没有他们的帮助，就肯定没有今天这部《岳西翠兰志》的问世。

因个人水平有限，资料搜集不全，《岳西翠兰志》错误之处定然不少，遗珠之憾更是不可避免，万望读者提出宝贵意见。

昨夜疏雨敲窗，经久未息，不能成寐。回想过去的20多个春秋，风雨田间，孤灯案上，点点滴滴，如在眼前。现本志即将付梓，甚是欣慰。遂制小诗一首，附缀于此，以志心迹。

《岳西翠兰志》编成有咏

喜遇名区尽碧岑，烟霞春蕊醉尘襟。
兰魂翠彩今犹艳，宋韵唐风久已侵。
独秀当描枝有影，寻常惶愧句无金。
廿年流水推寒暑，一卷成编聊慰心。

钱子华

2022年6月28日